KB198135

불꽃 속의 나라

삽화_金成國(건축가)

불꽃 속의 나라

2007년 10월 12일 초판 1쇄 인쇄
2007년 10월 22일 초판 1쇄 발행

지은이 | 박규원
펴낸이 | 孫貞順
펴낸곳 | 도서출판 작가
서울 서대문구 북아현3동 1-1278 (우120-866)
전화 | 365-8111~2 팩스 | 365-8110
이메일 | morebook@morebook.co.kr
홈페이지 | www.morebook.co.kr
등록번호 | 제13-630호(2000. 2. 9.)

편집 | 김이하 이현호 곽대영
디자인 | 박은정
영업 | 손원대 설동근
관리 | 이용승

ISBN 978-89-89251-66-8 (03810)

값 10,000원

불꽃 속의 나라

박규원 소설집

작가

■ 추천사

짧고 영원한 이야기들

학창 시절 나는 상하이로 유학을 가 10년간 그곳에서 머물렀다. 그때 상하이는 뉴욕 다음으로 번성한 국제도시였다. 세계 각지에서 혁명가와 모험가와 사업가들이 모여들었다.

그 시절 상하이는 인간이 꿈꾸고 상상할 수 있는 모든 일들의 가능성이 다 열려 있는 도시였다. 바로 이 책에 박규원 씨가 놀랄 만한 상상력으로 그려내는 1930년대의 상하이의 모습 그대로였다.

나와는 뒤늦게 사제의 인연을 맺은 박규원 씨는 내가 눈으로 보고 겪은 그 시절의 이야기를 보지 않고도 놀랄 만한 상상력으로 그려낸다. 먼지 낀 돌계단을 바라보면서도 옛사람들의 탄식과 눈물을 읽어내고, 낡은 창틀을 보면서도 그 속에 살았던 사람들의 환희와 절망을 읽어낸다.

1930년대 한국 사람이면서도 중국의 영화 황제로 불렸던 자신의 작은 외할아버지 김염의 삶을 그려낸 『상하이 올드 데이스』에 이어 『불꽃 속의 나라』도 박규원 씨만이 가지고 있는 상상력의 소산이다.

그의 글은 짧으면서도 별같이 아름답고 금강석같이 빛난다. 어떤 찬사도 아깝지 않다. 그의 안내로 나는 젊은 시절 내가 살았던 상하이를 다시 만난다.

나의 제자
박규원 씨의 원고를 읽고
피천득

■ 머리말

나에게 상하이는 꿈이다.

눈을 감으면 항상 김염이 사랑했던 상하이가 떠오른다. 멀고도 먼 곳에서 가슴 설레는 기적 소리가 들려오는 것처럼, 꿈속에서 기대하지 않았던 그리운 사람을 만난 날처럼, 나를 행복하게 하는 곳, 상하이.

내가 1920~30년대 상하이에 대해서 애착을 갖게 된 것은 바로 그때가 내 사랑하는 할아버지가 상하이에서 중국의 영화 황제로 활동했던 때이기도 하고, 또 할아버지를 통해 알게 된 상하이의 그 시절이 소설보다 더 소설 같은 시대였기 때문이다.

할아버지의 흔적을 찾아 이제까지 나는 상하이를 수십 번도 넘게 방문했다. 또 집에서도 그 시절 상하이를 떠올릴 때마다 내 머릿속엔 수많은 영상들이 나도 모르게 나타난다.

그런 상하이의 오래된 거리를 걷다가 나는 어느 고색창연한 건물의 기둥과 창틀에 낀 검푸른 그을음을 바라본다. 나는 걸음을 멈추고 한 발 더 가까이 다가가 상하이의 오래된 세월의 흔적과도 같은 그을음을 자세히 들여다본다. 그 속에는 오래 전 그 길을 다녔던 수많은 사람들의 혼과 숨결이 그대로 배어 있는 듯하다.

그것들은 내게 다시 검푸른 숨을 몰아쉬더니 무엇인가 하나둘씩 빠져나와 어느새 거리를 가득 메우기 시작한다. 그것은 곧 수많은 인파로 변하여 어떤 사람은 기뻐서, 어떤 사람은 슬퍼서, 어떤 사람은 희망에 들떠서 소리 지르는 가운데 또 어떤 사람은 자동차와 마차를 타고 바삐 자기의 목적지를 향해 떠난다.

내가 걷고 있는 길 바로 건너편에 있는 주점에서 총에 맞은 어느 혁명가가 어깨를 싸안고 황급히 튀어나와 어두운 골목으로 비틀거리며 사라진다. 그 뒤를 이어 주위가 훤해질 정도로 화려하게 차려입은 깡패와 기생들이 번쩍이는 자동차를 타고와 그 주점으로 보란듯이 들어간다.

그 속에서 나는 어느새 그 시대의 여인이 되어 진홍색 치빠오를 입고 어느 찻집에 앉아 창 밖을 바라보고 있다. 그러나 그곳에 앉아 있어도 나는 누구를 기다린 적이 없다. 아니, 마음 속으로 항상 누구를 기다렸던 것 같다. 나는 찻집에서 나와 할아버지의 팔짱을 끼고 사랑과 꿈이 가득한 상하이 거리 속으로 빨려 들어간다. 우리 머리 위에는 수많은 별들이 강물처럼 흘러간다.

실제로 지난 10여 년 간 독립운동가의 아들로 중국의 영화 황제가 된 김염의 일대기 『상하이 올드 데이스』를 쓰는 동안 나는 지금의 현실 속에서보다 내 상상 속의 상하이에서 시간을 보낼 때가 더 많았다.

그 시절의 알 수 없는 누군가가 그리워지고 외로움이 깊어지는 날이면 나는 그 시절 상하이의 모습을 담은 오래된 사진첩을 들춰보기를 즐긴다. 그 사진 속에는 그때의 화려함과 이면의 궁핍함, 인간의 서로 다른 얼굴 같은 자비와 탐욕, 좌절과 희망이 뒤섞여 있어 나를 마치 영화 속의 인물처럼 그곳에서의 숨 막히는 일생을 순식간에 살게 한다.

이렇게 한 인생을 살며 다른 여러 인생을 그것 역시 내 인생인 것처럼 상상하다 보면 때로 이렇게 상상하고 있는 것이 내 인생인지, 아니면 상상 속의 것이 내 인생인지 모를 때가 있다.

이렇듯 상하이는 내게 꿈의 도시이다. 그것은 1930년대 중국의 영화 황제였던 할아버지의 영혼이 내 영혼 속에 스며 있기 때문이다.

나는 할아버지를 통해 상하이를 알았고, 또 그 거리에서 그들을 보았다. 그들은 하비로에서, 다리에서, 저녁 불빛 비치는 창가에서 떨리는 가슴으로 내게 말을 걸어왔고, 나는 그들이 들려주는 이야기를 받아적었다. 여기의 글들은 모두 그렇게 탄생한 것들이다.

나는 이 글을 그 시절 상하이에 살았던 많은 사람들과 내 할아버지의 영혼에 바친다.

2007년 가을
박규원

불꽃 속의 나라

차례

고무나무 주식

아아악!

아아…….

어떻게 이럴 수가, 이럴 수가 있단 말인가. 모든 것이 다 믿을 수가 없다. 대체 나는 어떤 운명을 타고 났길래 이런 불행만 계속되는 것일까.

방에서 밖으로 나가는 현관 입구의 계단이 보이지 않는다. 나는 방금 전 도망치듯 친구의 방을 뛰쳐나왔다. 건물 밖엔 장대 같은 비가 퍼붓고 있다. 언제부터 저렇게 쏟아지기 시작했는지도 나는 알 수가 없다. 장대 같은 빗줄기가 눈앞을 가려 어느 것이 건물이고, 어느 것이 길인지조차 보이지 않는다. 나는 미친 사람처럼 희뿌연 장막이 둘러쳐진 것 같은 빗줄기 속을 무작정 걸어가고 있다.

아아, 정말 이 일을 어쩌면 좋을 것인가. 나도 모르게 소리를 지르지만 그 소리조차 빗소리에 섞여 내 귀에 제대로 들려오지 않는다. 벌린 입 안으로 빗물이 가득차 소리는커녕 숨조차 쉴 수가 없다.

방금 전 친구의 방문을 열었을 때 친구는 이미 숨이 끊긴 채 널브러져 있었다. 스스로 자기 손목의 동맥을 자르고 세상을 하직한 것이었다. 침대엔 먹다 남은 생아편 조각이 흩어져 있었고, 마룻바닥엔 친구의 손목에서 흘러나온 피가 흥건하게 고여 있었다. 나는 그대로 문을 닫고 밖으로 뛰쳐나왔다.

거리 한가운데에서 천둥소리인지 내 비명 소리인지, 아니면 친구의 비명 소리이거나 저주의 소리인지 모를 어마어마한 소리가 비와 함께 내 머리 위를 덮치고 있다. 이젠 갈 데도 없고 마음을 의지할 만한 데도 없다. 발길은 어느새 본능처럼 강 쪽을 향하고 있지만, 정작 내 자신은 지금 내가 어디로 가고 있는지조차 모르고 있다.

우르르 쾅. 천둥이 치고, 그 사이로 퍽퍽퍽, 하는 둔탁한 소리와 아아악, 하고 내지르는 엄마의 비명 소리가 빗속을 뚫고 한꺼번에 내 귀에 해일처럼 밀려온다. 아버지처럼 엄마를 때렸던 사람이 이 세상에 또 어디 있을까.

나는 내 운명의 모든 것을 내 두 발에 맡기고 점점 더 불어나는 강물을 향해 걸어 나간다. 노도처럼 거칠게 나를 향해 덮쳐오는 강물을 바라보며 이제 나는 내 운명을 어떻게 결정지어야 할지를 스스로에게 다짐한다.

아편에 중독된 아버지는 끝내 한 조각의 아편을 얻기 위해 엄마를 유곽에 팔아먹었다. 어느 날 학교에 갔다오니 엄마가 안 보였다. 부엌엔 엄마가 썰다가 만 야채가 그대로 놓여 있었다. 날마다 계속되는 악몽과도 같은 현실 속에 나는 차라리 아버지가 없는 아이들이 부러웠다. 누군가 나를 구해주길 바랐다. 현실적으로 그것이 가능하지 않다는 걸 알면서도, 아니 가능하지 않은 줄 알기에 더욱 누군가 나를 구해주길 바랐다. 그러나 아버지는 이태 후 그런 나마저 유곽에 팔아버렸다.

매일매일 주인이 시키는 대로 손님을 받으며 손님의 요구대로 모든 굴욕을 참고 견뎌야 했다. 나는 우리가 일하는 유곽에 나처럼 팔려와 있는 친구와 함께 탈출할 기회를 엿보았다. 그러는 사이 5년이 지나고 6년이 지나며 우리는 우리 삶을 반쯤 자포자기하게 되었다. 그러던 어느 날 손님들끼리 최근 계속 오르기만 하고 있는 어떤 주식 얘기를 하는 것을 들었다.

"참 신기하지. 이게 사놓기만 하면 값이 오른다구. 벌써 한 달 전과 비교해 두 배나 올랐어."

"이대로 계속 오르기만 할까?"

"무슨 얘기야. 상하이 사람들 모두 이 주식 때문에 야단인데. 거 왜 우리 가게에서 일하는 왕 서방도 나보고 그 주식을 좀 사달라고 난리인데."

"끼니도 제대로 못 잇고 사는 주제에 무슨 주식이야?"

"아무나 다 이 주식을 사려고 하는 통에 값이 더 오르는 것 아니겠어. 좌우지간 다른 사람들보다 일찍 이걸 산 우리는 그냥 앉아서 부자가 되는 거라고."

사놓기만 하면 하루가 다르게 값이 오르는 그 주식은 호주에

1882년 증권회사가 생긴 이후 주식은 상하이 사람들의 생활 속으로 들어왔다. 주가의 폭등과 폭락은 상하이 상업 일상의 한 부분이었다.

있는 어느 고무나무 농장 주식이라고 했다. 드넓은 호주 대륙에 끝이 보이지 않은 고무나무 농장이 있으며, 앞으로 고무는 쓰임새가 많아 같은 무게의 생아편보다 비싸질 것이라고 했다. 그들뿐 아니라 오는 손님들마다 그 얘기를 했다. 특히나 단골 손님들이 주고받는 말에 나와 친구는 귀가 솔깃해졌다. 정말 생아편만큼이야 값이 오르진 않겠지만, 앞으로 고무가 귀하게 쓰일 것만은 틀림없어 보였다.

"그래. 우리도 그 주식을 사 모으자."

"어떻게?"

"그거야 우리도 주식을 사고 파는 데 가서 사면 되지."

그날부터 친구와 나는 받기 싫은 손님도 눈을 꼭 감고 받으며 매일매일 우리의 몸을 팔아 번 돈으로 호주의 고무나무 농장 주식을 사 모으기 시작했다. 손님을 대하는 우리의 태도에 애교도 나날이 늘어 때로는 그런 모습에 내 자신이 놀라기도 했지만, 저 사람들은 매일매일 우리에게 꿈의 고무나무 주식을 물어다 주는 사람들이었다.

우리는 더 많은 주식을 사 모으기 위해 애썼고, 하루 빨리 이곳을 벗어나고 싶었다. 손님들이 다 돌아간 유곽의 구석방에서 친구와 나는 그날 번 돈을 세며 어서 빨리 그런 날이 오길 기다렸다.

그런데 어제 거짓말처럼 어느 신문에 그동안 상하이에서 호주의 고무나무 농장 주식을 모집하던 외국인이 해외로 도망갔다는 기사와 함께, 황량한 고무나무 농장 사진이 실렸다. 신문을 가져온 손님은 우리에게 너희는 이런 엉터리 주식을 사지 않았느냐고 물었다. 사진 속엔 사막 같은 벌판에 서너 그루의 고무나무만 서 있을 뿐이었다. 이 사실 또한 거액의 투자자들이 그곳까지 찾아갔다가 알아낸 것이라고 했다.

그건 정말 있을 수 없는 일이었다. 우리는 우리가 가지고 있는 고무나무 주식이 거짓말을 하는 것이 아니라 신문이 지금 거짓말을 하는 것이라고 믿고 싶었다. 그 기사가 사실이라면, 그리고 그것으로 아우성치는 사람들의 말이 다 사실이라면 나에게는 이제 더 이상 삶을 지탱할 힘도 이유도 끈도 없어져 버린 것이었다.

신문을 보며 흥분하는 나와는 달리 친구는 아무 말을 않고 황량한 고무나무 농장 사진을 뚫어져라 바라보았다. 그때 친구의 눈빛도 사막과 같았다.

"우리 참 힘들게도 살아왔어. 그렇지?"

"그렇지만 이건 아니잖아. 이건……."

나는 다시 목소리를 높였다.

"나, 쉬고 싶어. 그만……."

친구는 그 말을 하고 자기의 방으로 돌아갔다. 그리고 하루가 지난 다음 다시 그녀의 방문을 열었을 때, 그녀는 이미 스스로 목숨을 끊었다. 나는 이제 저 황푸강 바닥에서 친구의 눈을 본다. 바라보는 것만으로도 확 빨려들어갈 듯 휩쓸려 나가는 물줄기 속에서 친구가 나를 부른다.

어서 와, 너도.

그래. 애초부터 우리에게 희망은 없었어. 모든 것이 우리를 속이는 거짓 희망이었지.

나는 친구에게 손을 내민다. 그녀가 내 손을 잡는다. 빗줄기는 여전히 강하게 내 가슴과 머리를 때리고 있다. 저 하늘 끝에서부터 황푸강 바닥까지 온 세상이 빗속에 포효하고 있는 듯하다. 그래, 나는 이제 이렇게 세상을 하직하려 한다.

그동안 내가 겪고 스쳐온 세상의 모든 괴로움과 슬픔들아, 이젠 모두 나를 놔주렴. 안녕…….

* 고무나무 농장 주식 사기 사건으로 며칠 사이 많은 투자자들이 자살했다. 그들 중엔 점포 상인, 일반 시민, 기녀들도 상당수 끼여 있었다. 1910년 여름, 상하이에서의 일이다.

당신은 언제 돌아오시나요?

나의 주인은 언제 다시 나를 찾아줄까요? 이제나 저제나 나는 아직도 그날을 기다리고 있습니다.

1927년 2월, 그러니까 벌써 80년 전의 일이군요. 아직은 쌀쌀한 바람이 불던 어느 이른 봄날, 불란서 조계지 주택가에 첫삽이 떠지며 나는 지어지기 시작했습니다.

나의 주인은 30대 초반의 젊은 프랑스 남자였어요. 그는 이미 20대에 이곳 상하이에 와서 어느 무역 회사에 근무하며 처음엔 회사에서 마련해준 숙소에서 살았답니다. 그는 회사에서 매우 열심히 일했지요. 퇴근 후엔 동료들과 함께 조계지에 새로 문을 연 도박장이나 무도장에 가보기도 했지만, 밤이 되어 혼자 숙소에 누워 있을 때면 늘 마음 한구석이 허전하였지요. 그는 산책을 하듯 밖으로 나가 번드의 잔디밭이나 공원을 걸었어요.

매일매일 그가 하는 일은 늘어났고, 그는 힘든 것을 마다하지 않고 일에 재미를 붙였어요. 때로는 일을 하며 우리 인생에는 놀라운 일들이 참 많이도 있구나, 하고 스스로 놀라기도 하면서 자신이 유능한 사람이라고 느끼기도 했지요. 그것은 자만과는 또 다른 인생의 어떤 자신감이었지요.

그러는 사이 그는 어느새 부사장까지 승진하게 되었고, 이곳 상하이를 더욱 사랑하게 되어 아예 이곳에 눌러 살 생각으로 나를 짓기 시작했던 거예요. 상하이 안에서 가장 비싼 주택지에 가장 비싼 자재를 구해서 말이지요. 그는 매일 회사가 끝나면 나한테로 와서 내가 지어지는 과정을 아주 세밀하게 살펴보곤 했어요.

당시 상하이는 하루가 다르게 발전하고 있어서, 나 말고도 여러 곳에 건물들을 짓는 것이 하나의 붐처럼 여겨질 정도였어요. 그가 이곳에 처음 왔을 때부터 와이탄에는 새로운 서구풍의 건물들이 지어지고, 또 얼마 지나면 이런 건물도 있었나 싶을 정도로 아름답고 화려한 공공건물들이 속속 들어섰어요. 그 거리를 지나던 행인들이 놀라움을 금치 못하며 연신 뒤를 돌아보며 걷다가 맞은편에서 역시 그런 모습으로 걸어오는 사람과 서로 부딪치기도 했지요.

그곳에서 멀지 않은 이곳은 아침부터 밝게 빛나는 햇살이 가로수 잎들을 행복에 겨워 소리치게 하고, 오동나무 가로수들은 그 길을 지나는 사람들에게 우아한 자태로 시원한 그늘을 만들어 주었어요.

주인은 내가 지어지는 동안 거의 매일 와서 흐뭇한 모습으로 주위를 둘러보기도 하고, 또 내가 다 지어진 다음엔 정원에 아름다운 나무와 갖가지 꽃들을 심었어요. 그리고 본국에서 안주인을 데리고 왔어요. 나는 복숭아빛 피부를 가진 그녀에게 내 안에서 제일 아늑하고 깊은 방을 내주고 그녀의 숨결을 느끼며 살았습니다. 그의 많은 하인들이 나를 닦아주고 씻겨주고, 또 안주인은 나를 다독이고 치장해주었어요.

여름이면 마당에 우거진 녹음이 나를 향해 싱그런 미소를 보내 주었고, 나는 주인 부부와 함께 나날이 행복했어요.

아기가 태어났어요. 마당에 아기를 위한 그네가 나무 그늘 아래 매어지고 나는 시원한 바람결에 아기의 웃음소리를 들으며 지내게 되었지요. 정원에서는 이따금 파티가 열렸어요. 초대받은 손님들은 나를 찬찬히 바라보며 감탄을 금치 못했어요.

1920년대와 1930년대 상하이엔 많은 외국인들이 들어와 자신들이 살 집을 자신만의 독특한 취향을 살려 지었다. 지금도 상하이엔 이때에 지은 아름다운 집들이 많이 남아 있다.

그들은 올 때마다 부러운 눈으로 나를 둘러보고 내 속에 들어와서 창문을 통해 바깥 정원을 바라보기도 했어요.

오후의 햇볕이 나른하게 느껴질 때까지 사람들은 웃고 떠들며 행복해 했고, 하인들은 이마에 땀을 흘리며 잰걸음으로 그들의 시중을 들었어요. 주방과 정원 사이에서는 너무 바빠 자기들끼리 바삐 주고받는 하인들의 말소리가 이따금 들리곤 했어요. 또 가끔은 마루가 너무 미끄러워 쟁반을 들고 뛰어가다가 넘어지는 하인도 있었어요. 마당엔 햇살을 받고 피어난 꽃들이 웃고 있었고, 나는 주인의 빳빳하게 풀 먹인 셔츠와 안주인의 비단 옷 밑에서 잘 다려진 속치마가 사각사각 스치는 소리를 들으며 이런 상쾌한 날들이 매일 이어지기를 바랐어요.

그러던 어느 겨울밤, 멀리서 포성이 들려왔어요. 1932년 1차 상하이사변이 터진 것이었답니다. 이때에도 이곳 조계지는 안전했어요. 예전에 청나라와 프랑스와의 전쟁 때에도 그랬고, 제1차 세계대전 후 밀어닥친 세계 경제공황 속에서도 상하이는 오히려 가장 활발한 경제성장을 보인 곳이었어요. 국제적인 전쟁 위기와 경제 위기 속에서도 세계 상인들은 자신들이 가장 안전지대로 선택한 상하이에 엄청난 투자를 했던 거지요.

그러나 상하이가 언제까지 안전지대일 수 없었던가 봅니다. 1937년 2차 상하이사변이 터지며 쉴 새 없이 포탄과 총알, 대포 소리가 들리고 많은 건물들이 쓰러지고, 연기가 하늘을 뒤덮었어요. 사람들은 겁에 질려 이곳 조계지로 몰려들었고, 그 길 중간에 비명을 지르며 쓰러진 사람도 많았고, 또 쉴 새 없는 폭격에 시체가 길에 널려 있기도 했어요.

주인은 어두운 얼굴로 오래도록 거실 소파에 앉아 있었어요. 아내와 이곳에서 태어난 아이는 먼저 본국으로 보낸 다음이었어요. 저녁이 되어도 그는 불도 켜지 않은 채 오래오래 생각에 잠기어 있었어요. 또 어느날 그는 혼자서 상하이의 거리를 헤매다니기도 했어요. 젊었을 때 매일매일 다니던 식당과 숙소, 가게, 클럽들을 찾아가 보기도 했지요. 그는 홀로 술집에 앉아 술을 마시며 처음 자신이 상하이로 왔던 때를 회상했어요.

그리고 그도 이곳을 떠났답니다. 나는 나를 지은 그가 그리워졌어요. 정원에는 매년 봄마다 그가 심었던 꽃나무들이 앞을 다투어 피어나 그를 기다렸으나 그는 어떠한 소식도 없었어요.

그후 한때 점령군처럼 일본군이 내 안에 들어와 있기도 하고, 그들이 물러간 간 다음 국민당 정부 쪽 사람이 들어와 살기도 했어요. 그리고 1949년 신중국 건설 후 내 안에는 새로운 사람들이 들어와 살기 시작했어요. 그러나 그들은 낮에만 내 속에 머물렀어요. 나를 가족이 사는 집으로서가 아니라 사무실로 사용했기 때문이었어요. 저녁이 되면 나는 다시 혼자가 되었어요. 나는 다시 나의 옛 주인처럼 밤이면 외로움을 타기 시작했어요. 그러나 종일 혼자 있을 때보다는 나아서 그런대로 외로움을 참기로 했지요. 그러면서 또 세월이 흘렀어요.

다시 상하이가 새로운 모습으로 개방되며 가끔씩 관광객이 나타나기 시작했어요. 나는 혹시나 나의 주인이 나를 찾아오지나 않는지 목을 빼고 바라보았어요. 우거진 나무 사이로 보이는 나의 모습을 사진 찍는 사람도 있었어요. 내 사진이 상하이를 소개하는 잡지에 실리기도 했지요.

그러나 나는 지금도 옛 주인이 내 안에서 살며 나를 닦고 어루만지던 때가 그립습니다. 오늘도 나는 그 시절을 그리워하며 우거진 나무 사이로 불어오는 바람에 눈물을 말리며 살아가고 있습니다.

언젠가 혹 그의 아들이거나 그의 손자라도 나타나 나에게 옛 주인의 이야기를 전해주지 않을까, 오늘도 나는 그의 소식을 기다립니다.

꿈의 사나이 하든

19세기 말에서 20세기에 걸쳐 상하이 부동산 시장을 쥐락펴락한 유태인 갑부 하든. 빈털터리로 상하이에 온 그는 토지와 건물에 대한 뛰어난 경영 방식으로 상하이 최고의 부호가 되었다.

언젠가 사람들이 나를 마이더스의 손을 가진 사나이라 불러도 되냐고 물은 적이 있지요. 과연 그럴까. 그 질문을 받고 나는 내 인생을 곰곰이 생각해보았어요.

나는 1851년 터키 통치 아래에 있던 바그다드에서 태어났어요. 몇 대 위 할아버지 때부터 그곳에서 장사를 해온 유태인 집안이었지만 우리 가족은 물론 친척들조차 제대로 성공한 사람이 단 한 명도 없었어요. 저는 그런 가난한 집안의 6남매 중 셋째로 태어나 어떤 특별한 관심도 사랑도 받지 못하고 자랐어요.

다섯 살 때 옛 사슨 회사의 직원이었던 아버지를 따라 인도의 봄베이로 이주했지만, 아버지는 금방 돌아가시고 말았어요.

내 나이 스물한 살 때 어머니마저 돌아가시자 나는 더 이상 봄베이에 있을 마음이 없어졌어요. 형제간의 의도 맞지 않았고, 또 그곳에서는 내 자신에 대해 아무런 미래도 느낄 수가 없었으니까요. 나는 며칠을 궁리한 끝에 홀로 홍콩으로 가서 예전에 아버지가 다녔던 옛 사슨 회사의 최말단 직원이 되었어요. 그리고 다음해 다시 상하이로 와 옛 사슨 상하이 분행에 사훈직을 맡게 된 것입니다.

'사훈직' 이라고 하니 제법 그럴 듯해 보이나요? 그러나 말은 그럴 듯한지 몰라도 사실은 회사 건물 경비에 창고 관리를 겸직한 회사 내의 최말단 업무랍니다. 그러나 그건 나에게 문제가 되지 않았어요. 그해가 1873년이었는데, 당시 상하이는 봄베이와 홍콩을 거쳐 그곳에 도착한 스물두 살의 청년에겐 그야말로 신천지와도 같은 도시였으니까요. 내 눈엔 그렇게 보였어요.

좀더 이야기를 해볼까요. 상하이는 내가 이곳에 오기 30년 전 영국과의 아편전쟁 후 개항된 도시입니다. 처음 개항될 때만 해도 오송강가의 드넓은 갈대밭에 지나지 않았던 이곳이 단 30년 만에 새로운 국제적 항구로 거듭나면서 비약적인 발전을 하고 있었던 거지요.

수많은 동서양의 사람들이 내가 근무하는 사슨양행 앞 대로를 쉴 새 없이 오가는 모습을 바라보며 나는 그들의 얼굴에서 앞으로 더욱 발전해나갈 이 도시의 새로운 미래를 보았습니다. 그것은 일찍이 내가 봄베이에서 보지 못했던 활기와 자신감이었던 거지요. 나는 그들과 함께 이 도시의 빛나는 물결에 동참하고 싶었어요.

아직은 보잘것없는 곳에서 잠을 자고, 보잘것없는 식사를 하고, 보잘것없는 옷을 걸친 말단 경비였지만, 나는 희망에 부풀어 있었어요. 훗날 돈을 많이 벌게 되어 의례적으로 이렇게 말하는 것은 아닙니다.

나는 이 도시에 아무런 연줄도, 배운 것도, 돈도 없었지만 하루하루 기쁘게 일했습니다. 나같이 아무것도 가진 것 없는 젊은이는 어떻게든 열심히 일을 해서 회사의 높은 사람들 눈에 들어야 그 다음 조금씩 조금씩 자기가 하고 싶은 일들을 할 수 있게 되리라 생각했지요.

예를 들면 이런 것이었어요. 나는 회사 경비의 마음이 아니라 회사 사장님의 눈으로 볼 때 직원이 어떻게 움직여 주면 마음에 들어할까 하고 생각해보았습니다. 그러면 바로 결론이 나오는 일이지요. 정직하게 또 성실하게 일을 하면 누군가 반드시 알아주리라 여겼던 것입니다.

내가 맡은 일은 회사의 건물 경비와 창고 관리였지만, 그것만이 내가 할 일의 전부는 아니라고 생각했어요. 창고 옆 숙소에서 창고를 지키며 자고 일어나면 나는 아침마다 회사 앞마당부터 깨끗하게 쓸기 시작했고, 유리창과 계단도 윤이 날 만큼 반짝반짝 닦아놓았습니다. 그렇게 회사 일에 전심전력을 다하다 보니 얼마 지나지 않아 부동산 업무의 경리를 맡게 되었습니다. 이 일도 처음엔 임대료를 받아오는 일이었고, 후에는 부동산 매매와 같은 큰일을 책임지게 되었지요.

나는 이미 이 방면에서 성공을 한 사람입니다. 그런 입장에서 이런 말을 하는 것은 듣는 사람에게 자칫 "너희는 열심히 일이나 해라" 하고 반감을 줄 수도 있는 일이겠지만 그때 제 마음을 그대로 얘기하면 이런 것이었습니다.

일을 하며 절대 주인의 지위와 권세, 금전을 탐하지 말자. 이거야 말로 동양의 속담대로 '소탐대실' 이 아니겠는가. 주인을 위해 많은 돈을 벌어야 내 자신도 돈을 벌 수가 있고, 또 앞으로 더 큰 기회가 찾아올 것이다, 하는 걸 늘 명심하고 있었습니다. 저는 이것을 회사에서나 다른 사람 아래에서 일하는 사람의 도리라고 생각했어요.

그러다 보니 입사 7년 만에 사장님의 매니저가 될 수 있었던 거지요. 사장님이 회사 일로 다른 사람들과 담판을 짓거나 새로 관계를 맺는 일에도 내 의견을 얘기하고, 회사 안에서 새로운 사업 아이디어를 내기도 하고, 또 그러는 동안 여러 가지 어려운 일을 해결하는 능력을 인정받았기 때문입니다.

회사에서 처음 부동산 경영을 나에게 맡겼을 때가 생각나는군요. 그것은 이제까지 집세를 받아오는 일들과는 차원이 다른, 회사의 미래가 달린 문제라는 걸 나는 잘 알고 있었지요. 나는 며칠 동안 와이탄 방죽을 왔다 갔다 하며 고민했어요.

상하이는 중국 내에서도 지리적으로 위치가 월등한 곳입니다. 상하이를 거점으로 앞으로 해상 교통이 더욱 발달하리라는 것은 영국이 아편전쟁 종결 조건으로 '상하이 개항' 을 내건 것만으로도 충분히 짐작할 수 있는 일이구요. 그런 해상 교통 중심지에 앞으로 철도까지 놓인다면 상하이는 중국에서 뿐만 아니라 세계 무역의 중심이 될 수 있는 도시라는 겁니다.

나는 내가 자랐던 바그다드와 봄베이, 홍콩과 상하이를 비교해보았지요. 이 역동적인 도시가 동서양이 합친 세계적인 도시로 거듭나려면 현대적인 건축물과 도로, 대규모의 상업지구가 필요하다고 판단했어요. 아직 상하이는 그런 건축물도, 반듯한 도로도, 대규모 상업지구도 없었거든요. 뭔가 가능성만 보이지 아직 아무 것도 준비되어 있지 않았어요.

그리고 내가 처음 이곳에 왔을 때 길을 오가는 수많은 사람들에게 느꼈듯이 상하이의 번영은 조계지에 들어와 있는 외국인뿐만 아니라 중국인들의 참여와 경영이 절대적으로 필요하다는 거지요. 그래야만 진정한 세계적인 도시가 될 것이라는 게 내 생각이었어요. 돈을 가진 외국인과 외국 자본만 가지고는 되지가 않아요. 와이탄 방죽을 오가며 이런 저런 생각을 하는 내 머릿속엔 상하이의 미래 시가지의 모습과 그곳을 지나는 수많은 동서양의 사람들이 새로운 도시 속에 그림처럼 흘러가는 모습이 보였어요.

내가 보기엔 이 도시가 앞으로 엄청난 발전할 것 같은데, 그 시기가 참 묘했어요. 내가 사슨양행의 부동산 경영 업무를 맡기 2년 전 중국과 프랑스 간의 전쟁이 있었어요. 이 부분을 좀 설명할 필요가 있군요. 프랑스는 일찍 코친차이나(베트남 남부)를 자기 세력권으로 삼은 다음 다시 북부의 하노이 지역까지 포함해 베트남 전역을 보호국으로 삼았어요. 이때 중국은

국방상의 이유로 베트남을 적극 원조하여 프랑스와 충돌이 잦았는데, 결국 1884년 양국 사이에 전쟁이 벌어지고 말았어요.

프랑스의 승리로 전쟁이 끝나긴 했지만, 상하이 조계지 내의 외국 상인들은 청나라 정부가 외국인 소유의 부동산을 회수하지 않을까 매우 불안해했어요. 그런 분위기 속에서 상하이에 진출해 있던 외국 회사들과 상인들이 연달아 해외로 회사를 옮겨갔답니다. 그러니 조계지 내의 땅값이 자연 폭락할 수밖에 없었던 거지요.

나는 사슨 사장에게 조금도 그럴 염려가 없으니 바로 이때 남들이 내놓는 땅을 헐값에 구입하자고 했지요. 나는 사슨 사장님의 허락 아래 앞으로 상하이에서 상업지구로 발전할 가능성이 가장 높은 남경로를 중심으로 부동산을 늘려 나갔어요. 그 덕분에 사슨양행은 남경로에 첫째가는 부동산 부호가 되었답니다. 지금의 화폐 가치로 따질 수 없긴 하지만 헐값에 사들인 사슨양행의 땅값은 그때 돈으로 500만 은냥이나 폭등하였답니다. 나도 내가 그때까지 번 돈을 모두 털어 이곳에 땅을 샀는데, 1000은냥의 이윤을 얻었어요. 오래 전의 일이지만 그때의 환희를 지금도 잊을 수가 없어요.

사슨양행을 비약적으로 살찌우며 나도 적게나마 돈을 벌었던 거지요. 또 그간의 실력을 인정받아 프랑스 조계지 공동국의 부동산 담당이사로 10여 년 간 일하게 되었고, 공공 조계지의 부동산 담당이사로 4년 간 일하게 되었습니다. 이만하면 상하이에서 내 날개가 아주 튼튼하게 마련된 셈이지요. 나중엔 양 조계지의 의원으로 선출되기도 했으니까요.

이제까지 나는 일을 할 때 다른 사람의 방식을 따라하지 않았어요. 문제를 깊이 생각해본 다음 이것이 결론이다 싶으면 그대로 밀고 나갔지요. 사슨양행과 두 군데 조계지의 부동산 담당이사, 그렇게 30년 가까이 직장 생활을 했습니다. 오래 한 편이지요. 내 나이 쉰 살이 되던 1901년에야 나는 비로소 '하든양행'을 설립하고 내 사업에 뛰어들었습니다. 독립으로 치자면 참으로 늦은 독립인 셈이지요.

그러나 서두르지는 않았어요.

아 참, 내가 사업 이야기부터 하다보니 내 아내 이야기를 하지 않았군요. 나는 유태인이고, 내 아내는 중국 사람입니다. 내가 옛 사슨양행 부동산부에서 일하던 시절에 만나 결혼한 사람입니다.

회사의 일로 어떤 건물에 들렀을 때, 나는 그 건물 한쪽 귀퉁이에서 실크 스타킹을 깁고 있던 한 중국 여성에게 마음이 빼앗겼습니다. 그녀는 결혼 후 나의 사업에 많은 조언을 해주었고, 또 내 인생에 가장 많은 영향을 준 사람입니다. 그러나 우리 사이엔 아이가 없었어요. 우리는 국적을 가리지 않고 10여 명의 아이를 양자로 들였는데, 내가 중국인과 결혼을 했다는 것과 함께 이 문제도 유태인들 사이에서 말이 많았어요.

그러나 나는 개의치 않았어요. 내가 가난하고 하찮은 말단 경비였을 때 유태 사회가 나에게 무어라 말한 적이 없는데 이제 내가 돈을 벌었다고 그들의 눈치를 볼 필요가 있겠는가, 생각했지요.

내가 독립한 지 5년 만에 사슨양행을 누르고 상하이의 첫째가는 부동산 왕이 되었을 때 사람들은 내가 중국인 아내를 맞이해 누구보다 중국과 중국 시장에 대해 잘 알고 있기 때문이라고 말했어요. 아마 그런 부분이 없지는 않았을 거예요.

상하이가 개항된 이후 서양 사람들은 상하이에 와 대부분 무역업에 종사했지요. 이쪽의 물건을 사서 저쪽에 넘기고, 또 저쪽의 물건을 사서 이쪽에 넘기는 식인데, 이 간단한 중개업으로도 서양 상인들은 많은 돈을 벌었지요.

이렇게 되면 사업의 편의를 위해서라도 은행이 필요하게 됩니다. 그들은 상하이 와이탄에 은행을 짓고 또 상점을 설립하였습니다. 그리고 자신들의 거주 지역을 남경로와 하남로 동쪽에 두었지요. 그때 사슨양행처럼 부동산 사업을 한 회사가 없었던 것은 아니지만, 대부분의 서양 사업가들은 자신들이 살 집과 상점을 짓는 정도에서 만족했어요.

나는 상하이가 세계적인 상업도시로 발전하려면 반드시 기초가 있어야 하는데, 그 기초가 부동산업일 거라고 생각했지요. 나는 내 나름의 경영 전략을 짰습니다. 부동산을 그냥 하나의 상품으로만 취급할 게 아니라 우선 부지를 구매하고, 거기에 건물을 건축하고, 그 건물을 임대하는 삼위일체의 경영 방식을 도입하기로 했습니다.

나는 은행에 담보를 제공하거나 대출받는 방식으로 돈을 마련했어요. 그걸로 이미 땅값이 비싸진 남경로나 하남로 동쪽은 거들떠보지 않고, 아주 싼 값에 하남로 서쪽과 서장로 동쪽 땅을 사들였지요. 그리고 거기에 있던 옛 건물을 전부 허물고 한 동 한 동 새집을 지어서 중국인에게 거주할 집으로 사용하거나 상점으로 사용할 수 있게 임대를 해주었지요.

그때 나는 다른 부동산 업자들과는 다르게 내가 짓는 집에 상하수도 시설과 전기 시설을 꼭 하여 현대화하였지요. 이것이 엄청난 히트를 쳤던 것입니다. 물론 나는 더 많은 돈을 벌게 되었지요.

나는 또 앞으로 엄청난 속도로 발전해나갈 수밖에 없는 상하이가 더욱 커져나가려면 조계지로 이미 구획되어진 동서로는 한계가 있고, 남북으로 커질 수밖에 없을 것이라고 판단했지요. 그래서 남북 쪽의 시골 땅을 사들였는데, 나의 이런 생각들이 적중하여 나중에 조계지가 확장되자 이곳의 땅값이 하늘 높은 줄 모르고 치솟았던 거지요.

그러면서 나는 남경로가 세계적인 상업지구가 되도록 제반 시설의 건설을 위해 많은 돈을 들였어요. 남경로는 상하이에서 제일 넓은 길입니다. 상업지구로 개발하기 아주 적당한 곳이지요. 중국 속담에 "상점이 많으면 도시가 된다"는 말이 있는데, 그거야말로 틀림없는 얘기입니다.

나는 상인들이 남경로로 오게 하기 위해 인도에서 철려나무(침목처럼 단단한 나무)를 들여와 그 나무로 길을 포장했어요. 그러자 조계 정부에서 나에게 훈장을 주며 고마워했지요. 그러나 내 개인적 입장에서 본다면 거기에 많은 돈을 들이긴 했지만, 남경로 일대의 집 값과 땅값이 크게 올라 임대료 수입은 오히려 크게 늘어났답니다.

원래 남경로와 하남로의 동쪽 땅값은 서쪽보다 20배 가량 비쌌는데, 내가 길을 포장하고 정리하고 다시 단장하자 길 양쪽의 차이가 없어져 버렸어요. 양쪽 땅값도 비슷해졌다는 얘기인데, 그것은 동쪽 땅값이 내려와서 비슷해진 게 아니라 서쪽 땅값이 스무 배 가량 올라 비슷해진 거니까 나에게 들어온 이익이 어땠는지 짐작이 가지요.

하루 자고 나면 셀 수 없을 정도로 많은 임대료를 받을 수 있었지요. 해마다 남경로에서 받는 임대료만도 254만 냥이 되었는데, 남경로 부동산의 44%가 나의 것이었어요.

아마 나의 이야기 중 빼놓을 수 없는 것이 '애려원' 일 겁니다. 그때의 이야기를 하자면 이렇습니다. 그것은 '하든양행' 을 설립하고 난 다음의 일인데, 그때 나는 서장로 서쪽 경마장과 정안사 중간에 아무도 관심을 갖지 않는 아주 한적하고 값싼 땅 150무를 사들여 그동안 내가 꿈꾸었던 정원을 만들어 나의 저택을 짓고 '애려원(愛儷園)' 이라고 이름 지었습니다.

애려원(愛儷園) 또는 화퉁화원이라고 불리었다.

나는 그 정원 안에 불교 사원도 짓고 학교도 지었어요. 나는 이곳을 아름다운 중국 정원의 한 전형으로 보여주고 싶었답니다. 후에 이곳은 사람들 사이에서 명소가 되었지요. 나는 중국의 대학자들을 초청해 그들이 원할 때 이용할 수 있게 했어요. 때로는 일반인들에게도 개방해 이 정원을 즐길 수 있도록 했지요. 손문 선생도 이 정원을 좋아해 여기에서 자주 회합을 가졌어요. 또 중국에 정치적으로 변혁이 있을 때 이 정원엔 많은 혁명가들이 숨어들기도 했으며 나는 또 힘 닿는 대로 그들을 도왔지요.

앞에서도 얘기한 것처럼 나는 다른 사람들보다 훨씬 늦게 내 개인 사업을 시작한 편이었지요. 그래서 '애려원'이 완성되었을 때, 내 나이 이미 예순이 되었답니다. 나는 그곳에서 아내와 아이들과 오래 살고 싶었어요. 죽은 다음에도 그 정원에 묻히

중화민국 공신 손중산, 장태염, 황흥 등이 화통화원에서 집회 후에 찍은 사진.

고 싶었답니다. 그래서 더욱 공을 들여 그야말로 중국에서 가장 아름다운 중국식 정원을 짓겠다는 마음으로 '애려원' 을 지은 것입니다.

나는 애려원을 완성한 후 정원 주변의 땅을 모두 사들여 석고문 주택(중국식과 서양식 집의 장점을 따서 지은 새로운 스타일의 주거 형태)을 지어서 많은 보통 사람들에게 임대했습니다.

이때 집을 짓기 전 아내에게 물었답니다.

"여보. 당신이라면 어떤 집에서 살고 싶겠소. 지금의 당신이 아니라 살 집을 구하는 중국 사람들 입장에서 한번 생각해봐요."

그러자 아내가 이렇게 대답을 하는 것이었습니다.

"당신과 결혼하기 전, 나는 서양 사람들이 사는 집에 대해 저 집 속은 어떨까 하고, 늘 궁금하게 여겼어요. 아마 그건 나뿐만 아니라 거의 모든 중국 사람들이 그러지 않았을까 생각해요. 감히 엄두를 내지 못할 일이었지만 저런 서양식 돌집에서 살면 얼마나 행복할까, 늘 생각했던 거지요. 멋진 양행이나 은행 건물처럼 꽃이 조각된 돌이나 대리석으로 장식된 집이면 더욱 좋고요."

그러면서 아내는 또 이렇게 말했지요.

"그렇지만 우리 중국 사람들의 생활에도 편해야겠지요. 너무 동떨어지면 영 편하지 않을 거예요."

나는 아내의 얘기를 듣는 순간, 바로 그 석고문 집을 떠올렸던 것입니다. 이 석고문 집을 지어 중국 사람들에게 팔거나 임

1919년 난징로에 문을 연 영안백화점(왼쪽)과 선시백화점(오른쪽). 이 상점들은 올드 상하이 중국 상업의 상징이었다.

대했는데, 이것이 히트를 쳐 수많은 석고문 집이, 또 그런 형태의 건물이 상하이에 유행처럼 퍼지게 된 거지요.

참으로 많은 사람들이 애려원 주변 석고문 집에 살았습니다. 나는 이들에게 애려원을 가까이에서 즐기며 살 수 있게 했습니다. 또 작은 규모의 서양식 양옥을 지어, 거기엔 어느 정도 돈이 있는 사람들이 와서 살게 했습니다. 그러자 이제까지 한가하던 남경로 서쪽이 갑자기 북적거리는 주택가로 변하게 되었던 것이지요. 나는 모든 집들을 지을 때 중국인들에게 맞게, 또 상하이의 사정에 잘 맞게 지었어요. 내가 지은 집에 와서 살 사람들에 대한 배려이기도 하지만, 덕분에 나의 집들은 항상 임대하려는 사람들로 붐볐지요.

어쩌면 아내는 나보다 배포가 큰 여자인지 몰라요. 아내는 중국의 저명 인사들을 '애려원'으로 초대해 접대하는 것을 즐겼습니다. 나는 그런 아내의 덕에 많은 중국인들과 개인적으로 사귈 수 있게 되었지요.

"여보, 이번 주말에 손문 선생님을 점심 식사에 초대하면 어떨까요? 이왕이면 가족과 함께요. 그러면 당신도 중국의 정세에 대해 많은 것을 새로 알게 될 것 같아요."

그 시절은 사업도 그렇지만 정치도 변화무쌍하게 변하던 시절이었지요. 그런 시절 직접 그 변화의 한가운데에 있는 사람들의 얘기를 듣는 것만큼 세상을 잘 아는 일이 어디 있겠어요.

아아, 그렇다고 해서 나나 아내가 그것을 이용했다는 뜻은 아닙니다. 정치를 떠나서 아내는 중국 유력 인사들과 사귀는 것에 진정으로 힘을 기울이고 또 즐겼습니다. 청나라가 망한 후 정치는 변화가 심했고, 황제는 폐위되었지요. 황실의 내시들은 모두 무직자로 내쫓겼습니다. 나는 그들 몇을 집안에 들여 우리 집 일을 하게 하고, 아내의 시중을 들게 했습니다.

이렇게 내가 살아온 시대는 참으로 변화가 심했습니다. 나는 아내가 초청하는 사람들과 이야기를 하며 중국 사회를 더욱 깊이 이해하게 되고, 또 사업가로서 사회의 변화에 적응해야만 했지요. 사업가는 당연히 그 사회의 모든 정황에 밝아야 합니다. 그래야 회사 일에 대해서도 바른 결정을 내릴 수가 있어요.

이제 내가 돈을 벌었던 일에 대해 한 가지만 더 이야기를 하지요.

남경로와 하남로의 동쪽과 서쪽 땅값을 같게 만들어놓은 다음 나는 또 다른 돈 버는 방법을 생각해냈습니다. 그것은 땅만 임대해주고 고객이 그곳에 투자하여 집을 짓게 하는 것이었지요. 나는 오래 전에 남경로와 절강로 교차로에 8무의 땅을 사들여 그냥 잊은 듯이 내버려두었지요. 사람들은 왜 그 땅을 놀려두냐고 나에게 묻곤 했지만, 나는 시기를 기다리고 있었어요.

그 땅을 산 지 제법 많은 시간이 흐른 후 호주 화교인 곽씨가 그곳에 영안백화점을 지으려고 했습니다. 그 맞은편에는 당시 상하이 최고의 선시백화점이 있었지요.

내가 토지 임대료를 비싸게 제시하자 곽 씨는 나에게 이렇게 말했어요.

"당신의 땅은 맞은편 선시백화점에 비해 위치도 안 좋고 다니는 사람도 적어서 값을 많이 내려야 합니다."

나는 그에게 내가 왜 그리 오랫동안 그 땅을 그대로 두었는지, 그 땅이 백화점을 짓기에 얼마나 좋은 땅인지를 설명했지요. 결국 곽씨는 선시백화점보다 비싼 값으로 30년 간 내 땅을 임대받았어요. 계약 만료 후엔 그 땅 위에 그가 세운 건물도 우리 회사에 귀속된다는 조건까지 달아서 말이지요.

계약 후 나는 3년도 되지 않아 애초 그 땅에 투자한 땅값 전부를 회수했어요. 곽씨도 상하이 최고의 백화점 주인으로 이름을 날리며 참으로 많은 돈을 벌었지요. 뒤의 이야기까지도 한다면 30년이 되던 해인 1946년(나는 이보다 일찍 1931년에 여든 살의 나이로 눈을 감았답니다) 영안백화점은 그 자리를 포기하기 싫어 부득불 112만 달러를 주고 자신들이 지은 건물을 되사들였지요.

돌아보면 그렇습니다. 나는 돈을 따라가지 않고 나의 판단을 따라갔으며, 사람들을 속이지 않고 당당하게 부를 이루었다고 자부합니다. 사람들은 자신의 현실이 힘들어지면 꿈부터 버리게 되는데, 꿈은 어려움 속에서 더욱 가치를 발하는 법이랍니다.

다만 한 가지 내가 다른 사람들과 다른 점이 있다면, 나는 다른 사람의 꿈도 내 꿈처럼 이해했다는 것입니다.

당신에게도 그런 꿈과 행운이 함께 하길 바랍니다.

요리사의 첫사랑

어제로 내 나이 아흔일곱이 되었다. 내 몸을 통해 이미 강물처럼 많은 시간이 흘렀다. 그러나 지금도 나는 내 젊은 날의 상하이만은 또렷하게 기억하고 있다. 그곳에 대한 향수로 잠을 이룰 수 없는 날이 계속되면 나는 꿈에서조차 상하이행 비행기표를 예약한다.

어느 날 밤 몰래 집을 나와 기차를 훔쳐 타고 상하이로 온 것은 열두 살 때의 일이었다. 어머니는 내 아래 동생을 낳다가 돌아가시고, 아버지는 버럭 소리를 지르거나 매를 들 때 말고는 자식들에게 관심이 없었다.

열두 살의 소년이 상하이에서 굶지 않고 살아가는 길은 구걸을 하거나 그래도 음식이 나오는 식당에 들어가 허드렛일을 하며 밥을 얻어먹는 것뿐이었다. 지금도 내 머리 왼편엔 그때 어느 사내가 집어던진 국자 자국이 선명하게 남아 있다. 정신을 바짝 차리지 않으면 언제 화덕 위의 조리 기구가 날아올지도 몰랐다. 이 식당에서 저 식당으로 옮겨 다니며 일을 배우다 열아홉 살에 남경로에 있는 한 작은 식당의 보조 요리사가 되었다.

일요일이었던 그날 아침 나는 요리사와 함께 시장을 보러갔다. 쌀과 밀가루가 떨어졌으면 우선 그것부터, 그런 다음 야채를 사고, 빠른 시간 안에 어류와 육류를 사서 가게로 돌아와 그것들을 얼른 시원한 곳에 놓아두는 것이 매일 시장 보기의 순서였다. 고참 요리사가 물건을 골라 계산을 하면 내가 등에 메는 질통에 담았다. 늘 들르던 푸줏간으로 가 돼지고기를 살 때까지 여느 때와 다른 것이 없었다.

"이거 얼마죠?"

내가 한 관 반의 돼지를 질통에 나누어 담을 때 어떤 부인이 푸줏간 주인에게 고기 값을 물었다. 나는 그 말을 귓등으로 흘려들었다. 그러다 손을 뻗어 남은 고기 뭉텅이를 집을 때였다.

"엄마."

마치 그 소리가 나를 부른 소리인 것처럼 나도 모르게 고기를 담고 있던 질통과 반대 방향으로 고개를 돌렸다. 그곳에 부인의 딸이 부인의 치마를 잡고 내가 질통에 고기를 옮겨 담는 모습을 가만히 바라보고 있었다. 그러다 눈이 마주치자 소녀는 얼른 부인의 치마 뒤로 숨어 버렸다. 겨우 열 살이 될까 말까 한 소녀였다. 나는 한순간 영혼을 빼앗긴 사람처럼 한 손에 고기를 든 채 어린 소녀의 얼굴을 바라보았다.

"이봐 뭐해? 얼른 담지 않고."

함께 나온 요리사가 재촉하는데도 나는 손과 발이 얼어붙은 듯 그 자리에서 꼼짝할 수가 없었다.

"얼른 가자니까."

요리사가 다가와 내가 담지 못한 고기를 빼앗아 질통에 담았다. 그래도 나는 몸을 움직일 수가 없었다. 소녀가 부인의 팔에 매달려 총총 거리에서 사라질 때까지 넋을 놓은 채 그녀의 뒷모습만 가만히 바라보았다.

후에도 나는 시장을 가면 혹시 그녀가 있지 않나 주위를 두리번거렸다. 그러다 의외로 그녀를 다시 본 것은 내가 일하는 식당 창문 밖에서였다. 어느 날 아침 주방의 창문을 열었을 때 그녀가 반듯한 이마로 아침 햇살을 받으며 식당 앞 거리를 지

남경로의 공공 시장 풍경.

나 학교로 가고 있었다. 그녀가 지나간 길에는 마법의 구름이 깔려 있는 것 같았다.

처음 눈에 띄기 어려웠던 것이지 나는 그녀의 모습을 더욱 자주 보게 되었다. 그녀의 아버지가 갑북에 있는 방직공장들에 필요한 기계를 만들기도 하고, 또 고장난 기계를 수리하는 꽤 규모 큰 공장을 운영한다는 것을 알게 되었다.

비록 우리의 처지가 달라도 햇빛 한가운데로 나비처럼 아주 잠깐 스쳐지나가는 그녀의 모습을 먼발치에서 바라보는 것만으로도 나는 행복했다. 언제나 그 순간이 영원하길 바랐다. 때론 그녀를 바라보는 내 눈에 눈물이 고였다. 그러면서도 나는 내가 왜 우는지 몰랐다. 그녀가 내 눈앞에 스쳐지나가는 것은 늘 찰나적이었지만, 그러나 그것은 내 인생에서 가장 아름답고 영원한 시간이었다.

"이 사람, 확실히 손맛이 달라진 것 같아."

주방장은 내가 만든 만두에 대해 말했다. 음식을 더 잘 만들겠다는 욕심이야 이 세상의 모든 요리사의 꿈일 것이다. 나 역시 국자에 머리가 찍히던 어린 시절부터 그런 꿈을 꾸어왔다. 그러나 꿈만이 아니라 언제부턴가 조리대 앞에 서면 내 안의 내가 말하는 소리가 들렸다.

'이제 네가 만드는 음식은 모두 그녀를 위한 것이야. 아니 음식뿐만 아니라 아직은 어린 소녀지만 곧 한 여인으로 성장할 그녀를 위하여 네 스스로 부끄럽지 않은 남자가 되어야 하는 거야. 지금 이 자리가 아니라 더 높은 곳에 너를 올려놓아야 하는 거야.'

나는 그녀에게 줄 음식을 준비하는 마음으로 시장을 보았고, 조리대 앞에 섰다. 음식을 만들 때마다 어린 서호연의 얼굴이 눈앞에 어른거렸다.

"가게 규모는 작아도 여기 남경로에서는 이 집 만두가 최고야."

"만두뿐인가 다른 음식도 그렇지."

정식 주방장이 된 다음 내가 만든 음식들은 더욱 좋은 평판을 얻어 나갔다. 식당의 손님도 날로 늘어났으며 창 밖의 그녀는 매일매일 내 안에서 아름답게 커갔다. 그녀가 나타나야 할 시간보다 조금만 늦게 나타나도 나는 창 밖으로 고개를 빼들고 거리를 두리번거렸다. 만두를 빚는 손도 그 순간만큼은 안절부절 못하고 가늘게 떨리곤 했다. 그러다 길 저쪽에서 그녀가 햇살 한가운데로 걸어오면 그녀가 건네주는 따뜻하고 환한 기운이 내 손안에 그대로 느껴지는 듯했다.

현실은 거기까지였다. 실제로 어린 그녀를 바라보기만 할 뿐 내 처지는 여전히 그녀와 다른 세계에 있었다. 손님들 사이에 내가 만든 음식들의 평판이 자자해도 그녀의 가족은 한 번도 우리 식당에 오지 않았다. 그것이 그녀를 위해 만드는 음식인 것을 아는 사람은 오직 나 한 사람뿐이었다. 아직은 나의 날과 그녀의 날이 내가 일하는 주방의 창 안과 밖으로 서로 스쳐지나가는 빛처럼 비켜 지나갔다.

내 나이 스물넷이 되었다. 그해 1월, 나는 식당 손님들로부터 매우 흉흉한 소문 하나를 들었다.

1937년 2차 상하이사변 때 일본군 비행기가 상하이 공업지역인 갑북을 폭격하고 있다. 폭격과 동시에 거대한 폭음과 함께 폭발 연기가 솟구치고 있다.

"여기 상하이에 들어와 있는 일본 묘법사 있지요? 거기 승려가 신자 네 사람과 함께 길거리에서 북을 치고 염불을 하며 가던 중에 괴한들의 습격을 받았대요. 그래서 승려는 그 자리에서 죽고 신자 두 명도 중상을 입었는데 살지 말지 하다는군요."

"어떤 사람들이 그랬는데요?"

"그거야 모르죠. 일본 사람들은 그 길 옆에 있는 수건 공장 사람들이 그랬을 거라고, 거기 몰려가서 불을 질렀대요. 그래서 지금 일이 점점 커지고 있어요."

지난해 가을 만주사변이 있은 다음 일본 사람들에 대한 민심이 더욱 나빠졌다. 사람들 모두 그래서 벌어진 일로 여겼다. 그러나 이어서 들린 소문은 또 달랐다. 그 모든 일들을 중국인이 벌인 것이 아니라 상하이에 들어와 있는 일본 영사관의 어느 무관이 꾸민 일이라고 했다.

세상 인심이 그런 중에도 나는 여전히 그녀를 위해 만두를 빚고 요리를 했으며, 이제 열네 살이거나 열다섯 살의 그녀는 전보다 훨씬 성숙하고도 조용한 모습으로 식당 앞 거리를 지나갔다.

그러던 어느 날 밤, 나는 식당 옆에 붙은 허름한 숙소에서 하늘을 찢고 땅을 울리는 폭격 소리를 들었다. 최초의 총소리는 북사천로 서쪽에서 들렸다. 이어 갑북 지역에서 연달아 대포 터지는 소리가 들려왔다. 소총 소리 역시 삽시간에 갑북 일대에 퍼져나갔다. 그곳엔 그녀의 아버지가 운영하는 공장뿐 아니라 다른 방직공장과 주물공장 등 다른 많은 공장들이 몰려 있었다.

며칠 계속해서 들리는 포 소리와 총소리 속에서 나는 오직 그녀와 그녀의 집이 무사하기를 빌었다. 처음 포 소리가 들린 다음 그녀의 얼굴을 보지 못한 날이 열흘에서 보름으로 넘어가고 있었다. 분명 무슨 일이 터진 것이었다. 나는 그 소식을 한 달 반이나 지난 다음에야 들었다. 그날도 나는 만두를 빚던 손을 놓고 창 밖만 바라보고 있었다.

"자네 혹시 그 아이를 기다리는 것 아니야?"

"누구요?"

"우리 집엔 한 번도 오지 않았지만, 아침이면 늘 우리 식당 앞을 지나 학교로 가던 아이 말이야."

나는 손에 들고 있던 만두를 떨어뜨렸다. 그것은 오래도록 가슴속에 감추어온 나 혼자만의 비밀이었다. 그걸 들켰을 때의 당황스러움도 그렇지만, 한편으로 주인은 혹시 그녀와 그녀 가족의 안부를 알고 있지 않을까, 떨리는 마음으로 그의 말이 떨어지길 기다렸다.

"일부러 알려고 한 건 아닐세. 서로 면구스러울까 봐 말은 안 했네만, 자네가 꿈을 꾸듯 창 밖을 바라볼 때마다 늘 그 아이가 지나가더군."

"벌써 한 달 넘게 보이지 않아서요."

비로소 나는 내 마음 한 자락을 비쳤다.

"나도 어제 들은 얘길세. 지난번에 갑북이 불바다가 되었을 때, 그 집 공장이 다 불타고 무너졌는가 봐."

"사람들은요?"

"집은 여기 남경로 끝인데, 그 일로 아버지가 완전히 실성한 사람처럼 불탄 공장을 돌아다니다 쓰러졌다는군."

주인이 전한 얘기는 거기까지였지만, 실제 상황은 더 나빴다. 그녀의 아버지는 다시 일어서지 못했다. 그 일로 충격받아 어머니마저 급격히 쇠약해졌다. 그러나 아직은 내가 다가갈 수 없는 세상 속의 일들이었다. 전보다 우울한 모습이었긴 하지만, 다시 그녀는 햇빛 속을 걸어 우리 가게 앞을 지나갔다.

그렇게 5년이 흘렀다. 내 나이 스물아홉이 되었다. 일본과의 전쟁이 시작되자 주인은 절반 가까이 파괴된 식당을 나에게 넘겨주고 홍콩으로 몸을 피했다. 나는 전쟁 중에도 부서진 식당을 수리하고, 새 가게의 단장을 마친 다음 처음으로 그녀의 집을 찾아갔다. 그녀의 어머니는 누워 있다가 겨우 자리에서 일어나 앉았다.

"부인께선 저를 잘 모르시지요? 그렇지만 저는 꼭 10년 전 어느 봄날, 시장에서 처음 부인과 따님을 보았습니다."

그 말을 시작으로 나는 내가 얼마나 오랫동안 그녀를 사모해왔는가를 말했다. 5년 전, 상하이사변 때 갑북이 폭격되었을 때에도 오고 싶었으나 아직은 올 수 없었던 처지에 대해서도 말했다.

"그러면 지금 온 것은……."

"도와주십시오, 마나님. 따님에게 저의 마음을 전하고자 왔습니다."

"우리의 처지가 예전보다 더 곤궁해졌다는 뜻인가요?"

"아닙니다. 제가 그때는 제 가게를 갖고 있지 못해 실질적으로 댁을 도울 힘이 없었습니다. 그리고 댁의 따님도 아직 어려 이런 말씀을 드릴 수가 없었습니다."

그녀의 어머니는 한참 동안 나를 물끄러미 바라보더니 저쪽 방에 있는 딸을 불렀다.

"호연아. 이리 좀 와보렴."

그녀는 방으로 들어오려고 조심스럽게 문을 열다가 나와 눈이 마주치자 얼른 그것을 닫아버렸다.

"저런……."

그녀의 어머니가 나를 달래듯이 낮게 말했다.

"아이가 부끄러움을 많이 타요."

그렇기도 하겠지만, 그것은 나에 대해 자신의 마음을 닫는 것처럼 짧은 순간 나를 절망케 했다. 그녀는 내가 자신을 얼마나 오랫동안 지켜봐왔는지 알지 못한다. 어느 날 갑자기 자신의 집을 찾아와 청혼을 하고 있는 남경로 한 식당의 사내가 자기와는 도저히 어울릴 수 없으며, 그런 나의 청혼을 받은 것 자체로 마음의 상처를 입었다고 생각했는지도 모른다. 나는 스물아홉 살의 나이든 총각이었고, 그녀는 한창 피어나는 열아홉 살의 처녀였다. 그러나 꼭 나이 문제만은 아니었다.

이미 심신이 쇠약해질 대로 쇠약해진 그녀의 어머니는 나에게 자신의 일도 딸의 일도 함께 의지하고 싶어하는 것 같았다. 무엇보다 어머니는 딸의 장래를 매우 걱정했다. 나는 방금 식당을 인수하고 그것을 새로 단장한 지 얼마 되지 않았다는 것조차 잊고 이곳 상하이의 사정이 어머니와 그녀를 불안하게 한다면 두 사람을 데리고 홍콩으로 갈 수도 있다고 말했다. 그 말로 어머니는 나를 더욱 믿고 의지하고 싶어하는 눈치였지만, 다시 어머니에게 불려 방으로 들어온 그녀는 퍽이나 당혹스러운 얼굴을 했다. 그녀를 만나고 온 후 나는 오히려 미궁을 헤매듯 답답한 마음이 되었다.

그때부터 나는 그녀의 집에 매일 내가 운영하는 식당에서 내가 만든 음식을 가져다주었다. 아픈 어머니도 매일 찾아뵈었다.

"호연 양. 아까 어머니에게도 다시 말씀드렸어요. 이곳 상하이가 불안하다면 나는 지금이라도 식당을 걷고 당신과 어머니를 모시고 홍콩으로 갈 수가 있어요. 그러니 언제라도 당신의 뜻을 얘기해줘요."

그러나 그녀는 그때마다 커다란 눈망울을 굴릴 뿐 거기에 대해서는 어떤 대답도 하지 않았다. 중간에 있는 어머니만 늘 난처한 얼굴을 했다. 그녀는 내가 묻는 말에만 겨우 예, 아니오

대답할 뿐이었다.

나는 그런 그녀가 걱정되었다. 어머니의 마음은 내게 와 있지만, 아직 나에게 아무 말이 없는 그녀의 마음을 잘 알 수 없었다. 그녀의 표정을 보노라면 나는 갑자기 무기력해지고 비참해졌다. 예전 갑북의 폭격으로 집안이 망하고 아버지가 돌아가시기는 했지만 누구보다 아름답고 반듯하게 자란 처녀였다. 내가 오래도록 그녀를 가슴에 담고 있었다면 그녀 역시 오래도록 누군가를 자신의 이상형으로 가슴에 담고 있었는지 모른다. 식당에서 허드렛일을 하며 어린 자신을 남몰래 지켜보며 언감생심 배필감으로 꿈을 키워온 나 같은 사람과는 비교가 안될 만큼 반듯한 집안에서 누가 보든 그녀의 짝으로 어울리게 자란 젊은 청년도 그녀의 주변에 많았을 것이다. 매일매일 그녀의 집을 출입하면서도 그녀를 바라보는 나의 하루는 늘 불안하기만 했다. 게다가 전쟁 중이라 급히 결혼하는 사람도 많아 아직 나의 청혼에 대해 아무 말을 하지 않는 그녀가 언제 어떤 결정을 할지 몰랐다.

그런 중에 전쟁은 점점 격해져가고 있었다. 상하이는 이제 더 이상 안전한 곳이 아니었다. 개항 이후 100년 가까이 총성 한번 없었다는 외국인 조계지조차 위험하긴 마찬가지였다. 나는 먼저 주인처럼 급히 가게를 헐값에 주방의 요리사에게 처분했다. 무엇보다 배표를 구하기가 힘들었다. 전쟁 통에 모든 것을 다 정리해 상하이를 떠나려는 사람은 많았고, 배표는 그들이 헐값에 넘기는 집 값만큼이나 비쌌다.

"호연 양. 우리는 내일 저녁때 홍콩으로 떠납니다. 가게도 다

정리했어요. 내일 오후에 데리러 올 테니까 꼭 필요한 짐만 줄여서 챙겨놓고 기다려요."

그때에도 그녀는 아무 대답 없이 지그시 입술만 깨물었다. 그런 그녀의 모습이 무안해 오히려 옆에 섰던 어머니가 내게 어디 의지할 데 없는 모녀를 이렇게 끝까지 거두어주워 고맙다고, 배표 구하기가 하늘의 별따기라는데 그걸 어떻게 구했느냐고 나를 치하했다.

"그럼 내일 모시러 오겠습니다."

어머니에게 인사를 하자 그제야 그녀도 미안해 하는 얼굴로 나를 바라보며 깊숙이 허리를 숙여 인사를 했다.

그것이 내가 본 그녀의 마지막 모습이었다. 다음날 마차 구하기가 여의치 않아 내가 탄 것 외에 두 대의 인력거를 더 끌고 갔을 때, 그녀는 내게 '언제나 마음을 다 주지 못한 나를 그토록 지극히 사랑해준 당신에게 미안하며, 어머니를 잘 부탁한다.'는 내용의 편지 한 장을 남긴 채 스스로 목숨을 끊고 말았다.

"나와 당신, 다음에 우리 또 이렇게 만날까요? 이 생애의 것 잊고 그때 저를 불러 손을 내밀어주세요. 그러면 제가 당신의 손을 잡겠습니다."

그것이 편지의 마지막 구절이었다. 내 눈엔 두 줄기 뜨거운 눈물이 흘러내렸다. 상하이의 어느 푸줏간에서 한 순간 영혼이 빼앗기듯 그녀에게 사로잡혔던 내 사랑은 그렇게 끝이 났다. 그녀를 위해 이 세상에서 가장 아름다운 집을 짓고 싶었던 날이 있었다. 그런 정성으로 그녀의 묘지를 만들어준 다음 나는 조용히 상하이를 떠났다.

홍콩에서 미국으로 이민을 온 것은 40년 전의 일이었다.

나는 지금도 그때 그녀가 왜 갑자기 그런 극단전인 결정을 내렸을까를 생각해본다. 그것은 그녀의 마지막 자존심이었을까. 아니면 다른 무엇이었을까. 내가 청혼을 한 것이 단순히 자신의 집안이 몰락해서라고만 여겼던 것일까. 집안이 몰락한 게 아니라면 그녀는 오히려 기꺼이 내 청혼을 받아들였을까. 정말 목숨까지 던져 지키고 싶어 했던 그녀의 마지막 마음은 무엇이었을까?

이제 이 생애에서 나의 날은 얼마 남지 않았다. 이렇게 얼마 남지 않은 날들을 오직 그녀만 생각하고 그녀만 꿈꾸다가 저세상으로 가면, 그땐 그녀가 편지에 남긴 마지막 말처럼 내 사랑을 받아줄까. 오늘도 나는 그녀가 내 창가로 나를 데리러 오길 기다린다.

날쌘돌이

올드 상하이 시절 갱단두목 두웨이성. 언론계, 금융계, 해운업계에서 중요한 지위에 있었으며 상하이 정치를 좌우하기도 했다.

내가 태어난 곳은 첩첩산중 두메산골이었다. 학교가 멀기도 하지만 아버지도 나를 학교에 보내 교육을 시키는 것에 특별한 생각을 가지고 있지 않았다. 아버지는 사람들과 부딪치며 사는 걸 좋아하지 않았다. 아버지는 산에서 사냥을 하고, 화전으로 일군 밭을 지어먹으며 살았다.

때로 아버지를 졸라 나도 함께 사냥에 따라 다녔다. 그때마다 아버지는 내가 더 자라서 창이라도 제대로 잡을 수 있을 때 데리고 다니겠다고 했다. 그때가 언제냐고 묻자 아버지는 열두 살이라고 말했다. 그러자면 겨울을 네 번이나 더 지나야 했다.

나는 어머니가 어떤 사람인지 모른다. 내 기억에 어머니는 없다. 어려서부터 나는 아버지 밑에서 자랐다. 물어도 아버지는 한번도 어머니에 대한 얘기를 해주지 않았다. 돌아가신 것인지, 이 산 속에서 사는 동안 떠난 것인지, 또 그것도 아니라면 다른 곳에서 살다가 어머니가 떠난 다음 이 산 속으로 들어온 것인지 그것도 나는 알지 못한다.

나는 아버지에게 말을 배우던 아주 어린 시절부터 일 년 사계절을 나무와 꽃과 야생동물과 같이 살았다. 골짜기를 흐르는 물과 눈과 바람이 내 친구였다. 아침 햇살이 온 들판에 깔리면 나는 마치 한 마리의 야생동물처럼 그 속을 뛰어다니며 자랐다. 바람이 이쪽 골짜기에서 저쪽 골짜기로 불면 나는 또 바람처럼 산길을 달리다 아무 곳에나 누워 바람에게 내 온몸을 맡겼다.

그러다 가끔 아버지를 따라 두메에서 나와 읍내 장에 가곤 했다. 거기에 가는 날이면 아침부터 신이 났다. 사람도 많았고, 산 속에서는 볼 수 없는 진귀한 물건도 많았다. 아버지는 산에서 잡은 짐승의 털을 사냥에 필요한 화약(총알)과 우리가 살아가는데 필요한 다른 물건들과 바꾸었다. 산 속에서 살고 있는 나에겐 그런 장터 모습은 그저 신기하기만 할 뿐이었다. 그러나 이상하게 그곳은 하루 구경하기는 좋지만, 산과 들도 없는 좁은 시장 바닥에서 매일 살고 싶은 생각은 들지 않았다. 나도 아버지처럼 내 마음대로 휙휙 날듯이 뛰어다닐 수 있는 산이 좋았다.

어느 날 아버지가 사냥을 나가 영 돌아오지 않았다. 가끔 아버지가 먼 곳으로 사냥을 갈 때엔 나를 혼자 집에 두고 며칠씩 있다 오기도 했다. 그럴 때면 아버지는 호랑이 가죽과 같은 귀한 노획물을 등에 짊어지고 왔다.

아버지가 닷새째 돌아오지 않는 것이었다. 나 혼자 한밤중에 짐승이 우는 소리를 들으며 아버지를 기다렸다. 며칠을 더 기다리다가 나는 도저히 그냥 있을 수 없어 먹을 것을 싸서 등에 지고 아버지를 찾아나섰다.

나흘째, 나는 집에서 산 두 개를 넘어야 하는 보다 깊은 산에서 아버지를 찾았다. 아버지는 사냥을 하다가 오히려 짐승의 공격을 받았는지 총을 놓은 채 비탈 한쪽에 쓰러져 있었다. 나는 아버지의 몸을 끌어안고 태어나서 처음으로 온 산이 떠나가도록 울었다.

정신을 차리고 상처를 살펴보니 호랑이에게 당한 것 같지는 않고, 잘못 쏜 총에 설맞은 커다란 산돼지의 어금니에 가슴이 받힌 다음 다시 공격을 당한 듯했다. 밤마다 크르렁 크르렁 소리를 내어 우는 늑대들에게 발견되어 몸이 뜯기지 않은 것만도 다행이었다.

한정없이 슬펐으나 내 힘으로는 아버지를 어떻게 할 수가 없었다. 나는 아버지가 쓰던 총만 겨우 집으로 가져온 다음, 삽과 괭이를 챙겨 그곳으로 가 아버지가 쓰러진 자리 부근에 땅을 파고 시신을 묻었다. 돌아가신 아버지를 위해 내가 할 수 있는 일은 그것뿐이었다.

집에 돌아왔지만, 처음 며칠 동안은 아무 정신이 없었다. 밤이면 혼자 듣는 짐승들의 울음소리가 더욱 무섭게 들렸다. 이제 아버지마저 없으니 무작정 전에 아버지를 따라갔던 마을로 내려갈까 하는 생각도 들었지만, 왠지 그곳에 가면 나 혼자는 더욱 살 수 없을 것 같았다.

나는 아버지가 밭에 심어놓은 감자를 파먹고, 옥수수와 수수를 쪄먹고, 또 전에 아버지가 가르쳐 준 대로 올무를 놓아 토끼를 잡아먹으면서 산 속에서 살았다. 나는 혼자 놀고 혼자 잤다. 온 천지에 나만 남겨진 느낌이었지만 점차 시간이 지나며 밤마다 무섭게 들리던 짐승들의 울부짖음도 예전에 아버지와 함께 살 때처럼 그다지 무섭게 들리지 않았다.

온 산에 붉은 단풍이 들고 하나 둘 낙엽이 떨어지던 어느 날, 이태 만에 삼촌이 아버지를 찾아왔다. 아버지가 사냥에 쓰는 총을 구해준 사람도 삼촌이었다. 나는 삼촌에게 아버지의 죽음을 알렸다.

"그런 일이 있었구나. 그리곤 너 혼자 여기에 있었단 말이지."

"예."

"마을로는 왜 내려가지 않았느냐?"

"그래도 거기보다는 이곳이 좋아서요."

"짐승들이 안 무서워?"

"이젠 괜찮아요."

다음날 나는 삼촌을 내가 아버지를 묻은 곳으로 안내했다. 삼촌은 아버지에게 주려고 가져온 술을 아버지의 무덤에 뿌렸다.

"형님. 얘는 내가 데리고 가겠습니다."

삼촌은 나를 한번도 내가 그런 곳에 가 본 적이 없는 도시로 데리고 갔다. 그곳은 어쩌다 아버지를 따라 가보는 시골 읍내의 장터와는 비교도 안 되는 곳이었다. 땅 위에 있는 것이라고는 나무와 바위만 보고 자란 나에게 그 도시는 현기증이 날 만큼 어지러웠다. 정말 너무나 많은 것들이 땅 위에 있어서 오히려 나는 기분이 좋지 않았다.

"여기가 바로 상하이다."

삼촌 집은 산 속의 우리 집보다 복잡했고, 식구들도 많았다. 사촌들이야 어려서 그렇다지만, 숙모까지 내가 글씨를 모르고, 아는 것은 산과 짐승들밖에 없다며 괄시했다. 나는 예전에 살던 산이 그리워졌다. 나는 삼촌에게 다시 산으로 돌아가 혼자 살겠다고 말했다.

"그럴 수는 없다. 거기로 돌아가면 너야말로 짐승들의 밥이 되고 말아."

"아뇨. 저는 혼자 살 수 있어요. 삼촌이 오기 전까지 혼자 살았어요."

"그건 아버지가 뿌려놓은 곡식을 먹고 자랐던 거지, 너 혼자 무얼 어떻게 하겠다는 거냐?"

그러자 숙모가 나서서 삼촌에게 면박을 주듯 말했다.

"당신도 참, 제 발로 가겠다는 애를 왜 잡고 그래요?"

삼촌도 집안의 그런 분위기가 견딜 수 없었는지 나를 어떤 사람에게 데리고 갔다. 그 사람은 나를 가만히 바라보더니 자기가 데리고 있겠다고 했다.

"내가 키우지. 우리 집엔 아이도 없으니."

"그러시겠습니까?"

"이 아이의 눈빛은 사람의 마음을 움직이는 데가 있군."

"그렇습니까?"

"고요한데도 아주 강해."

삼촌은 그 사람에게 나를 맡기고 돌아갔다. 그것은 내가 아홉 살이 되던 해 초였다.

그날부터 나는 그 집에서 살았다. 삼촌의 집보다 건물도 크고 마당도 넓은 그 집엔 드나드는 형들도 여럿이었다. 모두 몸이 날랜 사람들이었다. 그들은 나를 '꼬마' 라고 부르며 귀여워해주었다. 숙모와 부딪치지 않고, 마당까지 넓어 나도 삼촌 집보다는 그곳에 있는 게 숨통이 트이는 듯했다.

형들은 마당에서 무술을 익히기도 하고, 때로는 무리를 지어 밖으로 몰려 나가곤 했지만 나는 하루종일 집에만 있었다.

"너, 공부를 좀 해야겠구나. 글을 읽지도 못하니 이래서야 어디 쓰겠느냐?"

응접실에서 무슨 차를 가져오라고 시켰는데, 내가 집에 있는 세 가지 종류의 차 중 어느 것인 줄 몰라 머뭇거리자 양부가 말했다.

"저는 공부 같은 거 안 해요."

"그러면 여기 도시에서도 그냥 들짐승처럼 살아갈 테냐? 뭐가 뭔지는 알고 살아야지."

양부모는 나를 강제로 학교에 넣었다. 그래서 겨우 내 이름을 쓰게 되고, 또 글자를 익히게 되었다. 그러나 학교에서도 나는 아이들과 잘 어울리지 않았다. 내가 먼저 그렇게 말한 것도 아닌데, 아이들은 내가 깊은 산골에서 왔다는 걸 잘 알고 있었다. 때로는 선생님도 아이들이 말하는 나의 예전 산 속 생활과, 또 지금 나를 거둬주고 있는 양부에 대해서 물었지만 나는 학교 공부가 아닌 어떤 질문에 대해서도 입을 굳게 다물었다.

같은 또래의 아이들이 '촌뜨기'라고 더러 집적거려도 맞서서 주먹다짐 같은 걸 하지 않았다. 만약 그런다면 떼로 몰려 덤빈다 해도 교실에 얼굴과 몸이 성한 아이가 없을 것이었다. 나는 언제나 본능적으로 상대를 파악하고, 상대의 허점 역시 본능적으로 파악했다. 그것은 산에서 사냥을 하는 아버지와 크고 작은 짐승들 속에서 자라며 나도 모르게 익힌 감각이었다.

어느 날 저녁, 마당 저쪽 숙소의 형들은 모두 나가고 없고 나와 양부모만 집에 있을 때였다. 조금씩 밤이 깊어지며 전에 느끼지 못했던 어떤 이상한 신호가 내 몸으로 왔다. 저쪽 형들의 숙소 쪽에 있던 고양이가 담 밑으로 살금살금 다가오다가 그 자리에 딱 멈춰섰다. 그러더니 이내 안절부절 못하는 동작으로 담 위로 올라가 다시 저쪽 숙소 지붕으로 뛰어올랐다.

이럴 때 다른 사람들은 느끼지 못하지만 나는 본능처럼 느껴지는 게 있었다. 방에 있어도 문틈으로 전해지는 동네의 공기 역시 수선스러웠다. 나는 나를 향해 조여오는 위험 신호 속에 소리나지 않게 얼른 양부모 방으로 가 오른손 둘째손가락으로 입술을 막으며 조용히 하라는 사인을 보냈다.

"무슨 일이냐?"

양부도 낮은 소리로 물었다.

"소리를 내지 마세요."

나는 잠옷 차림의 양부모를 끌었다.

"지금은 피해야 해요."

"집 밖으로?"

나는 고개를 흔들며 마룻장 밑을 가리켰다.

"네가 어떻게 여길……."

응접실에서 지하실로 통하는 비밀 문이 있었다. 그것은 이 집을 드나드는 어떤 형들도 모르는 문이었다. 그러나 나는 그곳을 통해 미세하게 흘러들어가고 흘러나오는 공기의 흐름을 보고, 거기에 아무도 모르는 비밀 통로가 있다는 것을 알았다.

그날 밤, 나와 양부모는 무사했다. 그러나 집으로 돌아오던 형들은 모두 크게 다치거나 죽임을 당했다. 저쪽 패거리들은 집안에서 양부를 찾기 위해 한바탕 소란을 부렸지만 끝내 그 통로를 발견하지는 못했다.

그들이 물러간 다음 지하실에서 나와 양부가 말했다.

"네가 나를 살렸구나."

며칠 후 양부는 나를 자신이 무척이나 어렵게 여기는 듯한 사람 앞으로 데리고 갔다.

"가서 무얼 물으시거든 묻는 말에 잘 대답해라."

그 사람은 얼굴에 살이 없고, 첫눈에 마주친 눈빛은 이제 막 숫돌에 갈아놓은 칼처럼 예리했다. 모든 사람이 그 사람 앞에서 조심했다.

"사장님. 제가 지난번에 말씀드렸던 그 아이입니다. 왕금보의 수하들이 습격했을 때 이 아이가 우리 부부를 살렸습니다."

"그래. 너는 이름이 무어냐?"

"유서강입니다."

"몸이 아주 작군. 어리고."

나는 그 사람의 섬광 같은 눈빛이 좋았다. 아버지가 사냥을

거대한 행렬이 상하이 거리를 지나가고 있다. 갱단 두목 두웨이성이 푸동에 기념사찰을 건설하고 이를 국가에 헌납하는 기념식을 가졌다. 깡패인 그는 상하이의 가장 망각한 권력자 중의 한 사람이었다.

갈 때 몇 번 따라가 마주쳤던 야생동물의 눈에서 보았던 바로 그런 섬광과도 같은 눈빛이었다. 나는 그 사람 얼굴에서 예전에 들판에서 뛰놀던 때와 같은 자유로움과 긴장감이 동시에 떠올라 나도 모르게 옅은 미소를 지었다.

"네가 나를 보고 웃는구나."

그 사람도 함께 빙그레 미소를 지었다.

"이 아이를 두고 가게."

그분이 바로, 상하이의 그 유명한 갱단의 두목 두웨이성 사장님이었다.

이후 나는 양부의 집에서 그랬던 것처럼 그분의 집과 사무실에서 지내게 되었다. 이곳에서 사람들은 내게 '꼬마' 라는 별명 말고, 또 하나의 별명을 붙여주었다. 날쌘돌이. 나는 그 별명이 예전 산 속 시절의 나를 부르는 것 같아 좋았다.

사장님의 직원들은 불란서 조계지라고 불리는 곳에서 주로 활동을 하는 것 같았다. 조직 내의 어른들은 그곳을 '우리 구역' 이라고 불렀다. 집을 옮기며 자연스럽게 학교를 그만둔 나는 조직 내의 모든 것을 주의 깊게 보고 배웠다. 학교에서 칠판을 통해 글을 배우는 것보다 이쪽이 훨씬 내 적성에 맞았다.

산에서 아버지와 살 때에도 아버지는 말로는 무엇을 잘 가르쳐주지 않았다. 어쩌면 아버지가 말로 나에게 가르쳐준 것은 다른 사람들과 이야기를 주고받는 데 불편함이 없는 정도의 대화뿐인지도 몰랐다. 그러나 꼭 말을 나누지 않더라도 나는 본능적으로 상대가 무엇을 원하는지 알았다. 여기서도 나는 스스로 배우면서 커나갔다.

사장님도 별로 말이 없었다. 상하이에선 모든 사람들이 사장님 앞에서 벌벌 떨었다. 사람들은 내게 말을 많이 하여 사장님의 마음을 늘 밝게 해드리라고 했지만, 우리가 통하는 건 오히려 침묵과 눈빛이었다. 사장님은 말이 없어도 나는 사장님의 마음을 잘 알고 있었다.

내가 사장님 집으로 거처를 옮긴 다음해, 사장님은 푸동에 기념 사찰을 짓고 그것을 국가에 헌납하는 행사를 크게 열었다. 이 헌납 행렬은 정부 관료들과 각국의 외교관들까지 참석했을 정도로 규모가 컸다. 길에서 영화를 찍던 영화사까지 영화 촬영을 그만두고 그 행렬을 따라 찍었을 정도였다.

사장님은 물론 큰마나님과 작은마나님들이 참여하는 이 행사를 위해 조직 안의 식구들은 철저한 예행연습을 거치고, 행사장도 삼엄한 경계를 펼쳤다. 나는 아무도 눈치채지 못하게 사장님과 가까운 거리에서 걸어나갔다. 어쩌다 눈에 띈다 하더라도 한 꼬마가 행렬 중간에 끼어 걸어가는 모습이었지만, 내게 주어진 임무는 불시에 발생할지 모를 사고로부터 사장님을 보호하기 위해 내 온몸의 감각을 동원하여 위험을 탐지하는 것이었다. 이 거국적인 사찰 헌납식이 별 탈 없이 끝날 수 있게 모든 조직원들이 긴장했다. 행사를 치르는 동안 나는 사장님이 이따금 매우 흡족한 웃음을 띠는 것을 보았다.

후에 사장님은 상하이 사람들이 존경하는 불란서 조계지의 시의원이 되었다. 대외적으로 모임이 있을 때 사장님은 목욕을 깨끗이 하고, 더운 여름에도 목깃이 긴 옷의 단추를 하나도 풀지 않았다.

사장님은 나를 데리고, 목욕탕과 이발소에도 가고, 극장, 도박장, 오락장, 음식점 등 사업장을 둘러보는 걸 좋아했다. 가는 곳마다 사장님에 대한 예우가 극진했다. 사장님이 이발을 하는 모습을 옆에서 지켜보는 것도 나로선 참 재미있었다. 상하이의 모든 사람들이 벌벌 떨며 비위를 맞추는 사장님 같은 사람도 이발소에서는 이 세상에서 가장 날카로운 칼 아래에 자신의 목을 드러내놓아야 하는 것이다. 목욕탕에서 등을 밀 때 보면 사장님의 몸은 어른인데도 참 왜소해 보였다. 그런 사람이 상하이 최고의 조직을 이끌고 있는 것이었다. 길을 가다가도 신문을 보다가도 사장님이 무얼 예의주시하면 이제까지 아무렇지 않게 보이던 것들이 다른 사람들 눈에 새로운 가치와 의미를 갖는 듯 보였다.

사장님은 인력거 회사 사무실로 갈 때에도 나를 데리고 다녔다. 그런 나에게 사장님의 예쁜 마나님들은 경쟁이라도 하듯 먹을 것을 챙겨주고, 조직 내의 높은 사람들도 사장님의 기분뿐 아니라 내 기분도 맞춰주려고 하는 것 같았다.

조직 안의 사람들은 가끔 나에게 사장님의 기분에 대해서 묻거나 오늘은 어딜 가시느냐고 행선지를 물었다. 그것은 직급이 낮은 사람이든 높은 사람이든 그랬다. 나는 양부와 삼촌이 물어도 그 부분에 대해서는 입을 꾹 다물었다. 누가 나에게 그렇게 하라고 가르쳐준 것은 아니지만, 내 판단으로 당연히 그렇게 해야 할 것 같았기 때문이었다.

"너는 양부가 물어도 대답하지 않느냐?"

"예. 삼촌이 물어도 대답하지 않고, 마나님들이 물어도 대답하지 않아요."

그런 질문은 조직 내의 사람들뿐 아니라 사장님의 부인들도 나에게 똑같이 했다. 어른들은 사장님의 눈빛만 봐도, 사장님의 뒷모습만 봐도 알 수 있는 것을 왜 나에게 확인하듯 묻는지 나는 오히려 그게 더 이상했다.

어느 날 양부가 안절부절못하는 얼굴로 사무실을 찾아와 마침 혼자 있는 나에게 사장님의 동정에 대해 물었다. 그때에도 나는 아무 대답을 하지 않았다.

"얘야, 이건 중요한 일이란다. 사장님께서 아셔야 일을 그르치지 않아."

그래도 나는 대답하지 않았다.

"대체 어디로 가신 거니?"

"……."

"너를 이곳에 데리고 온 사람이 나였는데, 나중엔 네가 나를 이곳에서 죽이겠구나."

양부는 계단참을 오르내리며 한참 동안이나 허둥지둥하다가 내가 알아듣지 못할 말을 하고 돌아갔다. 그후 양부는 한동안 사장님의 사무실로 나오지 않았다.

"그런데, 요즘 제 양부는 왜 보이지 않나요? 전에는 자주 왔었는데."

나는 나를 보러 온 삼촌에게 아무도 몰래 양부의 안부를 물어보았다. 어린 마음에도 지난번 찾아왔을 때 안절부절못하던 모습이 내 눈에 지워지지 않는 것이었다.

"글쎄다. 뭐 바쁜 일이 있는 거겠지."

삼촌은 얼버무리듯 대답했다. 삼촌이 돌아간 다음 나는 같은 질문을 다른 사람에게 해보았다. 그러나 그 사람의 대답도 마찬가지였다.

그러던 어느 새벽, 누군가 내 가슴에 날카로운 칼을 대는 듯한 이상한 느낌 때문에 잠에서 깨어났다. 어떤 직감과도 같은 느낌으로 나는 자리에서 일어나 얼른 창문 쪽으로 가 가만히 커튼을 젖혀보았다. 어슴푸레한 안개 속에 관이 하나 마당에서 바깥으로 나가는 것 같은 기척이 느껴졌다. 그 관은 밧줄로 묶어 네 사람이 양쪽에 들고 밖으로 나간 다음 달구지 위에 올려졌다.

아…….

나는 그 순간 모든 것을 다 짐작하고 말았다. 방금 대문을 빠져나간 관의 주인은 이틀 전 내게 사장님의 행방을 묻던 부두

쪽 책임자 아저씨였다. 꼭 관의 뚜껑을 열어봐야 그 관의 주인을 아는 것은 아니었다. 그 깨달음과 동시에 내 입에서는 신음과도 같은 외마디가 흘러나왔다.

'아, 저렇게 갔구나.'

지금 나간 관의 주인에 대해서가 아니라, 한 달 넘게 보이지 않는 나의 양부에 대한 생각이었다. 양부나 지금 관 속에 실려 나간 부두 쪽 책임자나 나에게 외출한 사장님의 행방과 어떤 일에 대해 보고하기 전 그때그때 사장님의 기분을 물었다는 이유만으로 관 속에 실려나간 것은 아닐 터였다. 내게 사장님의 행선지와 보고 전 그때그때의 기분을 묻는다는 건 그 사람들이 사장님에 대해 뭔가 감추는 것이 있거나 스스로 떳떳하게 일처리를 하지 못했을 때 나오는 행동이었던 것이다.

후로 나는 내 입을 더욱 무겁게 관리했다. 사장님이 묻는 말에 대한 대답 외엔 거의 어떤 말도 하지 않는 날도 있었다. 나는 조직 안에서 조금씩 자라며 알게 되었다. 상대방의 어느 누군가가 거래 중에 배신했을 때, 사장님은 다음날 새벽 배신자의 관을 상대측 사람들에게 꽃배달하듯 배달했다. 조직 내 사람들의 배신에 대해서도 쥐도 새도 모르게 그의 주검을 관에 담아 문 밖으로 실어냈다. 그러나 알아야 할 사람들은 다 알게 하여 배신의 대가가 얼마나 가차없으며 가혹한가를 보여주었다.

사장님이야말로 이 도시를 누비고 장악하는 또 한 마리의 야생동물과도 같았다. 빠른 판단과 단호한 조치, 그리고 이익을 독차지하지 않고 상대와 적당하게 나눠먹는 방식으로 조직을 운영한다고 했다. 조직의 윗사람들은 사장님의 이런 조직 운영

방식 덕분에 우리가 이곳 상하이에서 아편을 우리 마음대로 통제할 수 있게 된 것이라고 했다.

가까이에서 보면 사장님은 어떤 일에도 두 번 망설이는 일이 없었다. 신용을 생명처럼 여겨 누구에겐가 사장님이 '내가 보증하겠다.' 고 하면 그것은 상하이 온 사회에서 틀림없는 일로 인정받았다. 사장님은 이쪽 사회의 냉혈한 보스이면서 상하이 전체를 쥐락펴락하는 숨은 실력자였다.

나는 열다섯 살 때까지 사장님을 가까운 자리에서 모셨다. 열여섯 살이 되면서 가장 먼저 겪은 것은 내 몸의 어떤 변화들이었다. 목소리가 굵어지고, 코밑이 거뭇거뭇해지기 시작하면서 나는 내가 보아도 한 소년의 모습에서 한 남자의 모습으로 변해가고 있었다. 그것은 몸집 작은 괭이에서 보다 몸집이 큰 삵으로 변화하는 과정처럼 키도 쑥쑥 자라고, 가슴과 어깨도 딱 벌어졌다. 이제 더 이상 사장님을 따라 목욕탕과 이발소를 다닐 나이가 지난 것이었다.

그래도 변함없이 사장님 사무실의 경호를 맡았다. 내가 하는 일은 사장님을 방문하는 출입자들을 체크하는 일이었다. 나는 그들의 표정과 태도만 보고도 그들의 마음이 지금 어떤 상태인지 짐작할 수 있었다. 사장님의 신상은 언제나 안전해야 했고, 사장님의 안전을 위한 경계는 삼엄하고 완벽해야 했다.

그러다 내 몸이 야생의 삵에서 야생의 표범만큼 더 자랐을 때, 조직의 어른들은 이따금 나를 싸움이 예상되는 장소에 데리고 나갔다. 일대일 겨루기든 무리지어 겨루기든 나는 그런 장소에 가면 본능적으로 다음 순간에 어떤 일이 벌어질지를 알았다. 산을 떠난 지 오래지만, 나는 여전히 한 마리의 야생동물처럼 내 머릿속에 반짝이는 순간만은 놓치지 않았다. 그것은 또 야생동물과 나의 일대일 순간을 연상케 했다. 시간이 멈추어선 순간이었고, 본능대로 움직이는 순간이었다.

싸움판에 나가 처음 느낀 일인데, 이 바닥에서 제법 이름을 날리고 있는 아무리 빠른 사람도 야생동물보다는 훨씬 느렸다. 나는 겨루기를 할 때 상대편에서 내뿜는 어떤 기운을 중시했다. 상대의 동작보다 그 동작에 앞서 느껴지는 어떤 기운을 통해 나는 그가 다음에 취할 동작과 우리가 찰나적으로 대면할 어떤 사태를 미리 읽을 수 있었다. 그것은 내가 상대보다 한 박자 반 정도는 빠르게 판세를 읽는다는 얘기였다.

나는 누구에게 싸움에 대해 배운 적이 없었다. 여기서 스무 살 가까이 자라는 동안 나에게 싸움기술을 가르쳐준 사람은 없었다. 이곳에 와 내가 맡은 일은 어려서는 마스코트처럼 사장님을 따라다니는 일이었고, 조금 커서는 사장님의 사무실을 지키는 일이었다.

싸움에 대해 특별히 누구에게 배운 것은 없지만 그보다 더 어린 시절 아버지와 산 속에서 자라면서 여러 동물들을 봐왔기에 나는 사람의 방식이 아니라 그들의 방식으로 싸울 줄 알았다. 다만 새로 배운 것은 권총을 쏘는 법이었다. 아버지에게도 삼촌이 가져다준 사냥총이 있기는 했지만, 그것과 권총은 느낌부터 달랐다. 사냥총도 모든 것을 단 한 방에 결정짓는 무서운 무기였지만, 그래도 그것은 여러 날 짐승을 쫓는 아버지의 인간적인 숨결과 함께 하는 무기였다.

거기에 비하면 권총은 품 속에 들어가는 무기였다. 그런데도 사냥총보다 냉혹하고 비정했다. 언제 어디서나, 어떤 상대에게나 단 한 방에 모든 것을 끝낼 수 있었다. 그러나 그것도 사용할 수 있을 때와 없을 때가 있었다. 사용에 제한이 없는 것은 몸과 주먹뿐이었다.

나는 밖으로 나가는 날이 조금씩 늘어나면서 조직 안에서 큰 물건이나 중요한 물건을 받아오는 팀과 합류하여 힘을 보탤 때가 많았다. 나는 나이 많은 선배들과 짝을 지어 선착장의 창고나 개인집의 밀실, 혹은 깊은 산 속에 묻어두었던 아편을 받아왔다.

그럴 때 우리 말고도 다른 쪽 세력을 만날 경우엔 이상한 기운이 맴돌곤 했다. 내가 사장님을 경호하면서도 틈틈이 그런 일에 투입되는 건 바로 그런 낌새를 알아채는 데 천부적인 감각을 발휘하기 때문이었다. 때로 우리는 어둠 속의 선창가나 대낮 기차역에서 불꽃 튀는 싸움을 벌이기도 했다. 이런 일이 있을 때마다 사장님은 어김없이 다음날 새벽 배신자의 관을 상대측 사람들에게 배달했다. 그 희생자가 우리 내부의 사람이 될 때도 있었다. 내가 몸담고 있는 세상은 그런 곳이었다.

그러던 어느 날, 오송강 부두에 홍콩으로부터 도착한 아편을 받아오는 일에 삼촌과 나, 그밖에 다른 다섯 명이 함께 나갔다. 다른 쪽의 방해가 있을지 모른다는 정보가 있었다.

"어, 네가 왜 나가느냐? 사장님 경호는 어떻게 하고?"

내가 팀에 합류된 것을 알고, 삼촌은 적이 놀라는 얼굴이었다. 나도 사무실에서 마주칠 때와는 달리, 조카와 삼촌이 꼭 이런 일에까지 함께 나가야 하나 싶어 조금 계면쩍었다. 그래서 일부러 사촌동생들의 안부를 물었다. 맏이가 나보다 두 살 어리고, 줄줄이 여섯 명이었다. 제일 어린 아이는 이제 두 살이었다. 삼촌도 처음엔 당황하는 얼굴이다가 점차 처음의 얼굴로 돌아왔다.

그러나 부두에 나갔을 때, 아편은 없었다. 나는 바로 삼촌의 얼굴을 쳐다보았다.

"아까 미처 얘기를 안했다만, 사실 어제 그런 정보도 있고 해서 내가 먼저 가족 뱃놀이를 가장해 다른 배에 물건을 옮겨놓았어. 아무래도 물건을 안전하게 다른 곳으로 옮겨놓아야 할 것 같아서 식구들과 함께 나와 그 배에 옮겨놓은 거야."

저쪽을 보니 숙모와 젖먹이까지 배에 올라 있었다. 나는 바로 사태를 알아차렸다. 내가 눈을 거두지 않고 계속 쏘아보듯 바라보자 삼촌은 다시 낯빛이 변해 작은 소리로 덜덜 떨며 말했다.

"조카. 나는 이것만 가지고 상하이를 떠나겠어. 아이들도 커가고 더 이상 이 생활을 견디지 못하겠어."

저쪽 배 안에는 어린 사촌 동생들이 뒤뚱뒤뚱 돌아다니고 있었다. 이제까지 그 어떤 결정적인 순간에서도 나는 단 한 번도 시간을 끌지 않았다. 사장님의 경호를 맡고 있는 내가 이런 일에 투입되는 것도 바로 그래서였다. 그러나 어린 사촌들이 저만치 바라보이는 배 안에서 천진난만하게 놀고 있는 모습을 보며 나는 삼촌의 등에 칼을 꽂지 못했다.

잠시 내가 판단을 놓치고 주저하는 사이 이제 동료들도 눈치를 챘다. 동료들은 내게 빨리 배신자를 해치우라는 신호를 보내왔다. 그런데도 내가 계속 등을 보이고 섰자 선배 하나가 이쪽으로 다가왔다.

어느 편을 들 것인가. 짧은 한순간의 일이긴 하지만, 어쩌면 그것이 이제까지 내가 무엇을 망설였던 유일한 순간이며 일이었는지 모른다. 그때 내 등에 무언가 극심한 통증이 느껴졌다. 등에서 엉덩이 아래로 뜨거운 무엇이 흐르고 있었다. 조직원들은 내가 삼촌과 공모하여 아편을 빼돌리려 했다고 생각했을 것이다.

등에 칼이 꽂힌 채 나는 점점 의식을 잃어가고 있었다. 흐려지는 시야 속에 저쪽 배 안에서 숙모와 사촌들이 절규하는 모습이 보였다. 삼촌도 숙모와 자식들이 보는 앞에서 바로 내 옆에 고꾸라졌다.

"그때 너를 산에서 데리고 나오는 게 아니었어."

"……."

나는 가만히 삼촌의 손을 잡았다.

"그래야 너도 살고 나도 살았을 텐데. 그게 우리가 사는 길이었던 거야."

그 말 속에 모든 것이 끝나가고 있었다. 그때 내 귀엔 내가 태어나고 자란 산 속에서 불어오는 바람소리가 들렸다. 나는 들판을 가로질러 바람같이 달리는 한 마리의 야생동물로 돌아가고 있었다.

노시인의 상하이 방문

그는 오래 전부터 상하이에 다시 한번 가보고 싶었다. 그러나 과연 갈 수 있을지 스스로에게조차 의문이었다. 우선 얼마나 걸을 수 있을지, 또 가서 탈은 나지 않을지 저절로 그런 의구심이 들지 않을 수 없을 만큼 그는 너무 연로해 있었다.

특히 지난해 겨울, 감기에 심하게 걸려 그것이 폐렴으로 진전되어 죽음의 문턱까지 간 적도 있었다. 올해로 그의 나이 94세였다. 이제 그는 나날이 생의 에너지를 잃어가고 있었다. 지난겨울 이후로는 밖에 나가 산책을 하는 것도 조심스러워 가끔 제자들이 찾아와 식사 대접을 할 때를 제외하고는 항상 집 안에서 소파에 앉아 텔레비전을 보거나 응접실 베란다 유리창을 통해 바깥 풍경을 살펴보는 정도로 만족할 수밖에 없었다.

지난해 그가 폐렴에 걸리기 전의 일이었다. 그가 어릴 때부터 민족지도자로 존경해 마지않았던 도산 안창호 선생의 따님이 그의 집을 방문했다. 안창호 선생의 따님 역시 이미 구순을 바라보는 나이인데 예전에 선생이 짚던 지팡이를 하나 가져와 그에게 선물했다.

그 지팡이의 내력은 이랬다. 아주 오래 전 그는 자신의 수필에 학창 시절부터 자신이 안창호 선생을 얼마나 흠모했는지를 말하며, 그분의 지팡이에 얽힌 일화 하나를 얘기했었다. 그런데 그분의 따님이 수십 년이 지난 다음 이렇게 아버지의 지팡이를 가지고 그를 방문한 것이었다.

그 일을 주선한 사람은 그도 잘 알고, 그가 흠모하던 안창호 선생의 따님도 잘 아는 작가였다. 그가 상하이에서 공부를 하던 젊은 시절 그녀의 작은 외할아버지가 상하이에서 영화 황제로 활약했다. 나이를 따져보니 두 사람이 동갑이었다. 그는 열일곱 살에 민족지도자를 흠모하여 상하이로 유학을 떠났고, 그 영화 황제 역시 독립운동가였던 아버지가 돌아가신 다음 같은 나이에 배우의 꿈을 안고 상하이로 와 마침내 조선인으로 전중국의 영화 황제가 된 것이었다.

그런 인연으로 그녀는 가끔 그의 집을 방문했고, 얼마 전 그에게 상하이에 가보지 않겠느냐고 제안했다. 그는 열일곱 살부터 스물일곱 살 때까지 10년 간 상하이에서 공부를 했다. 제안을 받던 순간 그의 머릿속으로 상하이가 지나갔다. 그리고 눈을 뜨니 자신의 나이 이미 94세인 것이었다.

그는 나중에, 나중에, 라고 말했다. 그러나 상하이라면 꼭 한

번 다시 가고 싶었다. 불란서 조계지의 푸른 가로수가 눈에 떠올랐다. 어린 그가 식민지 시절 조국을 떠나 공부를 했던 상하이. 양친이 모두 돌아가신 다음 홀로 그곳에 가면 자신이 민족 지도자로 흠모하고 있는 그분을 만나볼 수 있지 않을까 하여 떠났던 유학이었다.

거기엔 추석날 밤 갈 데 없는 그가 황푸강에 비친 달을 바라보며 혼자 거닐던 공원이 있었다. 오래도록 잊고 있었던 상하이에 대한 그리움이 그의 마음 안에 동요를 일으켰다. 그러나 여행을 권유한 사람에게 지나친 폐가 될까봐 선뜻 가겠다고 대답하지 못했다. 그는 우선 근래에 들어 자기 집 앞에서조차 많이 걸어보지 않았다. 나중에, 나중에, 라고 말하던 그의 대답은 다음해 봄, 조심스럽게 현실로 옮겨졌다.

의사 아들과 여행을 권하던 작가의 가족이 함께 따라갔다. 아주 오랜만에 탄 비행기 속에서 그는 구름을 뚫고 상하이를 떠올렸다. 노시인은 비행기의 유리창을 통해 들어오는 햇빛을 받으며 잠시 편안한 마음으로 잠이 들었다. 그리고 깨어보니 상하이였다.

열일곱 살에 나는 어떻게 처음 상하이에 갔던가. 서울에서 부산까지 내려가 다시 거기에서부터는 뱃길로 나가사키, 따롄, 톈진, 칭타오를 거쳐 일주일 만에 도착한 상하이를 깃털처럼 얇은 잠 속에 시인은 도착했다.

처음 발을 디뎠던 걸로 본다면 77년 만이고, 떠난 걸로 본다면 67년 만에 다시 밟는 상하이는 너무나 찬란하게 빛났다. 4월말의 햇살은 가로수 잎 위에서 눈부시게 부서지고, 자동차는 하늘을 덮는 시원한 그늘 속으로 미끄러지듯이 지나간다. 창밖을 바라보니 지금도 낯익은 불란서 조계지 거리로 그 시절의 그가 학교로 가고 있다. 얼굴은 창백하고, 오직 마음속의 이상만 바라보며 앞만 보고 걷고 있다.

거리는 옛날 자취가 있으면서도 전보다 훨씬 더 좋아졌다. 지은 지 100년 가까이 된 올드빌라호텔에 여장을 풀며 시인은 막 새로 돋아나는 신록 속으로 온몸이 푹 안기는 것 같은 안온함을 느꼈다. 옛날 그대로의 아늑한 방에서 쉬는 동안 아들이 노시인의 머리를 감겨주었다. 시인은 정말 그때 그 시절로 돌아와 있는 듯한 기분이었다.

눈을 감고 시인은 양수포의 정원을 돌아 예전에 자신이 다니던 학교로 간다. 상하이사변이 터진 후에 다니던 호강대학이다. 정원으로 깊이 들어가니 그가 매일 다니던 선생님의 사택이 나타났다. 사모님이 어서 오라고 손짓하며 먼저 들어가신다.

현관에 들어서니 머핀 굽는 냄새가 달콤하게 퍼져 있고, 식당엔 벌써 먼저 와 있는 동급생이 3명이나 되었다. 아, 스물한 살, 스물두 살의 그는 가슴이 뛰고 머리가 아득해진다. 어디를 갔다 다시 모인 것일까. 아니면 매일 이곳에 모인 것일까. 그는 너무도 반가워 어떻게 해야 좋을지 몰라 멍하니 그들을 바라보고만 있다.

방에서 나오신 선생님은 책을 접고, 오늘 함께 감상할 시를 그에게 읽어보라고 말씀하신다. 그는 가슴이 뭉클한데 선생님은 흔연스럽다. 그는 시를 읽어나간다. 워즈워드의 「수선화」다. 모두 그가 읽는 시 속으로 빠져든다.

수업을 마치고 극장 앞에서 유난히도 밝은 얼굴의 건장한 청년이 그에게 표를 샀다고 손을 흔들어 보인다. 그가 상하이로 왔을 때 그보다 먼저 이곳에 와 호강대학을 다니고 있던 주요섭 선생이다. 그보다는 8년 연상이어서 한 번도 형이라고 부르지 않고 '주 선생' 이라고 불렀다. 처음 학교로 찾아간 그를 데리고 YWCA 식당에 가서 저녁을 사주었고, 주말이면 기숙사에서 나와 함께 영화 구경을 갔다. 그때 '글로리아 스완슨' 이라는 여배우를 그렇게 좋아했다. 잊지 못할 상하이의 추억이다.

그러다 시인은 자기도 모르게 눈을 떴다. 아, 그들 모두 거기에 죽 있었구나. 함께 공부를 한 동료들도, 주 선생도. 그러나 아침에 아들은 그가 다니던 대학이 없어졌다고 알려준다. 그가 평생에 가장 행복했던 곳이 어디에도 없다고 전했다.

다음날 그는 불란서 조계지를 찾아가 보았다. 지금도 아름다운 불란서 오동나무 가로수가 그를 반가이 맞아주었다. 그는 가로수를 쓰다듬어 보았다. 서늘한 그늘 속에서 그는 선종로 이층집들을 열심히 찾아보았다. 그는 그때의 일을 후일 자신의 수필에 이렇게 쓴 적이 있었다.

"내가 상해로 유학을 간 동기의 하나는 그분을 뵐 수 있으리라는 기대였었다. 가졌던 기대에 대하여 환멸을 느끼지 않은 경험이 내겐 두 번 있다. 한번은 금강산을 처음 보았을 때요, 또 한번은 도산을 처음 만나 뵌 순간이었다."

"1932년 6월, 그가 일본 경찰에 체포되어 고국으로 압송된 후에도 그의 작은 화단에는 그가 가꾸던 여름꽃들이 주인의 비운도 모르고 피어 있었다.

내가 병이 나서 누웠을 때 선생은 나를 실어다 상해요양원에 입원시키고, 겨울 아침 일찍이 문병을 오시고는 했다. 그런데 나는 선생님의 장례에도 참례치 못하였다. 일경의 감시가 무서웠던 것이다. 예수를 모른다고 한 베드로보다도 부끄러운 일이다."

불란서 조계지 선종로에 있는 2층 도산 선생 집에서는 20~30명의 학생들이 모여 강연을 들었다. 그곳에서 도산 선생은 나라의 재목이 될 나무들을 심고 가꾸셨다. 그런 선생님이 저쪽 계단에서 내려오시며 나를 보고 환하게 웃으신다. 그로서는 너

1920년대 말 와이탄 거리.
이때 상하이는 이미 뉴욕 · 런던 다음으로 세계에서 번화한 도시였다.

무나도 사모하는 선생님. 그 선생님께서 장례에도 무서워 참석하지 못한 못난 제자를 넓은 가슴으로 따뜻하게 안아주신다.

오후에 방문한 박물관엔 노상하이 거리에 있던 실제의 전차와 자동차 인력거들이 다니고 있었다.

"아, 이럴 수가. 이럴 수가……."

시인은 거의 울 듯한 얼굴이 되었다.

와이탄의 옛 은행 건물 속에 새로 단장한 웅장한 모습의 양식당에서 식사를 하며 노시인은 황푸강을 바라보았다. 아주 오랜만에 다시 돌아와 상하이 전부를 가진 듯한 느낌이었다. 그가 탄 휠체어를 다섯 사람이 시종처럼 뒤따랐고, 계단이 나타나면 누군가 그를 번쩍 안아 붉은 카펫을 밟고 올라갔다.

또 휠체어 없이 외출한 피스호텔 앞에서 자동차를 기다리는 동안 제복을 입은 나이 지긋한 도어맨이 그를 의자에 앉아 기다리게 해주었고, 함께 사진 촬영을 하기도 했다. 관광을 온 듯한 외국인들도 노시인의 일행을 바라보며 미소지었다.

저녁 어스름이 질 무렵, 그는 불란서 조계지에 있던, 예전에 자주 다니던 러시아 식당과 극장이 생각났다. 푸짐한 고기 덩어리와 은근히 익힌 야채가 가득 든 러시안 스프는 호주머니가 얄팍한 학생들에겐 더없이 황홀한 메뉴였다. 주선생과 그는 배를 두들기며 일주일에 한번 영화를 보러갔다. 그 거리가 더 환해져 있었다. 많은 사람들이 지금도 식당으로 극장으로 들어가고 있었다.

시인은 사람들이 많이 오가는 카페 앞에 앉아 지나가는 사람들을 바라보았다. 90년을 넘게 살아도 평생 이렇게 좋은 곳에 와 보지 못한 것 같았다. 세계 각국에서 온 사람들이 활기에 넘쳐 행복한 얼굴로 그 거리를 지나다녔다. 어떤 여인은 하얗게 빛나는 허벅지를 다 드러내놓고 맞은편 테이블에 앉아 시인을 바라보고 있었으며, 그 여인 뒤로는 의상점의 쇼윈도 불빛 속에 짧은 원피스 차림의 고혹적인 젊은 여성이 대형 브로마이드 사진 속에서 무언가 호소하는 눈빛으로 이쪽을 바라보았다.

모두 웃고 떠들며 아이스크림을 먹고 맥주를 마셨다. 옆 테이블의 사람도 모두 행복해 보였다. 모두 친구 같았다.

"오늘밤 내가 자다가 가위에 눌려 비명을 지르면 저기에 서 있는 여자가 내 침대로 달려와 내가 소리치는 줄 아세요."

그 말에 모두 눈을 동그랗게 뜨고 자지러질 듯이 웃었다. 상하이에서 시인의 모든 감각은 열려 있었다. 아, 인생은 이런 것이구나. 이렇게 행복한 것이구나. 그리고 이렇게 아름다운 것이구나. 그날 밤 모두 유쾌하게 그 거리에서 오래도록 놀았다. 노시인의 나이에 대한 모두의 편견이 깨지고, 모든 사람의 감성이 함께 웃는 아름다운 밤이었다.

노시인의 일행이 지날 때마다 사람들이 돌아보았다. 평생 금전적으로 여유 있어본 시절이 없었지만 노시인은 세계의 그 어떤 부호보다 더 부유함을 느꼈다. 그의 유머는 그를 따르는 사람들을 즐겁게 했다.

그때 다니던 도서관과 추석날 혼자 거닐었던 공원, 수없이 건너다녔던 다리를 둘러보며 시인은 자신의 지난날을 추억했고, 지금도 남아 있는 옛 건물 속에 묵고 식사하고 잠들었다.

그리고 짧은 여정 속에 마침내 노시인이 상하이를 떠나는 날이 다가왔다.

그날은 아침부터 하늘이 찌푸려지더니 조금씩 빗방울이 떨어지기 시작했다. 그들을 태운 자동차는 공항을 향해 달렸다. 자동차가 도로 위를 맹렬하게 달려나가는 동안 빗방울은 점점 굵어지기 시작했다.

가지 마. 가지 마. 가지 말라고!

그렇게 소리치듯 벼락과 천둥이 울렸고, 빗줄기는 이내 소나기로 변했다. 주위의 가로수와 멀리 있는 마을과 더 멀리 있는 녹음들이 모두 희뿌연 물보라 속에 그를 향해 달려오고 있었다. 어떻게 이런 일이 일어날 수가 있을까. 그는 놀람과도 같은 격정 속에 정신을 차리려 애쓰며 주위를 둘러보았다.

거기엔 부모와 나라를 잃은 열일곱 살의 그가 이곳 상하이에 처음 발을 디디며 앞으로의 세상에 대해 품었던 꿈과 사랑과 동경이 그때 당시 자신의 모습이 되어 지금 상하이를 떠나고 있는 그를 붙잡고 있는 것이었다. 시인의 눈과 가슴엔 자신도 모르게 저 창 밖의 빗줄기처럼 뜨거운 눈물이 흘러내리고 있었다.

볼가강 뱃노래

1917년 레닌이 이끈 러시아 볼셰비키 혁명이 일어나 수많은 유산계급들이 국외로 도망갔다.

하늘이라도 가를 듯 사납게 몰아치던 폭풍우는 담벼락 사이의 낙엽을 거리로 내몰고, 창 밖의 울타리는 어제보다 더 살벌해진 초겨울 풍경을 보여주고 있었다.

그해 시월 볼세비키 혁명이 일어났을 때에도 이만큼 겨울이 성큼 다가올 무렵이었다. 우리 마을에서는 아주 잘사는 축에 속했던 친구네 집에 불이 나고, 친구가 우리집에 뛰어와 살려달라고 울부짖던 그날 밤의 일들이 내겐 잊혀지지 않는다. 그때 나는 열세 살이었다.

'혁명' 에 대해 내가 가지고 있는 기억과 이미지는 그렇게 어둡고도 무서운 것이었다. 내 친구의 아버지는 그날 밤, 흉포한 폭도로 돌변한 마을사람들로부터 처참하게 살해되었다. 친구네 집은 부자였지만, 오래 전 마을에서 인심을 잃었다.

세상 분위기는 이내 그날밤 우리가 보았던 불길만큼이나 흉흉해졌다. 우리가 사는 마을뿐 아니라 인근 마을에서도 살인과 방화, 약탈에 대한 소문이 끊이지 않았다.

아버지는 얼굴이 굳어졌다. 깊고 푸른 눈은 더없이 슬프고 불안해보였다. 사흘째 되는 날 아버지는 단호한 결정을 내렸다.

"모두 짐을 싸라. 오늘밤 우리는 이곳을 뜬다."

우리는 부자도 아니고, 친구의 집처럼 인심도 잃지 않았지만, 대대로 세습 작위를 받아온 집안이라 언제 어떤 일을 당할지 알 수 없었다. 불과 며칠 동안의 일이긴 하지만, 내 눈에 '혁명'이라는 것은 흉년이 들어 쭉정이만 남은 모스크바 근교의 초겨울 들판에 검은 연기와 함께 번져나가는 들불과도 같았다. 바람의 방향을 가늠할 수 없는 건 아버지도, 스스로 들불이 되어 여기저기 몰려다니며 불을 옮기는 사람들도 마찬가지였다.

조상 대대로 물려받은 얼마간의 토지가 있었지만, 막상 피난을 가려고 하니 평소에도 그랬지만 아버지나 어머니나 몸에 지닐 현금이 거의 없었다. 짐을 싸며 우리는 다시 한 번 우리의 빈약한 살림과 빈약한 보따리에 절망했다. 하기야 피난 보따리를 풍족하게 쌀 형편이 되었다면 이렇게 짐을 싸기도 전 친구네 집처럼 어떤 변부터 당했을지 모를 일이었다.

짐을 쌀 때 아버지는 제법 휘황한 장식의 예복을 농에서 꺼내 한손으로 들어본 다음 옆으로 밀쳐놓으며 말했다.

“절대 귀한 사람으로 보여서는 안된다.”

어머니는 눈물어린 얼굴로 아버지의 예복을 다시 농 안에 넣었다. 나는 내가 가지고 있던 것 중에 가장 아끼던 속옷과 내복을 입고, 맨 위에 허름한 외투를 걸쳤다. 그리고 어머니가 가지고 있던, 집안에 대대로 전해져 오던 몇 가지 패물을 제일 아래 동생 두 명을 제외하고 다섯 식구가 저마다 누비옷 안감 속에 꿰매어 감추었다. 여자들은 짙은색의 낡은 머플러를 머리에 쓰고, 남자들은 털 방한모 대신 농부들이 일할 때 쓰는 모자를 덮어쓰고는 아무도 몰래 한밤중에 마을을 빠져나왔다.

그때 돈이 많은 사람들은 금은보화가 가득 든 두툼한 가방을 들고 하인들과 함께 유럽으로 피난갔다고 한다. 또 가진 것 없이도 그곳으로 떠난 사람들이 많았다. 그러나 이미 많은 사람들이 길을 나선 그쪽으로 가다가는 어떤 변을 당할지 모른다는 불안 속에 아버지는 반대쪽으로 방향을 잡았다. 우리집과 이미 한 차례 폭도들에게 털린 친구 집은 모스크바에서 시베리아로, 시베리아에서 중국의 하얼빈으로, 다시 하남의 정주와 개봉으로, 그곳에서 배를 타고 상하이로 왔다.

우리가 탄 열차와 증기선 안은 사람이 너무도 많아 겨우 앉는 것만 가능하지 누울 자리조차 없는 감옥의 밀실과도 같았다. 숨쉬기조차 힘든 아수라장 속의 열차를 타고 우리는 혹한의 시베리아를 지나고 허얼빈을 지났다. 석 달 만에 상하이에 도착했을 때, 몸에 지닌 패물은 거의 없어지고, 무엇보다 이제 세 살 된 막내동생이 폐렴으로 목숨을 잃고 말았다.

배는 상하이 부두에 도착했어도 배에서 내리는 일도 쉽지 않았다. 뒤늦게 안 일이지만 우리쪽의 책임자가 중국 당국에 우리 러시아인들도 배에서 내릴 수 있도록 해달라고 간청했지만, 중국쪽 책임자는 그것을 거절했다. 국제 도시 상하이에 가진 돈 한푼 없이 들어오는 러시아 사람들을 받고 싶지 않은 것이었다. 상하이의 조계 당국도 난민처럼 흘러들어온 러시아인들을 받아들였을 때 먼저 와 있는 백인들의 명성을 손상시킨다는 점을 걱정했다.

그런 이유로 허가와 결정은 늦어졌고, 사람들은 배에서 내리기도 전에 굶주린 짐승들처럼 지쳐갔다. 막내동생도 이때 잃었다. 아버지는 울면서 막내동생을 바다에 수장시키는 수밖에 없었다. 그러다 간신히 입국 허락이 떨어지고, 지칠대로 지친 우리 여섯 식구는 다시 가진 패물을 다 헐어 겨우 몸을 가리고 누울 어두운 방 두 칸을 구했다. 그동안 배 안에서의 생활에 비한다면, 그것 자체만으로도 해방을 맞이한 느낌이었다.

방을 구한 다음 아버지와 오빠는 일자리를 구하러 나갔다. 엄마도 일자리를 구하러 나갔으나 말도 통하지 않고 집안의 동생들을 돌봐야 했기에, 나는 이제 엄마 대신 내가 돈을 벌러 나갈 차례가 되었다고 생각했다.

"너는 돈을 버는 것보다 공부를 해야 되지 않겠니?"

"아니에요. 지금은 우선 우리 가족이 먹고 사는 일이 중요해요."

나는 나이답지 않게 엄마에게 말했다. 실제로 가진 것 한푼 없이 흘러들어온 러시아 난민으로 이곳에 와 말도 통하지 않는 학교에 가 공부를 한다는 것 자체가 사치스러운 일이기도 했다. 그러나 어머니는 아직 내가 일자리를 구하러 나갈 때가 아니라고 했다.

아버지와 오빠는 매일 일자리를 구하러 나갔다. 며칠을 허탕치던 끝에 아버지는 어이없게도 하비로에 있는 한 카페의 악사가 되었다. 그나마 러시아에 있을 때 취미로 바이올린을 켜고, 그것을 피난 보따리에 싸온 덕분이었다. 그보다 더 어이없는 것은 오빠의 일자리였다. 러시아에서 나오기 바로 직전까지 자신이 나온 학교에서 체육 보조교사를 하던 오빠는 어느 돈 많은 영국인의 보디가드가 되었다. 그렇게 말고는 러시아인인 오빠가 이 거리에서 금방 일자리를 구할 수 있는 방법이 없었다. 엄마와 우리는 임시 수용소나 다름없는 이 집에서 아버지와 오빠가 벌어오는 돈으로 하루하루를 연명했다. 그러나 아버지와 오빠가 받아오는 돈은 우리 가족의 생활비와 집세를 내기에도 부족한 실정이었다.

우리집만 그런 것이 아니라 상하이에 와 있는 대부분의 러시아인의 삶이 그랬다. 시간이 지나며 나도 조금씩 이곳 상하이에서 러시아인들의 처지를 알 것 같았다. 볼셰비키의 혁명군에 쫓겨오긴 했지만, 그래도 제정 러시아의 마지막 영화와 호사를 누리던 귀족들은 아무것도 없이 이곳에 도착한 다음에도 그 시절의 귀족적 특권을 유지하려는 환상을 가졌다.

그런 사람들은 애초 하인과 함께 유럽으로 떠났어야 할 사람이었다. 그러나 그럴 만한 여건이 못 되어 이곳으로 온 그들은 흡사 움막과도 같은 자신의 거처에서 훈장이 가득 달린 제정 러시아의 예복을 입고 함께 쫓겨온 사람들에게 여전히 자신을 장군이라거나 공작이라고 부르게 한다는 얘기를 들었다. 아마도 그것은 새로운 환경에 대한 부적응이 아니라, 그들의 마지막 남은 자존심이었는지도 모른다.

이내 그들은 장군과 공작의 칭호를 던지고, 당장 저녁 빵 값을 위하여 거리로 돈을 구하러 나갔다. 귀족의 딸과 백작부인들 역시 예전의 자존심을 깡그리 버리고 문가에 기대어 웃음을 판다는 소문도 들렸다.

나도 더러 보기도 했다. 어느 늦은 오후 아버지를 만나기 위해 아버지가 일하고 있는 카페로 가다보면, 하비로에 하나둘 들어서기 시작한 러시아식당과 주점에 추레한 모습의 러시아인들이 모여들었다. 어느새 홀에서는 '볼가강 뱃노래' 의 무겁고 비장한 선율이 흘러나와 그 앞을 지나는 사람조차도 가슴이 먹먹하게 만들었다. 그들은 습관적으로 노래를 부르며 곤드레만드레 취할 때까지 값싼 맥주와 독한 보드카를 마시고 자기 울분에 못 이겨 거리로 뛰쳐나오기도 했다. 조금이라도 기쁘면 함께 모여 떠들며 농담하고, 이내 서러움과 슬픔에 복받쳐 목놓아 울기도 했다. 그리곤 다시 다음 날 거리로 나가 길을 지나는 사람들을 상대로 수줍고도 부끄러운 모습으로 구걸을 했다.

거기에 비하면 아버지는 참으로 건실한 편이었다. 우리가 상하이로 온 지 4년이라는 세월이 흘러가는데도 아버지는 여전히 그 카페에서 악사로 일하고 있었다. 오히려 문제는 오빠였다. 상하이에 와 첫발을 잘못 들여놓은 오빠는 그 세계로 더욱 깊숙이 빠져들어가 지금은 마약 밀매에 손을 대고 있는 어느 포르투칼인의 보디가드로 일하고 있었다. 어린 시절 우리에게 늘 다정했던 오빠의 얼굴엔 이제 그쪽 세계 사람들의 어떤 비정한 그늘 같은 것이 짙게 배어났다.

"오빠."

"왜?"

"나는 오빠가 자꾸만 불안해."

"뭐가?"

"아빠도 말씀을 않으셔서 그렇지, 오빠 걱정 많이 해."

"그러면 너는 내가 날마다 하비로에 있는 싸구려 술집에 나가 거기 사람들과 어울려 '볼가강 뱃노래' 나 불러야 한다는 얘기냐?"

"그런 뜻이 아니라……"

"안다, 그런 뜻 아닌 거. 아버지나 어머니가 걱정하셔도 네가 걱정하지 않도록 잘 말씀드려."

오빠의 얼굴은 늘 그렇게 어두웠다. 그래도 오빠가 가져다주는 돈 덕분에 예전보다 생활이 조금 나아진 것도 사실이었다. 나는 학교를 그만두었지만 동생들이 학교를 다닐 수 있게 되었다.

나도 내 나이가 열일곱살이 되었을 때, 아버지 어머니의 반대를 무릅쓰고 아버지가 다니는 카페에서, 아버지가 바이올린을 켜는 옆에서 플루트를 연주하고 차를 나르는 종업원이 되었다. 나는 어떻게든 일을 가져야 한다는 생각이었고, 아버지는 내가 다른 가게에서 일을 하는 건 믿을 수 없어 했다. 거기에는 이미 내 또래의 많은 러시아 여자애들이 일을 하고 있었다.

"레나. 정말 오랜 만이야. 그동안 어떻게 지냈니? 왜 이렇게 소식이 없었어?"

지난번에 아버지를 만나러 왔을 때만 해도 얼굴을 보지 못했던 레나가 나보다 먼저 그곳에 와 일하고 있었다. 러시아에서 함께 탈출해 나왔던 한동네 친구였던 레나는 내 질문을 피하듯 한 번 웃어보이고는 딴 사람들이 있는 자리로 가 버리고 말았다. 그녀는 그 카페에서 일하는 러시아 아이들 중에서도 아주 고급스럽고도 화려한 옷을 입고 있었다. 다시 내가 기회를 보아 근황을 물었을 때에도 그녀는 자신에 대한 이야기를 하지 않았다.

"어머니는 잘 계시니?"

"너희 어머니는 집에서 너와 네 아버지가 벌어다주는 돈으로 잘 계시는지 모르지만 우리 엄마는 그러지 못해. 그러니 앞으로도 나에게 그런 것은 좀 묻지 말아줘. 아니, 나에 대한 어떤 것도."

그 말을 듣는 순간 나는 친구로부터 무안을 당한 느낌이었다. 하긴 밖에 나가면 나도 하비로의 커피숍 한 귀퉁이에서 아버지와 함께 플루트를 연주하며 커피를 나른다고 말하기가 쉽지 않았다. 그것은 우리 같은 러시아인 처지에서는 어쩔 수 없는 일이었다. 서로 어떤 일을 하고 있는지 어렴풋이 짐작은 하면서도 겉으로는 끝내 모른척 할 수밖에 없는 것이었다.

이 카페엔 서양 사람도 오고 중국 사람도 왔다. 그들은 우리와 얘기하기를 좋아했다. 러시아에서 불어를 배운 나는 그쪽 손님들과 대화를 할 수 있어서 인기가 좋았다. 상하이에 온 시간도 제법 되어 우리도 막힘없이 중국말을 할 수 있었지만 더러 어떤 중국인들은 누구에겐가 과시하듯 큰소리로 내게 불어로 말을 걸어오기도 했다. 때로 그들은 우리에게 전하지 않았으면 좋았을 얘기까지 전하곤 했다.

"며칠 전 내 친구가 밤에 캐세이호텔에 갔는데 말이지. 호텔 보이가 '백인 여자를 불러드릴까요?' 하더라는 거야. 그리곤 잠시 후에 정말로 백인여자가 나타났는데, 그게 여기에서 일하던 안나라는 거야."

처음 그런 얘기를 들었을 때 어린 나이에도 나는 심한 굴욕감과 놀라움을 동시에 느꼈다. 처음 상하이에 왔을 때처럼 여전히 러시아의 적지 않은 귀족 부인들과 그 딸들이 하루 끼니를 위하여 문가에 서서 웃음을 팔았다. 그러나 얼마 지나지 않아 그것도 교민 사회에서는 이미 새로울 것이 없는 그날 그날의 일상이 되고 말았다.

그런 우울한 날들 속에 크리스마스가 찾아왔다. 처지는 힘들지만 우리 가족도 모처럼만에 같은 러시아인들이 마제스틱호텔에 모여서 여는 러시아 교민의 파티에 가기로 결정했다.

"아유, 이게 몇 년 만이에요? 안녕하시지요?"

"예, 덕분에요."

"저희도 힘들지만 다들 어떻게 지내시나 소식도 들을 겸 오랜만에 회포를 풀려고 나왔어요."

술이 한 차례 돌아가자 한 아주머니가 작은 소리로 엄마에게 이렇게 말했다.

"글쎄, 근엄하기로 소문난 막심 공작이 소매치기를 하다가 붙잡혀서 감옥에 들어갔다 나온 다음 만날 술만 들이키며 산대

볼셰비키혁명 이후 많은 러시아인들이 상하이로 왔다. 이들은 일년에 한번 마제스틱호텔에서 댄스파티를 열었다. 당시 조국에서 쫓겨나오다시피한 그들은 상하이 백인사회에서도 차별적 대우를 받았다.

요."

"어머나, 그래서 보이지 않는 거군요."

교민의 밤 행사에서 나는 우리와 같은 처지의 많은 사람들을 만날 수 있었다. 우리는 오랜만에 러시아 전통의상을 입고 마제스틱호텔의 오케스트라가 연주하는 러시아 음악에 맞춰 춤도 추었다. 아버지와 나도 그날 무대의 한 순서로 '볼가강 뱃노래'를 연주했다. 모처럼 크리스마스다운 밤을 보내긴 했으나, 모두 헤어져 집으로 갈 땐 그날 들은 얘기들로 다시 쓸쓸해지는 기분이었다.

다시 봄이 가고, 여름이 가고, 가을이 왔다. 모든 것이 넝마처럼 지리멸렬하게 느껴지던 어느날, 그 심드렁한 일상을 뒤엎듯 오빠가 구역을 둘러싼 세력간의 다툼으로 허벅지에 총을 맞고 쓰러져 병원에 실려갔다. 그 소식을 집에 있던 어머니가 아버지와 내가 일하는 카페로 나와 전했다.

오빠를 고용한 포르투칼인은 자칫 그 사건이 확대되어 자신이 지금 상하이에서 하고 있는 마약 밀매업이 들통날까봐 오빠의 부상마저 나 몰라라 했다. 아버지가 사정 이야기를 하기 위해 그의 사무실로 찾아갔을 때 다른 보디가드들이 건물 입구에서부터 아버지의 출입을 막았다.

"내 아들의 일로 왔소."

"당신 아들은 우리와 상관이 없소."

"내 아들이 당신의 사장 때문에 허벅지에 총을 맞아 지금 병원에서 죽어가고 있단 말이오."

"그건 우리가 알 바가 아니요. 당신 아들은 이 회사의 직원도 관계자도 아니오."

그들은 막무가내로 아버지를 밀어냈다. 어디에 하소연할 데도 없었다. 아버지와 엄마는 사방으로 돈을 구하러 다녔으나 끝내 허탕을 쳤다. 아버지는 카페 주인에게 사정하여 나와 아버지의 석 달치 임금을 받아 가까스로 수술비를 댈 수 있었다. 그것도 그동안 아버지가 한 가게에서 성실하게 일한 데다가 나를 찾아오는 손님이 제법 되기 때문이었다.

그러는 사이 우리집 형편은 다시 말이 아니게 되었다. 일을 계속하고 있지만 아버지와 나의 수입이 이미 사라진데다가 오빠가 수술을 받고 퇴원을 했어도 한쪽 다리를 쓸 수 없게 되고 말았다. 오빠는 절망과 통증으로 수시로 소리를 지르며 울부짖었다. 게다가 상처 부위가 짓물러 계속 치료를 받아야 했지만, 집에는 그럴 만한 돈이 없었다. 아버지와 나의 임금도 이미 석 달치를 선불로 받아 쓴 때문에 우리집 형편은 4년 전 우리가 처음 상하이로 왔을 때보다 더 암담했다.

카페에서 일을 마치고 집으로 들어가면 집안은 오빠의 단발마적인 비명소리와 신음소리로 가득했다. 동생들은 밥을 굶고 있었다. 엄마가 새로 수틀을 끌어안았지만 수를 놓을 실조차 살 돈이 없어 그것마저 외상으로 가져와야 할 처지였다. 더욱 나쁜 것은 오빠의 상처 부위가 점점 안으로 썩어들어 가고 있는 것이었다. 고통은 둘째치더라도 이대로 가면 오빠는 한쪽 다리를 잘라내거나, 잘못하면 그걸로 목숨을 잃을 수도 있었다.

"아, 알료나. 네가 나를 살려다오. 네가 나를……"

오빠는 울면서 내 이름을 불렀다. 그러나 집안의 형편은 오빠 한 사람의 목숨이 아니라 우리 여섯 식구가 당장 먹고 살 길을 찾아 사방팔방으로 뛰어야 할 만큼 절박하게 흘러갔다. 이미 나이가 들어가는 아버지가 그 일을 할 수는 없었다. 하고 싶어도 능력이 되지 않았다. 카페에서 바이올린을 켤 때 아버지의 어깨는 앞으로 더욱 숙어 보였다. 그런데도 아버지와 어머니는 일하는 시간 외엔 매일 구할 수도 없는 돈을 구하기 위해 같은 처지의 러시아 교민들을 찾아 넋이 나간 사람처럼 돌아다녔다.

"알료나. 너무 고통스럽구나. 통증을 멈추게 할 수 없다면 차라리 네 손으로 나를 죽여다오."

오빠는 살과 뼈가 썩어들어가는 고통으로 힘들어 하고, 동생들은 하루 한 끼 옥수수 수프조차 제대로 먹지 못해 허기져 있었다. 나는 너무도 답답하여 밖으로 나와 어두운 밤거리를 미친사람마냥 무작정 걸었다. 그렇게 한참을 걷다가 귀에 익은 음악소리에 나도 모르게 걸음을 멈추고, 길 건너편을 바라보았다. 거기엔 구부정한 어깨를 한 초로의 노인이 길모퉁이에서 바이올린을 켜면서 지나가는 사람들을 상대로 동냥을 하고 있었다. 갈색 모자를 깊이 눌러쓰고 바이올린을 연주하는 저 노인은 틀림없는 아버지였다. 지나가는 사람들이 아주 이따금 땅에 놓인 또 하나의 모자에 동전을 던졌다. 날씨가 추워 대부분의 사람들은 주머니에 손을 넣고 빠르게 지나가느라 그런 아버지를 구경조차 하지 않았다.

아, 아버지. 아버지가 이젠 동냥까지 하시는구나. 그러고 보니 오빠의 수술비로 이미 석 달치 월급을 받아온 다음에도 아버지는 매일 몇 푼의 푼돈을 어머니에게 건네곤 했다. 아마 그 돈마저 없었더라면 우리 식구들은 모두 굶어죽고 말았을 것이다. 아버지는 아무도 지켜보지 않는 가운데에서도 추위에 곱아오는 손을 바이올린 현 위에 올리고, 무겁고도 비장한 선율의 '볼가강 뱃노래'를 연주하고 있었다.

집으로 돌아와서도 나는 그 말을 어머니에게조차 할 수 없었다. 어쩌면 어머니는 내가 말하지 않아도 이미 알고 있는 일인지도 몰랐다. 아버지에겐 카페에서 말고는 따로 돈이 나올 데가 없었다. 그날 밤 나는 자리에 누워서도 너무 많이 울어 머리가 아팠다.

이제 이 모든 것을 해결할 수 있는 사람은 나뿐이었다. 오빠를 저대로 죽게 내버려둘 수도 없고, 언제까지 아버지가 거리에서 몇 푼 동전을 바라고 추위에 떨며 바이올린을 켜게 할 수도 없었다.

나는 나와 함께 피난을 나온 레나를 떠올렸다. 그 아이인들 어디 처음부터 그러고 싶어 그랬겠는가. 이제 나는 내 친구 레나를 이해한다. 얼마 전까지만 해도 나는 레나를 어릴 때부터 사치를 하고 자라 이곳에 와서도 저렇게 변해버렸다고 생각했다. 그러나 이제 내 생각을 바꾸기로 했다. 러시아 말로 '고상한 자' 라는 뜻의 제냐도 밤의 여자가 되어 호텔을 출입하고, 막심 공작 역시 러시아에서의 명예나 지위 같은 건 다 내어던지고 소매치기가 되었다고 하지 않았던가.

그러나 아버지가 바이올린을 켜는 카페에서 차를 나르는 내가 그 모든 것을 한꺼번에 해결할 수 있는 방법은 아버지 몰래 손님에게 기대는 것 말고는 없었다. 차를 나르고, 함께 이야기를 하고 어쩌다 팁으로 받는 돈 10센트 20센트로 해결할 수 있는 문제가 아니었다.

예전엔 누군가 나에게 차를 사주며 치근덕거리면 그가 왠지 한심해 보였다. 언제 한번 같이 극장에 가자고 조르는 여드름투성이의 대학생도 있었고, 일을 다 마친 다음에 시간이 있느냐고 여러 번 직접적으로 묻던 외국 상사의 독신 남자도 있었다. 일 없는 날 자기 집에 놀러오라는 말을 아버지가 보는 앞에서까지 아무렇지도 않게 하던 서반아인도 있었고, 차를 가져가면 자꾸 손을 잡아 보고 싶어하는 돈 많은 중년의 일본인도 있었다. 노골적으로 얼마를 주면 같이 잘 수 있느냐고 옷 위로 슬쩍 내 가슴을 만지며 뻔뻔스럽게 물어오던 무뢰한도 있었다.

그때마다 나는 나도 모르게 얼굴이 벌겋게 달아오르며 심한 모욕감을 느꼈다. 정말 몇 달 전만 해도 그랬다. 나는 열세 살 때까지 러시아에서 살다가 왔다. 그곳에서 풍족하게 살지는 못했지만 우리는 그 지방의 대대로 내려오는 귀족이었다. 아버지와 어머니에게도 그렇게 교육받았다. 그러나 열일곱 살이 된 지금, 아직 다 자라지 않았지만 내가 먼저 모든 자존심을 버리고 그들에게 손을 내밀어야 한다. 아니, 먼저 손을 내미는 것은 그들이라 하더라도 이제 그 손 중의 어느 것을 구걸하듯 마주 잡아야 할 때가 온 것이다. 전에는 생각만으로도 목구멍에 구역질이 나고, 머리속이 하얗게 얼어버리는 것처럼 싫은 일이 현실로 다가오고 있는 것이다.

이제 나는 그들의 유혹이 귀에 들어오기 시작한다. 카페에 있는 친구들 가운데 이미 몇은 손님들과 개인적인 거래를 하고 있었다. 러시아에서 함께 온 또다른 내 친구 아나스타샤도 어느 돈 많은 영국인의 동거녀가 되어 고향에 있을 때보다 더 화려한 옷차림으로 하비로의 호화로운 가게들을 순례하고 있었다.

오빠의 썩어가는 다리와 고통에 소리치는 얼굴이 떠오르면 나도 모르게 떨리는 손으로 머리를 매만진다. 다행히 지금은 아버지가 카페에 자리를 비우고 없다. 나는 입고 있는 드레스 사이로 가슴 선이 더 보이게 옷매무새를 고치고 카페에 들어와 있는 사람들을 찬찬히 훑어본다.

오늘 만약 내가 이들 중 누구와 잔다면 오빠를 살릴 수 있을까. 얼마를 받을 수 있을까. 함께 잠을 잔 후에 나는 과연 그 일을 견딜 수 있을까. 후에 결혼은 할 수 있을까. 차라리 돈을 확 벌어놓고 죽을까. 그러면 아버지와 어머니는 뭐라고 하실까. 어젯밤에도 돈을 구하러 나갔다가 빈손으로 돌아온 아버지와 어머니의 얼굴에 무엇을 기댈 것인가.

매춘을 해도 안 해도 백인들도 동양인들도 러시아에서 온 우리들을 은근히 깔보며 하대했다. 때로는 동정하면서도, 또 때로는 우리를 함부로 대하면서 우월감을 느끼는 듯했다. 그때마다 나는 마음속으로 그들을 더 하대하면서 굴욕감을 이겨내고자 했다. 그러나 이젠 그것도 내 안에 한계에 왔다.

나는 눈썹을 그리면서 최고로 고혹적인 여자로 보이게 해달라고 마음속으로 빌었다. 내 손이 얼굴 위에서 떨리고 있었다.

안녕, 내 사랑

뚜우!

길게 뱃고동이 울린다. 배는 부두로부터 조금씩 몸을 떼기 시작한다. 파도가 뱃전에 와 부딪친다. 나는 나를 배웅하는 사람 하나 없는 부두를 아까부터 누군가를 찾거나 기다리기라도 하듯 오래 바라보고 있다.

담위립.

당신 말대로 수많은 산과 강을 건너고, 낮과 밤을 건너도 그대는 항상 내 안에 있어요.

그가 나올 리가 없다. 그는 이미 2년 전 나와 영원히 이별했다. 그런데도 나는 멀어져가는 부두 어딘가에 그가 서서 내게 손을 흔들기라도 하듯 뱃전에 나와 그의 얼굴을, 내 사랑을 찾고 있다.

뚜우!

다시 이별의 구슬픈 목소리로 뱃고동이 울린다.

떠나는 배와 들어오는 배의 고동 소리가 이렇게 다르다는 걸 전에는 알지 못했다.

11년 전, 지금과 반대로 내가 타고 온 배가 상하이에 닻을 내렸을 때 나는 환호성이라도 지르고 싶은 심정이었다. 나의 의지로 오래전부터 내가 꿈꾸어왔던 신천지에 온 것이었다. 여자이면서도 어릴 때 나는 아프리카로 떠난 모험가들의 얘기며 정글북 같은 모험 동화를 애독하며 자랐다. 그리고 서른 살이 되어서야 미지의 세계에 대한 나의 꿈을 이루게 된 것이다.

아버지와 어머니는 내가 태어나기 전부터 맨체스터에서 오래도록 양복점을 해왔다. 그다지 넉넉한 편은 아니었으나 우린 행복했다. 그러다가 내가 고등학교를 다니던 시절 누구보다 부지런하던 아버지가 갑자기 세상을 떠났다.

그 후 어머니와 내가 가게를 이끌어 나갔다. 그러나 그것도 얼마동안의 일이었다. 아버지가 살아 있을 때에도 식사 후면 늘 속이 거북하다던 어머니가 오랜 지병과도 같은 위장병으로 몸져눕게 되자 나는 가게 밖의 일들에 대해서는 전혀 생각해볼 여유조차 없었다. 예전에 아버지가 쌓아온 명성 아래 네 명의 종업원과 함께 양복점을 이끌어나가는 일만으로도 나는 많이 지쳐가고 있었다.

그때 상하이에서 부자가 된 다음 결혼하려고 돌아온 남자가 자기 친구와 함께 우리 가게에 와 이런 얘기를 나누는 걸 들었다.

"이렇게 자네를 보고 있으면 그때 나도 상하이에 가지 않은 것이 후회가 된단 말이야. 그동안 여기서 특별히 무얼 한 것도 아닌데 말이지."

"그거야 지금이라도 자네가 원하면 갈 수 있는 것 아닌가?"

"정말 나도 거기 가면 자네처럼 성공할 수 있을까?"

"상하이는 지금 여기 영국 사람들이 막연히 생각하고 있는 것보다 훨씬 더 큰 세계라네. 만약 간다면 내가 자네를 힘 닿는 대로 도와주지."

친구와 연신 싱글벙글 웃는 얼굴로 결혼 양복을 맞추러온 새 신랑의 얼굴엔 '꿈과 행복이 가득한 상하이' 라고 쓰여 있었다.

또 그런 남자들이, 가게를 드나드는 다른 사람들 사이에서도 심심찮게 화제가 되자 나도 자연스럽게 상하이에 대해 관심을 가지게 되었다. 그때쯤 '상하이에 빈털터리로 가서 부자가 되어 돌아온 젊은이' 라는 내용의 신문기사도 이따금 실렸다. 다른 사람에게는 어땠는지 모르지만 나는 그곳에 가서 부자가 되는 일보다 빈털터리가 가서도 부자가 될 수 있는 '모험가의 낙원' 에 대해 더 큰 매력을 느꼈다. 또 그런 기사를 읽는 것은 답답한 나의 일상에 한 줄기 바람처럼 막연한 동경을 품게 되었다.

어머니는 차도도 없는 병을 오래 앓다가 나의 혼기를 다 보내게 하곤 돌아가셨다. 물론 연애가 불가능한 것은 아니었겠지만, 나는 처녀의 몸으로 종업원이 네 명이나 되는 양복점의 손님이 아버지 때보다 떨어지지 않게 하는 것만도 힘에 벅찼다. 낮에는 양복점에서, 그리고 저녁에 집에 돌아오면 어머니의 병간호로 곤죽이 되어 잠들곤 했다. 고등학교 시절의 친구들도 그들이 우리 가게를 찾아오지 않으면 만나볼 시간조차 없었다. 그러는 사이 나는 맨체스터에서 우리 양복점을 찾아오는 고객 말고 내가 알고 있는 사람이 따로 있기나 한지조차 의심스러울 때가 있었다.

어머니가 돌아가시자 나는 마치 오래 전부터 그렇게 하리라 작정한 사람처럼 상하이로 가자고 결심했다. 그 결심이 가능했던 건 그때까지 내가 독신이었기 때문일 것이다. 우리 양복점에 결혼 예복을 맞추러 오는 청년들의 옷만 지어주었지 정작 이 나이까지 결혼에 대해 생각해볼 만한 청년도 없었고, 사실 그런 생각을 할 겨를도 없었다. 나는 어머니의 장례를 치른 다음 바로 집과 가게를 처분했다.

내가 상하이에 와서 제일 하고 싶었던 일은 영국에서와는 전혀 다른 방식의 생활을 해보는 것이었다.

"아, 예, 그러니까 아가씨 혼자 상하이에 살러 간다는 거지요?"

런던에서 상하이로 오는 증기선에서 만난 어느 부인이 말했다.

"상하이 생활은 정말 재미있어요. 취미 클럽도 많고, 경제적으로 어느 정도 성공하면 하인들도 많이 두고 살 수 있지요. 생활비도 영국보다 훨씬 적게 들면서 왕비처럼 살 수가 있어요. 상하이 외국인 사회에서도 우리 영국인들은 최고의 대우를 받습니다. 그곳에 도착하면 내가 많은 친구들을 소개해 줄게요.

사실 상하이에 영국 사람이 많이 들어와 있어도 아가씨처럼 처녀 혼자 와 있는 사람은 아주 귀할 거예요."

그동안 꿈만 꾸다가 직접 내 눈과 피부로 느끼는 상하이는 나의 상상 이상이었다. 수많은 나라 사람들이 큰 대로에서부터 뒷골목 시장에 이르기까지 넘쳐났으며, 도시는 내가 살았던 맨체스터와는 비교도 되지 않을 만큼 국제적이었다.

나는 증기선에서 만나 서로 친하게 된 버클리 부인의 조언과 도움으로 열흘 만에 호텔에서 나와 내가 살 집에 세 들 수 있었다. 또 부인의 도움으로 아마추어 연극 클럽에 들었다. 고등학교 시절, 아버지가 돌아가시기 전까지만 해도 나는 학교 연극부의 열성단원이었다.

나는 그 클럽에서 많은 친구들을 사귀었다. 또 그들이 돌아가며 서로 초대해 아주 즐거운 시간을 보낼 수 있었다. 나는 예의바르고 참한 여자라는 평과 함께 금방 그들과 친해졌다.

그리고 상하이에 온 지 반년쯤 되어 이제 이 꿈의 도시를 조금 알게 되었을 때, 나는 남경로에 가게를 구하고 그곳에 양복점을 열었다. 언제까지 아무 것도 하지 않고 상하이에 머물 수는 없는 일이었다. 클럽에서 맺은 여러 사람들과의 유대를 양복점 운영에 이용한 것은 아니지만, 그것은 상하이에서 내가 더 많은 사람을 아는 일에도 도움이 되었고, 시간이 지날수록 양복점 운영에도 도움이 되었다.

영국에서는 해보지 못했던 것들도 상하이에 와서 새롭게 누릴 수 있었다. 영국에선 일 때문에라도 꿈도 꾸지 못했던 경마장에 나가 세상 사람들이 사는 모습도 볼 수 있었고, 또 새로

1930년대 상하이 경마장 풍경. 외국인들은 경마장에서 여가를 즐기며 사교활동을 했다.

오픈한 호텔이나 부자들의 별장에 초대받아 뉴욕이나 파리에서 유행하는 최신 재즈나 음악을 가수의 육성을 통해 들으며 아, 소설 속의 인생이 바로 이런 것이구나 하는 걸 느끼기도 했다. 맨체스터에 있었다면 여전히 생각하지도 못할 생활이었다.

버클리 부인은 자그만치 200여 개의 취미 클럽이 상하이에 있다고 했다. 문화 수준 역시 국제적이었다. 공공 조계지와 불란서 조계지는 영국과 미국과 불란서의 한 지역을 똑 떼어놓은 듯 여기가 동양인지 유럽인지 모를 정도로 꾸며놓았다.

주말엔 상하이에 와 있는 아마추어 연극클럽 회원들과 어울려 운하에서 집배를 타고 소풍을 나가기도 하고, 또 저녁엔 영화를 보면서 답답하기만 했던 내 지난날을 보상받듯 상하이의 화려한 날들을 즐겼다. 나는 점점 이곳 생활에 익숙해져 갔고, 상하이의 모든 것을 진정으로 사랑하게 되었다.

그러던 어느 초여름날 저녁, 나는 같은 연극회원인 Butterfield & Swire 회사 부사장 집에서 마련한 저녁 초대에 갔다가 한 중국인을 보았다. 그는 그 회사의 중국측 동반업자라며 영어로 자신을 소개했다.

그날 그는 상하이의 여러 방면의 사정에 대해 매우 재미있고 인상 깊게 들려주었다. 젊은 시절 5년간 미국 유학을 다녀왔다는 말도 했다. 그날 그 자리에 초대받은 12명의 사람들은 그를 통해 상하이에 대해 더 깊이 알게 된 듯했다. 그는 조용하면서도 자연스럽게 사람들의 주의를 집중시켰다.

작약과 장미는 더욱 고혹적인 향기를 내뿜고, 초대받은 손님들은 마당에 차려진 중국 음식과 샴페인을 즐겼다. 그날 내 마음이 그랬던 것일까. 초여름 저녁 안개가 실어다주는 꿈을 꾸는 듯한 분위기는 마치 비밀의 정원에 내가 초대받아 온 것 같기도 하고, 우리의 식탁이 클럽의 연극 무대 위에 오른 것 같기도 한 환상에 젖어들게 했다. 풀벌레 소리가 더욱 기승을 부릴 때쯤 사람들은 자리에서 일어나기 싫은 몸을 겨우 일으켜 집으로 향했다.

그후 가끔 그를 친구가 초대한 파티에서 보았다. 불빛 아래 반짝이듯 빛나는 아름다운 이마와 검은 눈썹, 조용하지만 한없이 자애로워 보이는 한 동양 남자의 얼굴이 여러 서양인들 사이에 띄면 나는 온몸이 따뜻한 물속에 잠겨드는 듯한 기분이 되곤 했다.

가볍고 부드러운 물보라 같은 그의 목소리가 마치 안개 속에 앉아 있는 것만 같았던 그날 저녁처럼 내 주위로 쏟아지면 나는 다시 한없이 그의 세계로 빨려들어가고 마는 것이었다. 나는 내 인생에서 처음으로 한 남자에게 사랑에 빠졌음을 느꼈다.

그것은 너무도 은밀하게 좋으면서도 또 나를 많이 당황케 하는 감정이었다. 우선은 그가 동양인이어서 내가 그와 사귀는 것이 다른 사람들에게 어떻게 받아들여질까 하는 점이었고, 또 다른 하나는 그가 아내와 가정이 있는 유부남이기 때문이었다.

어느 날 모임에서 그는 중국 사람이 생각하는 신용과 거기에 얽힌 재미있는 고사(故事) 한 가지를 얘기한 다음 언뜻 지나가는 눈길처럼 나를 바라보고 나서 이렇게 말을 이었다.

"동양인의 마음 중엔 '이심전심' 이란 것이 있습니다. 네 글자로 쓰여진 말이지만 그 뜻이 참 깊지요. 말이나 글을 쓰지 않고도 마음에서 마음으로 서로의 생각을 전한다는 뜻입니다."

바로 그런 것이었다. 그는 그 말로 자신의 마음을 내게 전하고 있는 것이었다. 내가 그에게서 무엇을 느낄 때, 그도 나를 바라보는 눈 속에 무엇을 느끼고 있는 것이 분명한데도 우리는 절대 그것에 대해 서로 말을 할 수 없는 사이였다. 하지만 저만큼 멀리 떨어진 자리에서라도 그의 벨벳처럼 검은 눈을 바라보고 있노라면 나에 대한 그의 마음도 함께 볼 수 있었다. 나도 안타깝게 그를 바라보기만 하고, 그도 안타깝게 나를 바라보기만 하고 있는 것이었다.

이미 우리 둘은 서로 사랑하지만 '당신, 나를 좋아하나요?',

'나는 이미 당신을 좋아하고 있습니다.' 하는 말조차 할 수 없는 자리에 우리가 있는 것이었다. 그를 볼 수 있는 곳은 이렇게 파티가 열리는 장소에서뿐이었고, 모든 대화를 공개적이며 비즈니스처럼 해야만 하는 것이었다. 개인적인 얘기를 할 수도 없고, 무리에서 떨어져 둘만 있을 수도 없었다.

파티에는 대부분 춤이 따랐지만, 그는 춤을 추지 않았다. 그는 저쪽 자리에서 플로어를 가만히 바라볼 뿐이었다. 혹은 주변에 앉은 사람들과 평소처럼 조용조용 대화를 이어나갔다.

"담위립 씨는 춤을 추지 않으시는군요?"

일부러 여러 사람이 있는 자리에서 반은 농담이고 반은 지나가는 말인 것처럼 주위의 반응을 떠보았다. 그러자 나의 그 말에 놀라는 건 그가 아니라 그날 파티에 참석한 주위의 다른 사람들이었다. 그들의 반응은 왜 당연한 얘기를 새삼스럽게 꺼내 분위기를 어색하게 만드느냐는 듯했다. 그들에게 담위립은 자신들의 비즈니스 차원에서 이렇게 함께 파티에 참석하여 음식을 먹고 술을 마시며 이야기를 나눌 수는 있어도 서양여자와 손을 잡고 춤을 출 수는 없는, 어쩔 수 없는 동양남자인 것이었다.

"저하고 춤을 추면 숙녀의 발에 멍이 들거든요."

"아니, 왜요?"

"제가 유학시절에도 공부만 하느라 제대로 춤을 익히지 않아 매번 숙녀의 발을 밟곤 했답니다."

그는 얼른 웃는 얼굴로 잠시 부자연스러워진 상황을 녹이며 다음 말을 이어나갔다. 아프지만 그것이 현실이었다. 조계지의 어느 공원에 가면 '중국인과 개는 이곳의 출입을 금한다'는 팻말이 붙어 있다. 그런 사정에 비하면 중국인인 그가 백인들의 파티에 초대되어 함께 자리를 하는 것 자체가 특별한 일이었다.

공개적인 자리에서는 절대 밖으로 내색해서는 안되는 우리는 지금 이 세상에서 받아들여지지 않는 사이였다. 이곳 상하이 외국인 사회에서뿐 아니라 영국이나 미국으로 간다 해도 마찬가지일 것이다. 슬프게, 그도 알고 나도 아는 일이었다.

그러던 어느 날 파티에서 방직과 섬유와 의류 쪽 얘기가 나왔다. 자연스럽게 저마다 알고 있는 그 방면의 이야기가 오고 갈 때 그가 적당한 틈을 보아 말했다.

"내가 입고 있는 양복들은 몇 년 전 미국에서 공부를 할 때 지어 입은 것들입니다. 오래되기도 하고, 새로 몇 벌 더 장만했으면 좋겠는데 마땅하게 찾아갈 만한 양복점이 없군요."

그러자 그 파티에 나를 초대해준 부인이 그 자리에서 바로 내 가게를 말했다.

"상하이에 대해서는 모든 부분을 손금처럼 아시는 분이 어떻게 그것을 모르셨을까요?"

다른 참석자들도 지극히 자연스럽고도 당연한 반응처럼 그에게 내 가게를 추천했다. 순간 나는 그가 내 가게를 방문하고 싶다는 뜻을 그렇게 전한 것이라는 걸 눈치챌 수 있었다. 모든 사람들에게는 공개적이지만, 우리 사이에 그것은 지극히 은밀하고도 사적인 일이었다. 그와 나 사이의 일은 어떤 사적인 일도 이렇게 공개적인 절차 속에 미리 그들의 암묵적 동의를 얻어야 뒤에라도 그게 이상스럽지 않은 것이었다.

"그럼 언제든 우리 가게에 오세요."

"차일피일하다 보면 늘 예전 옷을 그대로 입고 다니게 됩니다. 이왕 얘기가 나온 김에 다음주 화요일에 제가 방문해도 좋을지요."

"저야 제 가게에 있는 것이 일이니 아무 때라도 괜찮습니다."

그렇게 약속을 정한 다음 나는 얼른 그의 얼굴을 보았다. 그 때조차도 그는 다른 사람들이 이 일에 대해 전혀 눈치채지 못하게 평소 때의 얼굴로 담담하게, 그러나 눈빛만은 그윽하게 내 시선을 받아냈다.

그가 내 가게에 처음왔던 날을 나는 아마도 죽을 때까지도 잊을 수가 없을 것이다. 내 가게엔 재단사와 재봉사를 합쳐 네 명의 종업원이 일을 했다. 재단사는 홍콩에서 불러온 영국인이었고, 두 명의 재봉사는 솜씨 좋은 중국 절강성 사람이었다.

나는 그가 가게에 오기 전 종업원들에게 미리 그의 방문을 알렸다. 우리 가게에 중국인 손님이 오는 것이 이상하다는 것이 아니라 그와 내가 평소 잘 아는 사람이라는 것이 영국인 재단사에게도 그렇고 중국인 재봉사에게도 이상한 일이 아니라는 걸 미리 말해둘 필요가 있기 때문이었다. 그와 나 사이의 일은 모든 것이 이런 식이었다.

이윽고 그가 가게를 방문했다. 잠시 이야기를 나눈 후 재단사가 그의 몸 치수를 쟀다. 그는 입고 온 양복을 벗어 옷걸이에 걸고 와이셔츠 차림으로 재단사 앞에 팔을 벌리고 섰다. 재단사가 먼저 긴 끈으로 그의 가슴둘레를 묶어 와이셔츠와 그의 몸 사이의 공기를 뺐다. 그리고 줄자를 그의 겨드랑이 사이로 돌렸다.

가슴둘레, 두 어깨 사이의 등판 넓이, 목과 어깨 사이, 어깨에서 겨드랑이 아랫부분까지의 길이, 목에서부터 엉덩이 아랫부분까지의 길이, 어깨에서부터 손목까지의 길이, 다시 하의 쪽으로 가서 허리 둘레, 엉덩이 둘레, 허리에서부터 사타구니까지의 길이, 허리에서부터 바지 밑단까지의 길이……

나는 재단사가 부르는 수치를 하나하나 받아 적으며 다시 그의 몸을 내 머릿속에 내가 석고나 청동으로 빚어내야 할 조각품처럼 그려보았다. 그러다 치수를 다 잰 다음 줄자를 걷어들이는 재단사에게 이렇게 말했다.

"전에 파티에서 볼 때는 지금보다 몸이 조금 더 큰 것 같은 느낌이었는데 어디 한번 내가 재보지요."

그건 정말 나도 모르게 나온 말이었다. 실제로 재단사가 불러준 치수보다 그의 몸이 더 컸다고 생각하지도 않았다. 어느 자리에서나 그는 반듯하게 양복 상의를 걸치고 있어 그의 몸이 크다 작다, 하는 것은 대략적인 느낌일 뿐이지 한 번도 그의 몸 치수에 대해서까지 생각해본 적이 없었다. 내가 늘 생각했던 건 언젠가 그가 많은 사람들이 있는 자리에서 가르쳐준 대로 이심전심으로 오고가는 그의 마음과 내 마음이었다.

나는 재단사로부터 떨리는 손으로 줄자를 받아들었다. 그리고 동양인이지만 나보다 훨씬 키가 큰 그의 두 겨드랑이 사이로 그의 몸을 마주 안듯 줄자를 둘렀다. 내 얼굴이 그의 턱선쯤에 머물렀다. 손은 이쪽에서 저쪽으로 두른 줄자를 놓칠 것처럼 바들바들 떨렸다. 아마 그의 숨결이 그대로 내 정수리거나 이마 윗부분에 고요한 바람처럼 와 닿았을 것이다. 그러나 나는 아득하여 아무 것도 느낄 수가 없었다.

"38."

간신히 내가 잰 그의 가슴둘레였다.

"먼저 잰 것과 같습니다."

치수를 받아적을 준비를 하던 재단사가 말했다. 그러지 않더라도 나는 더 이상 그의 몸을 잴 수 없었다. 이렇게 떨리는 손으로 그의 등판을 어루만질 수도 없었고, 어깨 위에 손을 올릴 수도, 더더구나 허리둘레를 재기 위에 그의 몸 가까이 다가갈 수 없었다.

"보기보다 날렵하시군요."

나는 쫓기듯이 말하곤 줄자를 얼른 재단사에게 넘겼다.

내가 한 번 더 그의 몸에 손을 댔던 것은 닷새 후 시침질을 끝낸 옷이 그의 몸에 맞는지 아닌지를 점검할 때였다. 그때 날개를 펼치듯 팔을 뻗은 그의 몸에 모양만 잡아 얼기설기 꿰맨 옷을 걸쳐주며 나는 문득 로마의 한 무사의 연인을 생각했다.

시침질만 끝낸 옷은 아직 안감을 넣지 않아 다 지어진 옷보다 가볍기는 하지만 그 시대의 갑옷처럼 누군가 입혀주어야만 했다. 만약 무사가 전쟁터에서 살아 돌아오지 못한다면 전쟁터로 떠나기 전 마지막으로 갑옷을 입혀주는 손길이 그와의 작별인사인 셈이었다. 나는 시침질만 끝낸 자켓을 그의 몸에 꿰어준 다음 깃이 들떠 있지는 않은지, 어깨선은 반듯하게 잘 맞는지, 길이는 적당한지, 소매는 바로 달려 있으며 팔놀림은 불편하지 않은지, 옆솔기가 너무 펑퍼짐하지 않은지, 전체적으로 주름이 잡히거나 우는 곳은 없는지 하나하나 살피며 옷 위로 조심스럽게 피아노 건반을 만지듯 그의 몸을 어루만지다 나도 모르게 핑그르르 눈물이 돌고 말았다.

그는 일주일 후 옷을 찾으러 왔다. 색이 다른 세 벌의 양복과 와이셔츠 다섯 장이었다. 그가 옷을 입어볼 때 자켓을 입혀주고, 옷이 울기라도 한 듯 등과 어깨를 어루만져 펴주고, 또 새 옷에 먼지라도 묻은 듯 그의 가슴을 손바닥으로 쓸어내리듯 어루만질 때, 다시 내 눈엔 핑그르르 눈물이 돌았다. 그는 내 눈을 마주 바라보지 못했다.

그후 모임에 가도 그의 얼굴이 보이지 않았다. 남들은 궁금해하지 않는 행적을 특별히 표내듯 물을 수가 없었다. 대체 이 사람이 어디로 간 것일까. 가게에서도 일손이 제대로 잡히지 않았다.

그러다 두 달 후, 나는 작은 소포 하나를 받았다.

'모렐양, 우리가 함께 있을 때 당신은 늘 아름다웠습니다. 우리가 함께 있지 않을 때에도 내 마음 안에 당신은 늘 함께 있었습니다. 그러나 나는 그런 내 마음처럼 당신을 사랑할 수 없는 사람이군요. 우리가 서로 사랑하는 일이 자칫 당신에게 상처를 줄 수 있습니다. 항상 아름답고, 또 즐겁게 지내시길 기원합니다.' 라고 적은 메모지가 들어있는 초콜렛 선물이었다.

나는 그대로 침대 위에 쓰러져 울면서 잠들었다. 꿈속에서도 나는 안개 속의 그를 따라갔다.

그해 겨울, 나는 그토록 아름답고 충만하던 상하이가 온통 빈 것처럼 느껴지고 뼛속까지 얼어붙는 듯한 외로움을 맛보았다. 그가 내 눈앞에서 사라지자 이 세상 대지 위에 있는 모든 것이 다 생명을 잃고 죽은 것처럼 느껴졌다. 꽁꽁 얼어붙은 공기가 내 주위에 가득 차 있어 숨쉬기조차 고통스러웠다. 이 공기는 내가 있는 공간마다 따라와 내 몸속을 파고 들었으며, 주위의 사물들, 하다못해 방안의 공기와 길가의 가로수, 그 위를 나는 새까지도 죽음의 세계로 몰아넣었다. 때로는 무작정 밤거리를 걷다가 집으로 돌아오는 길에 하늘을 쳐다보면 밤하늘에 걸린 초승달까지 창백하게 죽어 있었다.

몇 달 후, 죽음과도 같은 겨울을 나고 봄이 왔다.

나는 내 자신을 추스르고 일어나 하비로로 가게를 옮겨 상하이 최고의 양복점을 열기로 결심했다. 나는 영국 최고의 양복점과 비교해도 조금도 뒤지지 않을 양복을 만들기 위해 작심하고 런던으로 갔다. 영국 최고의 양복지를 내 손으로 구입하여 배에 싣고, 영국 최고의 재단사를 초빙해 상하이에 모셔왔다.

나는 밤낮을 가리지 않고 일에만 매달렸다. 담위립을 잊고자, 아니 모든 것을 잊고자 신들린 듯 양복점 일에만 매달렸다. 일주일에 한번 이상은 꼭 나가던 클럽조차 잊

고 지냈다. 내 나름대로 떠난 사랑을 잊는 방식이었다.

"그 집에 가면 모든 것이 다 있다며?"

"와이셔츠부터 넥타이, 카프스버튼에서 모자까지 양복에 관해서라면 모든 것이 다 세계 일류로 구비되어 있다는구먼."

그런 소문 속에 내 가게는 더욱 빛나고 넓어진 현관으로 더 많은 손님들이 드나들었다. 상하이에 와 있는 외국인 손님들뿐 아니라 옷 잘 입기로 소문난 상하이의 유명 배우들과 중국인 사업가들까지 단골로 드나들자 내 가게는 비약적인 발전을 거듭했다.

몇 년 뒤 양복점 사업이 상하이 전체에서도 모르는 사람이 없을 만큼 완전한 궤도에 오른 다음 나는 주말을 이용해 다시 예전의 친구들을 만나기 시작했다. 그러면서 나의 상하이의 날들이 흘러갔다.

그 사이 나에게 접근해왔던 남자들이 없었던 것은 아니었다. 친구들의 모임이나 파티에서, 또 친구의 소개로 몇 명의 남자가 내 앞에 나타났다. 나는 예전의 그를 잊기 위해서라도 의식적으로 상대 남자에게 주의를 기울여 보려고 노력했다. 그 중 몇 남자는 몇 번 만나 이제 서로 조금 익숙해지자 날로 번창해 이제는 상하이의 또다른 명물처럼 자리 잡은 내 가게에 대해 관심을 나타내기도 했고, 스스로 상해의 특권층임을 과시하는 어떤 사람은 자신이 가지고 있는 경마장 회원권과 남경로 서쪽 지구에 있는 자신의 저택을 자랑하며 우리 가게의 연간 소득이 어느 정도 되느냐고 물어오기도 했다.

그때마다 나는 쓴웃음을 지으며 담위립을 생각했다. 그와 헤어진 지 5년이 지나고 있건만 나는 여전히 그가 그리웠다.

그즈음 나에게 다가온 남자는 아주 점잖은 영국 신사였는데, 나는 어떠한 흠도 잡을 수 없는 그에게서 아무런 매력도 느낄 수 없었다.

그 후 친구들은 나에게 또 한 남자를 소개시켜 주었다. 솔직하고 활달한 성격의 남자로 어쩌면 그런 남자를 두고 사람들은 바람둥이라고 말하는 게 아닌가 싶을 만큼 잘 생긴 남자였다. 그는 여자에 대해 관심을 나타내는 데 적극적이었고, 그것을 창피하게 여기지도 않았다. 그는 바람도 남자의 능력으로 생각하는지 자신의 남성적인 에너지를 숨기지도 않았다. 또 비굴하게 나의 비위를 맞추려 하지도 않았다. 어찌보면 그런 솔직함이 그가 가진 매력인지도 모를 남자였다.

그러다 내 나이 삼십대의 마지막 송년회 파티에서 나는 운명처럼 담위립을 다시 만났다. 수많은 사람들 사이에서 그를 본 순간 나는 나를 잊었다. 그동안의 그리움과 원망과 누구에게도 말할 수 없었던 그를 향한 사랑이 내 온몸을 뜨겁게 태우고 한줄기 눈물로 솟구쳐올랐다.

제야의 종소리가 울리는 소란 속에서 가슴이 꽉 미어져오는 감정을 이길 수 없어 나는 나도 모르게 파티장 밖으로 뛰쳐 나갔다. 이미 내 목으로는 뜨거운 무엇이 계속 솟구쳐 오르고, 나는 바깥의 차가운 공기를 향해 입을 벌리고 막힌 숨을 토해내듯 울었다.

얼마 후 온몸을 떨며 울고 있는 나의 어깨를 등 뒤에서 누군가 따뜻하게 감싸며 안아주는 사람이 있었다. 담위립이었다.

"그동안 어디 있었나요?"

나는 엉엉 소리내어 울면서 물었다.

이런 우리의 모습을 누가 본다고 해도 좋았다. 그런 건 이제 내게 문제가 되지 않았다.

"북경에 가 있었소."

"나를 두고 말인가요?"

"그렇소. 당신을 두고. 나는 그렇게밖에 할 수가 없었소. 그러나 수많은 산과 강을 건너고 낮과 밤을 건너도 나는 항상 그대 안에 있었다오."

소란스러운 파티장은 바깥에 서 있는 우리를 내버려둔 채 떠나갈 듯이 어디론가 흘러가고, 우리 둘은 오랫동안 만나지 못했던 그리움을 따라 또다른 강물로 흘러가고 있었다.

우리가 다시 만난 지 2년 후, 그는 운명을 달리했다. 전에는 잠시였지만, 이번엔 영원히 내 곁을 떠나간 것이었다. 1차 상하이사변 때 일본군의 폭격으로 죽은 많은 사람들 가운데 그도 포함되어 있었다. 갑자기 내 인생에 커다란 구멍이 뻥하고 뚫려버린 느낌이었다.

1932년 1차 상하이사변이 터지고 난 이듬해 나는 가게를 정리해 영국으로 돌아가는 배 위에 올랐다.

이제 나의 사랑은 없다.

찬란했던 상하이의 모든 화려함도 나에겐 그의 사랑만 하지 못하였다.

나의 어떤 성공도 그와 함께 한 짧은 날들만큼 행복하지 못하였다.

그 어떤 영국인도 그만큼 신사답지 못하였다.

담위립.

그렇게 한 남자를, 상하이의 모든 것처럼 나는 사랑했다.

뚜우!

이제 나를 태운 배는 부두를 벗어나 파도를 가르며 마지막 뱃고동을 길게 울린다.

어머니의 브로치

이사를 하며 어머니의 유품을 정리했다. 어머니가 세상을 떠난 것은 1990년 가을의 일이었다. 유품 상자 안에는 어머니의 사진과 생전에 지인들과 주고받은 편지와 몇 가지의 액세서리, 어머니가 쓴 논문과 학회지에 실린 몇 개의 짧은 산문이 들어 있었다.

그날 나는 어머니의 유품을 정리하다가 어머니가 1985년에 중국을 그리워하며 쓴 에세이를 보게 되었다. 그 글은 예전에 가끔 어머니의 논문이 실리던 학회지 제일 뒤편에 실려 있었다. 제목은 '나의 그리운 조국 차이나' 였다.

어느 날 갑자기 학교에서 중국말을 할 줄 아는 사람을 찾는다는 얘기를 들었다. 무슨 일일까? 우리 가족은 1946년 상하이에서 미국으로 이민 와 정착했다. 그러나 오랫동안 이런 일은 없었다.

1971년 미국 탁구팀이 베이징을 밟은 다음해 닉슨 대통령이 중국을 방문하고 양국이 수교를 맺었다. 이것은 나에게 큰 사건이었다. 국공내전과 한국전쟁 후 서로 적대국이 되었던 미국과 나의 조국 중국이 다시 우호적인 친구가 된 것이다.

8년 간이나 지속됐던 중일전쟁과 세계2차대전이 끝나고도 혼란이 그치지 않자 많은 나의 친구들과 이웃이 중국을 떠났다. 우리는 처음에 샌프란시스코에 정착했다. 나는 아버지의 뜻에 따라 송메이링이 나온 웨슬리대학을 졸업한 다음 예일대학에서 박사학위를 받고 이 대학 약학연구소에서 계속 일을 했다.

매일 연구소에서 나는 전 인류의 보다 나은 미래와 건강한 삶을 위한 의약개발에 노력했다. 연구소에서 돌아오면 때로 먼저 퇴근해 들어온 남편이 맛있는 상하이 요리를 해놓고 기다리기도 했다. 애들도 분가해나간 지 꽤 오래되었다. 마당에 신혼시절 남편이 심어놓은 다섯 그루의 은행나무가 아름드리나무로 자라고 있었다.

그러던 1980년 어느 날 학교에 중국에서 과학자들이 방문했다. 나는 잠시 멍한 느낌이었다. 오래전 중국에서 살던 때가 주마등처럼 머릿속을 스쳐지나갔다. 나는 내 유년시절과 학창시절 모두를 중국에 두고온 셈이었다. 나의 친구들, 나의 친척들, 손으로 꼽을 수 없을 만큼 많았던 명절들, 집 근처의 구멍가게, 남경로의 백화점…….

아, 나는 어느 결에 상하이를 떠올리고 있었다. 기쁘고 슬펐던 나날들, 친구들과 재미있고도 속상했던 일들, 그밖에 시시콜콜한 여러 가지 일들이 상하이 우리집 근처 골목에서, 학교에서, 극장에서, 화훼루 거리에서 있었다. 거기에 내 어린 시절과 내 조국이 있었다.

"당신들은 어디에서 오셨습니까?"

그들은 중국 각지에서 뽑혀온 과학자들로 베이징, 상하이, 쓰촨성에서 온 사람도 있었다. 나는 어렸을 때 상하이에서 자랐지만, 항일전쟁 때 쓰촨성으로 피난갔던 기억이 났다. 모두 처음보는 사람들이었지만 참 반가웠다.

1960년대 중국에 문화혁명이 일어나 수백만 명이 숙청당하거나 억울하게 죽임을 당했다는 소식이 들렸을 때 나는 아무말도 할 수 없었다. 무섭고도 부끄러운 생각들이 나를 움츠러들게 했다. 나는 밥을 먹다가도 책을 보다가도 문득 나의 친구들과 친척들은 어떻게 지내는지 궁금했다. 그들은 내 친구들을 몰랐다. 알 수가 없었다.

"그럼 영화배우 김염을 아십니까?"

"알지요. 그를 모르면 중국인이 아니지요. 어떻게 미국에 계신 분이 김염을 아십니까?"

그들은 오히려 내게 물었다. 그는 사춘기 시절 나의 우상이었다. 어렸을 때 나는 그의 영화를 보러다녔고, 그의 사진을 모았다. 영화에서 그를 보는 것은 내게 큰 즐거움이었다. 내 방벽은 그의 사진으로 가득 채워졌다.

전차를 타고 화훼루에 있는 극장에 가서 그의 영화를 보고 친구들과 아이스크림을 사먹던 일과 영화를 보고 며칠 동안 그를 생각하던 그 시절의 내가 동네 골목길을 걸어가고 있는 것이 눈앞에 떠올랐다. 그리고 상하이사변 때 본 수많은 시체들, 파괴된 건물들과 북기차역, 가든브릿지를 지나 조계지로 들어오던 수많은 피난민들이 두서없이 눈앞에 나타났다. 미국에 와서 살면서 미국인 친구 누구에게도 얘기하지 않았던 조국에 대한 내 마음은 이들 과학자들의 방문을 계기로 봇물처럼 터졌다.

미국에서 중국을 방문하는 것이 가능해지자 나는 1982년 남편과 함께 중국을 방문했다. 나는 옛친구의 집으로 찾아갔다. 그녀는 기적처럼 거기에 아직도 살고 있었다. 우리는 서로 부둥켜안았다. 비록 나이는 들었지만 어렸을 때 친구의 모습이 그녀의 뺨에 그대로 남아 있었다. 우리는 서로의 얼굴에서 반가움 반, 슬픔 반을 느꼈다. 어릴 때의 친구들은 아직도 어린 얼굴로 만나야 되는 줄로 알았던 우리는 달콤하고도 시큼한 정을 느꼈다.

우리는 회상의 여러 정거장을 거쳐 어린 시절로 돌아가 그 시절을 추억했다.

"예쁘고 바이올린을 잘 켰던 친구 메이란은 지금 어떻게 살지?"

"그 애는 문화혁명 때 바이올린을 숨겨놓은 것이 홍위병들에게 발각되어 양풍에 물든 반동이라고 온 가족이 끌려가 돌아오지 않았어."

그 말 이후 우리는 서로의 얼굴을 보지 못하고 땅만 바라보았다. 눈에는 금세 눈물이 맺혀 떨어졌다. 그 다음 생각나는 친

젊은 시절의 강청(마오쩌뚱의 부인). 연극 영화에서도 상하이는 누구나 유명해질 수 있는 도시였다. 그러나 모두 그런 것은 아니었다. 강청의 젊은 시절 이름은 '란핑'이었다. 연극배우였던 그녀는 후일 마오쩌뚱과 결혼했으며, 문화혁명기에 젊은 날 무명 시절을 복수하듯 가장 앞장서 예술인들을 탄압했다.

문화혁명시기 홍위병들은 무자비한 방식으로 과거 기득권층들에게 린치를 가하고 대중 앞에 끌어내 인간적인 모욕을 주었다.

구가 있었지만 물어볼 수가 없었다. 아니 무서웠다. 나는 속으로 가만가만 친구들의 이름만 불러보았다.

"네가 찾아올 줄은 정말 몰랐어. 험한 시절이 있었긴 하지만 우리가 이렇게 살아 있고, 옛날을 추억할 수 있다는 게 너무 고마워. 내 마음으로 받아줘."

친구는 헤어질 때 나에게 자신의 심장을 한 부분 떼어주듯 떨리는 손길로 가슴에 달고 있던 금박 브로치를 빼어주었다. 그것이 꼭 가슴 위에 있던 물건이 아니더라도 나는 그때 정말 친구의 마음을 그대로 전해받는 느낌이었다.

미국에 돌아온 다음 나는 아주 특별한 날에만 그 브로치를 찼다. 때로 그것을 가만히 손 안에 쥐고 있으면 내 그리운 날들의 모든 추억과 모든 얼굴들이 다시 떠오르곤 했다. 그것은 내게 단순한 액세서리가 아니라 조국의 모든 것을 다시 떠올리게 하는 어떤 상징과도 같은 물건이었다.

그랬었구나. 그래서 그걸 소중하게 다루었구나. 중국에서 받아온 물건이라는 것은 알았지만 그런 의미의 물건인 줄은 몰랐다. 다른 브로치도 많을 텐데 왜 모양도 크게 안 나는 저 브로치를 즐겨 할까 하는 생각만 했었다.

나는 지금 다시 어머니의 유물함에서 그 브로치를 꺼내본다. 오랜 시간이 흘러서일까 아니면 어머니가 늘 손에 쥐고 쓰다듬어서일까, 군데군데 금박 장식이 벗겨져 있다.

어머니를 생각하며 가만히 바라보니 거기엔 오래전 상하이에서 살았던 어머니의 어린 시절, 어머니가 이따금 꿈속에서 보았을 초록 촛불과도 같은 아련한 상하이의 추억들이 어른거리는 듯하다. 그 시절에 어머니가 들었던 매미 소리와 여름밤 동무들과 숨바꼭질을 하며 나무 사이로 보았던 달빛들이 어머니도 없는 지금 내 가슴을 가득 채워오고 있다.

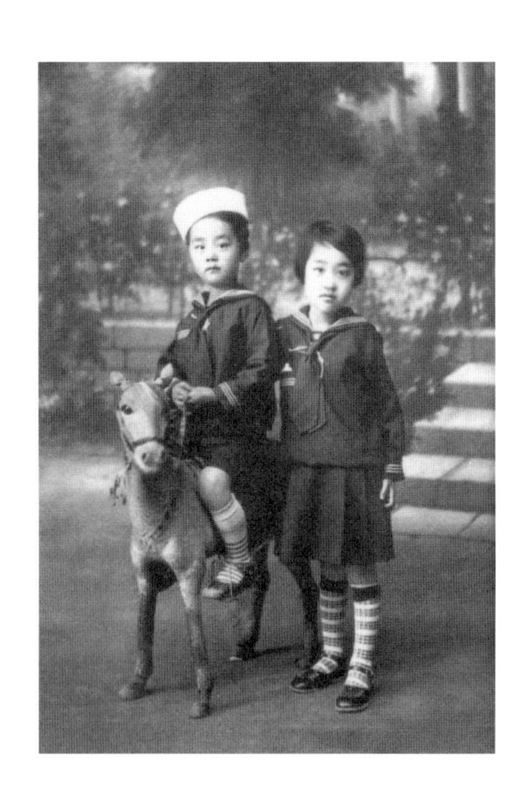

상하이의 꽃

이 거리의 저녁 풍경은 언제 봐도 고즈넉하다. 땅거미가 내리고 어스름이 깔리기 시작하면 저 멀리 상해탄 어디에서부턴가 하나 둘 가로등이 켜지기 시작한다. 그러다 그곳은 점점 불야성을 이루듯 요란해지고 활기를 더해간다. 어딘가엔 처마마다 붉은 등을 단 집들이 늘어서 있을 테고, 그럴 형편이 되지 못해 나처럼 어느 거리 후미진 구석에 방 한 칸을 얻은 다음 붉은 천을 씌운 램프 하나를 겨우 문 밖에 내건 사람도 있을 것이다.

어제는 어떤 손님으로부터 복주로의 어느 기원에서 일어난 살인사건에 대한 얘기를 들었다. 사내의 나이는 스물넷인가 다섯이라고 했다. 제법 행세하는 집안의 자제로 사내는 자신이 단골로 드나드는 기원의 한 기녀를 살해하고, 자신도 목숨을 끊으려다 실패하여 경찰서에 넘겨졌다고 했다. 두 사람이 내게 같은 얘기를 해주었다. 원한 때문이 아니라 사랑 때문이라고 했다. 얼마나 사랑했으면 그렇게 목숨을 앗고 또 스스로 목숨을 버리려고 했을까. 내막은 알 수 없지만 남자는 그 사랑으로 이제 일생을 감옥에서 보내게 될 것이다. 대체 둘 사이에 무슨 사연이 있었던 것일까.

나는 이렇게 이 어둡고 좁은 방에서 그날그날 손님들이 가져와 풀어놓는 얘기로 세상 돌아가는 인심과 사정을 짐작한다. 오늘은 또 어떤 손님이 와서 내게 그 뒷얘기를 들려줄까. 내가 처음 상하이에 왔을 때에도, 이후 기녀생활을 하는 동안에도 그와 비슷한 사건들이 가끔 일어났다.

처음 그곳에 왔을 때 나는 열다섯 살이었다.

"이리 따라 오너라."

당숙모는 나를 데리고 사마로 회방리에 있는 어떤 으리으리한 집의 뒷문으로 들어섰다. 나는 이렇게 좋은 집에 수양딸로 다리를 놓아주는 당숙모에 대해 그저 황송한 마음뿐이었다. 내가 그곳에 기녀로 팔려온 것이라는 생각은 꿈에도 하지 못했다. 그곳이 기원(妓院)의 별채라는 것도 알지 못했다. 뒷문이긴 하지만 문 밖에 내걸린 화려한 등과, 방안의 호화스러운 가구들을 보며 그냥 막연히 집도 참 크다, 이런 집이 뭐가 아쉬워서 나 같은 촌뜨기를 양녀로 삼겠다는 거지, 하는 생각만 했다.

방에 들어가서도 나는 그곳의 화려한 실내장식과 하늘하늘한 커튼이며 벽마다 장식된 그림과 시계, 그때로서는 처음 보는 아름다운 전신거울에 한껏 마음을 빼앗겼다.

"인사를 드려라. 앞으로 너를 딸처럼 귀여워해주실 분이시다.”

그제야 나는 정신을 차리고 앞을 바라보았다. 저쪽 벽 앞에 온몸에 비단을 두른 한 귀부인이 용상 같은 의자 위에 앉아 있었다. 나는 가뜩이나 주눅이 든 가슴을 진정하고, 귀부인을 향해 공손히 절을 올렸다.

“나이가 어떻게 되느냐?”

“열다섯 살입니다.”

나는 아주 조그마한 소리로 대답했다.

“눈부터 보이는 아이로구나. 눈매도 여간 선하지 않은 게. 그래, 이곳이 무얼 하는 곳인지는 알고 왔느냐?”

“…….”

“그걸 아이가 아직…….”

당숙모가 나서서 대답하려고 하자 귀부인이 제지했다.

“여기까지 오면서도 얘기를 하지 않은 모양이지요?”

“일부러 그런 건 아니고, 그게…….”

“하기야 제대로 말해주기 쉽지도 않은 일이었을 테니, 그건 내가 교육을 하면서 일러줘도 되는 거고…….”

그렇게 나는 기녀가 되었다. 억지로 끌려온 것도, 잡혀온 것도 아니었다. 그 전해 가을 아버지가 돌아가신 다음 먹을 것 하나 없이 겨울을 나는 동안 엄마도 속고 나도 속은 것이었다. 실제 기원은 앞쪽에 따로 있고, 이 집은 앞으로 기녀가 될 어린 여자들을 훈련하는 곳이라는 얘기를 들었을 때 나는 하늘이 무너지는 것만 같았다. 내 눈에 귀부인처럼 보이던 사람도 이 집의 안주인이 아니라 각처에서 나처럼 들어오는 어린 기녀를 심사하고 교육시키는 선생님이라고 했다.

처음엔 많은 날들을 눈물로 보냈다. 이럴 바엔 차라리 목숨을 버리고 말까도 수없이 생각했다. 일찍 돌아가신 아버지도 원망하고, 내 팔자도 비관했다. 어느 날 선생님이 나를 불렀다.

"어디 보자. 저런, 눈이 부었구나. 처음 이곳에 오던 날에도 너는 내 눈에 눈부터 보였지. 그런데 그게 처음 보는 사람의 눈이 아니라 아주 오래 전 내 눈을 보는 다시 것 같았단다."

"……."

"나 역시 오래 전에 너처럼 그런 눈으로 이곳에 왔던 게야. 그래서 하는 얘기란다. 네가 원해서 온 것이든 아니든 그것은 이제 아무 상관이 없어. 중요한 것은 너는 이미 기녀로 이곳에 와 있다는 것이고, 그것을 어떻게 받아들이느냐에 따라 앞으로 네가 일급 기녀로 살아갈지 하급기녀로 살아갈지 결정될 거라는 점이야. 너는 정녕 그 큰 눈으로 날마다 눈물이나 흘리며 하급 기녀로 살아갈 생각이냐?"

창 밖을 바라보면 길가에 수많은 사람들이 지나가고 있었다. 이곳은 내가 살던 시골이 아닌 상하이였다. 그리고 선생의 말대로 이 도시에서 내가 선택할 수 있는 것은 일급 기녀가 되느냐, 하급 기녀가 되느냐 하는 것뿐이었다.

다음날부터 나는 어제와는 다른 태도로 현금(弦琴)을 뜯는 법과, 노래를 부르는 법, 그림과 글씨를 쓰는 법을 새로 배우고 익혔다. 그것은 일급 기녀로서 기본적으로 갖추어야 할 소양이었다. 금을 뜯는 소리가 맑고, 노래를 부르는 소리 또한 꾀꼬리 같으며, 서화에 능통하고, 어떤 상황에서도 밝은 얼굴로 손님의 기분을 맞추어줄 줄 알아야 공부방에서 기원으로 나갈 수 있었다.

금가서화(琴歌書畵)를 익히던 시절, 어쩌다 선생의 심부름으로 기원에 나가보면 방마다 화려한 실내장식과 그곳에서 일하는 선배 기녀들의 눈부신 옷차림에 저절로 눈이 휘둥그레지곤 했다. 손님들은 모두 지체 높은 고관들이거나 부자들이라고 하는데, 그들의 자제들도 부모 몰래 찾아온다고 했다. 벽안의 외국인들도 이따금 보였다.

일 년간 혹독한 교육을 마치고서 비로소 손님방에 나갈 수 있었다. 첫날 나는 내 방에서 연회석으로 갈 때 긴 복도를 지나며 손님들이 나만 보는 것 같아 어느 쪽으로 어떻게 걸어야 할지조차 몰라 쩔쩔맸을 정도였다. 다행히 함께 방에 들어간 언니가 손님들 앞에서 그때그때 친절하게 이끌어주어 무사히 첫 입방식을 마칠 수 있었다. 후에도 한동안 나는 손님들의 눈이 내 뒤만 쫓는 것 같아 방에서든 복도에서든 낯선 사람들과 눈이 마주칠 때마다 오금이 얼어붙는 듯했다. 그러면서 조금씩 이 바닥의 생리를 알아갔다.

밤하늘에 수많은 별들이 반짝이듯 우리가 일하는 기원에도 별만큼이나 아름다운 여자들이 수도 없이 많이 있었다. 우리 가게만 그런 것이 아니었다. 사마로 회방리엔 거리 이쪽에서 저쪽까지 이런저런 이름의 기원들이 빼곡히 들어차 있었다.

교육을 받는 동안엔 함부로 외출을 할 수 없었지만, 손님들 방에 드나들면서부터는 선배나 동무들과 함께 거리에도 나가볼 수 있었다. 우리도 거리에 나가 많은 것을 새로 보고 구경하지만, 거리의 행인들도 우리를 그런 구경거리의 하나처럼 바라보았다. 그때 나는 아직 어린 기생이어서 다른 기원의 이름 있는 기생을 마치 우리와는 다른 세계의 사람처럼 바라보기도 했다.

어느 날 외출에서 왕계은을 본 것도 그랬다. 그녀는 이 바닥에서 이름만으로도 명성이 자자한 여자였다.

"얘, 저길 봐. 저 여자가 바로 왕계은이야."

옆방의 선배 언니가 슬쩍 손을 들어 가리키는 쪽을 바라보았을 때, 이제까지 소문으로만 듣던 왕계은은 같은 기녀가 보아도 눈이 부실만큼 화려한 복장에 머리에까지 보석 장식을 하고, 자동차를 타고 천천히 우리 앞을 지나갔다. 그녀는 내 마음을 빼앗고 거리를 물들이며 지나갔다. 남경로의 신신백화점과 영안백화점의 빛나는 진열장과 하비로의 수많은 양품점의 아름다운 옷, 스스로 빛을 내듯 반짝이는 금시계와 프랑스제 수입 분가루와 연지, 립스틱, 향수는 그녀로 인해 더욱 고급스러워 보이고, 상하이의 배우들도 그녀 앞에서 빛을 잃을 정도였다.

파란 윗도리에 빨간 치마의 기녀들은 자신이 출입하는 고급 찻집의 품격을 높여주었다. 상하이의 극장들도 외국인과 기녀는 영화관람 요금을 두 배로 받으며 그녀들을 대접했다. 어디를 가나 복장과 얼굴에서부터 기녀는 표시가 나는 모양이었다. 상하이엔 1만 명도 넘는 기녀들이 있는데, 그 중에서도 왕계은은 별 중에서도 별이었다.

"상하이 남자들이 그런다는 거야. 왕계은이 자동차를 타고 지나가면서 차창 밖으로 미소를 뿌리면 거리에 웃음이 뿌려지는 게 아니라 금가루와 은가루가 뿌려지는 것 같다는 거야. 그 모습이 너무 황홀해서 왕계은이가 자동차에서 내려 어느 찻집으로 들어가면 남자들 모두 그 빛에 취해 뒤를 따른다는 거야."

그 얘기를 들었을 때만 해도 설마 그렇게까지, 했는데 막상 왕계은의 모습을 보니 충분히 그러고도 남겠다는 생각이 들었다. 그녀는 내가 기녀가 되었을 때 이미 상하이 최고의 기녀에 올라 있었다.

왕계은만 그런 것이 아니라 내가 일하는 기원에서는 손호연이 어찌나 남자들에게 인기가 있는지 그녀가 찻집에 가서 차를 마셔도 수많은 남자들이 그녀를 보기 위해 그 찻집으로 몰려오곤 했다. 장원의 주인도 그걸 알고 자기 집에 온 기녀의 모습이 잘 보이도록 대문 입구에 있는 탁자를 내주었다.

나는 그것이 왕계은이나 손호연 같은 일급 기녀들이 만들어낸 새로운 풍속인 줄 알았는데, 기원의 선생님 말로는 기녀들이 장원에 나가 차를 마시며 손님을 유혹하는 것이 이미 삼사십년 전 청조말(靑朝末)부터 내려오던 이 바닥의 오래된 모습이라고 했다.

"지금도 그렇지만 예전에도 상하이엔 전설적인 기녀들이 많았어. 너희들이 자주 나가서 차를 마시는 장원 안에 안카이띠〔安凱第〕라는 찻집이 있지?"

"예."

"청말 때부터 그곳은 상하이의 저명인사들이 모여 차를 마시던 곳이었어. 그때 상하이에 유명한 기녀 네 사람이 있었는데, 이름이 임대옥, 육란방, 장서옥, 김소보였어. 이 네 사람이 매번 외출 때마다 거기에 나가 저마다 한 탁자씩 차지하고 앉아

상하이가 항구면서 외국인들의 수가 급격히 늘어난 도시여서 사창가 역시 매우 번성했다. 주기적으로 '베스트 10' 기생을 뽑아 주간지에 소개하기도 했을 정도로 유명 기생들의 인기가 높았다.

가게 앞을 지나가는 사람들의 주목을 끌었던 거지. 그러면서 자기 자신에 대한 광고를 한 게야. 나 지금은 여기에 와 있소. 나를 제대로 보려면 돈을 싸들고 내가 있는 기원으로 오시오, 하고 말이지. 지금 왕계은이나 너희나 거기에 나가 앉아 있는 이유도 다 그런 거지."

"그렇긴 하지요."

"그때 말 만들어내기 좋아하는 사람들이 찻집에 와 앉아 있는 네 사람의 기녀를 보고 절의 산문을 지키는 '사대금강' 같다고 해서 같은 이름의 별명을 지어 불렀지."

"그러면 선생님도 그 시절 사대금강을 본 적이 있나요?"

"나도 내 젊은 시절 지나가는 바람결처럼 얘기만 들었지 직접 보지는 못했어. 내가 기녀가 되었을 땐 모두 전설 같은 얘기만 남기고 비참하게 물러난 다음이었으니까. 기생은 그런 거야. 자신이 금값으로 팔리는 시절 좋은 자리에 시집을 가거나 그때 알뜰히 돈을 모아두지 않으면 나중에 의지가지없는 노파보다 더 불쌍한 게 기생의 말년이야."

기녀들 중엔 한 남자의 첩이거나 드물게 정실로 들어가는 여자들도 있었다. 기녀를 첩이 아니라 정실로 맞아들인다 해도 흉이 아니었다. 그러나 결혼생활을 오래 유지하기 힘든지 대부분 다시 기원으로 돌아왔다.

이렇게 기녀가 한번 시집을 갔다가 돌아오면 마치 색다르고 훌륭한 이력 하나를 더해서 돌아온 듯 더 많은 사람들의 관심을 끌고, 손님도 더 많이 북적였다. 그러나 그것도 이름난 자리로 시집을 갔다왔을 때의 일이지, 인력거꾼이나 부두의 노동자와 같이 사회적으로 신분이 낮은 사람과 정분이 나게 되면 그건 또 스스로 몸값을 낮추는 일이 되고 말았다.

"지금은 너희들 모두 청춘이지만, 기녀의 청춘이야말로 꽃보다 더 짧은 날들인지도 몰라. 나중에 나이 들어 후회하지 말고 지금부터 정신을 단단히 차리라는 얘기야."

금가서화 선생님은 늘 우리들에게 그렇게 말했다. 그러나 그런 가르침의 말은 머리로 이해하기는 쉬워도 몸으로 실천하기는 늘 어려운 법이었다.

열아홉 살이 되던 해 나에게도 몸과 마음으로 사랑하는 정인이 생겼다. 보통 남자들보다 조금 더 큰 키에 골격까지 다부져 보이는 그는 상하이 부두 쪽에서 제법 규모가 큰 미곡상을 하는 사람이었다. 그는 한 달에 예닐곱 번도 넘게, 때로는 지나치다 싶을 만큼 자주 기원으로 나를 보러 왔다. 처음엔 나를 찾는 단골 중의 한 사람으로만 생각했는데 시간이 지날수록 그는 커다란 몸집에 어울리지 않게 내 앞에서는 늘 소년처럼 수줍어하며 계면쩍은 미소를 띠곤 했다.

"이 사람, 이제 보니 이 처자를 좋아하는구만."

나중엔 함께 온 사람까지 금방 눈치챌 정도였다. 나이는 스물일곱인가 여덟이라고 했다. 그가 운영하는 가게에 가 보지는 않았지만, 함께 오는 손님들과 나누는 이야기를 들어보면 그 미곡상은 부모에게서 물려받은 것으로 그의 대에 와서 더욱 규모를 늘린 듯했다.

그는 올 때마다 나를 향한 자신의 마음이 진심임을 말했다. 시간이 지날수록 나도 그에게 조금씩 마음이 끌렸다. 이제까지 손님들과 어울리며 단 한번도 느끼지 못했던 감정이 점점 내 가슴 안을 채워왔다. 외로웠던 나는 태어나 처음으로 이것이 바로 사랑이구나, 하는 것을 그의 가슴 위에 얼굴을 묻고 느꼈다. 비록 그가 두 아이의 아버지이며, 가정에 부인이 있는 유부남이라 할지라도 나도 모르게 가슴이 저리듯 마음이 끌리는 걸 어떻게 할 수가 없었다.

"너를 다른 사람 옆에 가지 못하게 늘 내 옆에만 두고 싶다."

그는 올 때마다 내 장래에 대한 어떤 약속처럼 그런 말을 했다. 언제부턴가 두 사람 사이에서 점점 부끄러워지는 쪽은 나였다. 처음엔 그가 그랬는데, 서로 사랑의 감정을 확인하고 난 다음엔 내가 더 그랬다. 하늘에서 떨어지는 빗물도 내겐 수정처럼 보이기 시작했다.

"얼른 당신 옆으로 나를 불러 주세요."

"그래. 지금 가게의 규모를 늘리고 있는 중인데 그 일만 끝나면 따로 집을 구해 너를 맞아들이겠어. 그리고 평생 너만 바라보고 살겠어."

그렇게 변하지 않을 사랑처럼 약속했던 그 사람이 언제부턴가 내게 발길을 딱 끊었다. 나는 너무도 절망하여 숨을 쉬기조차 힘든 지경이었다. 이유를 알아보니 더욱 기가 막혔다. 우리 기원에서는 언제나 손호연이 남자들의 시선을 독차지하곤 했는데, 그녀가 나와 첫정을 나눈 남자마저 빼앗아간 것이었다.

비록 기녀의 일을 하지만 세상이 그렇게 아름다워 보이게 만들었던 나의 첫남자가 어느 날 갑자기 발길을 딱 끊은 이유가 같은 기원의 손호연이라는 것을 알았을 때, 나는 사랑하는 사람과 세상에 대한 신의를 모두 잃고 말았다. 같은 가게에서 다른 사람에게는 어땠는지 모르지만 그동안 손호연은 겉으로는 내게 무척 다정다감했던 선배였었다.

내가 말을 하지 않아도 기원 내의 소문은 빨라 언니들이 먼저 알고 나를 찾아와 위로했다. 사귀던 남자에게 다른 여자가 생겨 발걸음을 끊을 때 다른 기녀들은 그 남자를 찾아가 한바탕 소란을 피웠다. 어떤 기녀들은 그 앞에서 약을 먹는 시늉을 하기도 하고, 너 죽고 나 죽자는 식으로 흉기를 들고 자해 위협을 하기도 했다. 그러면 남자도 어쩔 수 없이 이쪽에 얼마큼의 댓가를 지불하는 것이 화류계의 오랜 관례와도 같은 일이었다. 언니들은 하나같이 내게 그렇게 하라고 말했지만, 나는 죽으면 죽었지 그 짓만은 못할 것 같았다. 그것은 이제까지 그 사람을 사랑했던 내 마음과 내 자존심에 대한 모독이었다. 상처만 오래도록 내 마음에 잊혀지지 않을 자국처럼 남았다. 다시는 사랑 같은 건 하지 말자고 스스로에게 다짐하고 맹세했다.

그 사이 손호연은 내게서 빼앗아간 남자를 석 달도 못가 차버리고 어느 돈 많은 갑부의 소실로 들어갔다. 그때에도 기원 사람들은 모두 그녀의 수완을 부러워했다. 어느 쪽으로 생각하든 나에게는 가장 마음 아픈 시기였는데, 그것은 또 얼마 전에 실종되었던 같은 기원의 친구 위유진의 시체가 발견되던 때이기도 했다.

그녀는 나의 동기로 몇 년 안에 이미 손호연 다음 자리로 불릴 만큼 손님들 사이에 유명해진 친구였다. 기원 대문에도 손호연과 함께 늘 위유진의 이름이 광고 전단처럼 나붙어 있었다. 그녀는 언제부턴가 어느 고관의 총애를 받고 있었다. 그녀는 한참만에야 그의 끈질긴 구애에 응답했다. 그러나 얼마 지나지 않아 그 사람이 변심하자 무척이나 마음 상하여 나와 함께 참 많이도 울었다. 그러던 어느 날 갑자기 실종되어 모두들 궁금하게 여기던 차에 몇 달 만에 시체가 오송강에 떠올라 모두 공포에 떨게 했다.

그때 나는 깨달았다. 이미 내게 마음을 버리고 떠난 애정은 더 이상 미련을 두지 말고 놓아주어야 한다는 간단한 진리를. 위유진은 선배 기녀들의 충고 그대로 남자를 찾아가 앙탈했고, 또 남자에게 많은 돈을 요구했었다. 경찰은 어느 기녀의 신변비관 자살로 사건을 마무리하였다. 그러나 우리는 그녀가 누군가에 의해 죽임을 당했고, 발목에 커다란 돌이 매달린 채 강에 던져졌다는 것을 잘 알고 있었다.

손호연과 위유진, 그리고 떠나간 내 남자. 나는 그제야 내 첫 정인으로부터 받은 상처에서 조금은 편안한 마음으로 벗어날 수 있었다. 손호연 역시 금방 결혼 생활을 접고 다시 기녀로 돌아와 전보다 더욱 높은 인기를 누리고 있었으나 그것 역시 나는 상관하지 않기로 했다.

일찍이 금가서화 선생의 말대로 정말 기녀의 세계야말로 열흘 찬란한 꽃이 없었다. 기녀의 청춘은 꽃청춘만도 못하다더니 왕계은 다음으로 장안의 화제를 뿌리던 손호연의 인기 역시 그랬다.

그녀는 또 한번 자기의 절친한 친구의 애인을 빼앗아 가슴앓이를 시키더니 그것에도 이내 싫증을 내고 말았다. 그리곤 무엇엔가 눈이 찔리듯 어느 평범한 식당의 요리사에게 반해 매일 그 식당으로 달려가곤 했다. 그러자 이제까지 하늘 높은 줄 모르게 치솟았던 그녀의 주가가 하루 아침에 떨어지고 말았다. 세상이 뭐라고 하든 매일 자동차를 타고 그 요리사가 일하는 식당으로 가 그를 마중하는 일이 기녀들 사이에 입에서 입으로 전해졌다.

결국 얼마 가지 않아 그녀는 예전 잘나가던 시절의 고객들은 찾아오지 않는 한물 간 기녀가 되어 기원에서마저 자취를 감추고 말았다. 들리는 말로는 몹쓸 화류병에 걸려 얼굴이 썩어내린다고도 했고, 아편중독자가 되어 몰골마저 알아보지 못하게 변했다고도 했다. 사람들은 그녀가 남의 눈에 피눈물을 흘리게 한 일의 인과응보라고 했지만, 어쨌거나 그것은 같은 기녀로서 남의 일 같지 않게 들리는 쓸쓸한 소식이었다.

또 한 사람 나의 친구 주요려가 잊혀지지 않는다. 그녀는 굉장히 심지가 굳은 기녀였다. 미모로 보면 왕계은이나 손호연에게도 빠지지 않았다. 그러면서도 교만하지 않고, 말도 크게 없고 기녀들 사이에도 의리가 있었다.

그런 그녀가 어느 날 사마로의 후미진 여관에서 일본 군도에 난자되어 죽어 있는 것이 발견되었다. 사람들은 그녀가 죽은 다음에야 이런저런 정황을 떠올려 말했다. 그녀에겐 유독 일본인 단골이 많았다. 어쩌면 그녀는 돈이 아니라 또다른 무엇을 얻기 위해 기원에 들어왔던 것인지도 몰랐다. 사람들은 그녀야말로 함께 있을 때 우리가 알지 못했던 진짜 애국자였는지 모르겠다고 말했다. 아니 틀림없이 그랬을 것이다.

어느 날 그녀는 내게 "사람은 무엇으로 한 세상을 살까?" 하고 알듯 모를 듯한 말로 물었던 적이 있었다. 그때는 그냥 빙긋이 웃음으로 대답해주었다. 손호연이 나의 첫 정인을 빼앗아갔을 때에도 그녀는 일부러 내 방에 와 이런 말을 하며 내 손을 꼭 잡았다.

"마음 아프겠지만 그까짓 일들은 잊어버려. 우리가 비록 기녀이긴 하지만, 우리가 살아가는 이 세상은 어쩌다 만나 정을 주고받게 되는 한 남자의 가슴보다 넓은 곳이 아닐까? 또 우리가 살아가며 해야 하는 일 가운데는 그보다 더 큰 것도 있지 않을까. 나는 그렇게 생각해."

내게는 참 의지가 되었던 친구였는데, 그녀가 그런 모습으로 죽음을 맞이하자 세상 모든 일들이 무섭고도 허무하게 느껴졌다. 그래도 마음으로 가까웠던 위유진과 주요려마저 세상을 떠나자 나는 앞으로 누구를 믿으며 또 무슨 낙으로 살아야 할까 싶었다. 아편은 그것의 말로가 어떠한지를 숱하게 보았던지라 처음부터 쳐다보지 않았고, 아마 그때부터 나는 담배를 피웠던 것 같다.

세월은 유수처럼 흘러 내 나이 스물네 살이 되었다. 기녀로서는 꽉 찼다고 할 만큼 차오른 나이였다. 어느 날 의외에도 나에게 기원에서 나와 자신의 소실이 되어달라고 하는 남자가 있었다. 나이가 마흔둘인 그는 조계지에서 십수년 째 커다란 벽돌공장을 하며 집을 지어 파는 사람이었다. 여러 사람 속에서는 얼른 드러나 보이지 않을 만큼 몸집도 작고 말도 크게 없는 사람이었다. 예전에 만났던 그 사람에게 비한다면 인물도 빠지고 다정다감하지도 않았지만, 어쩌다 한마디씩 하는 자신의 말에 대해서는 끝까지 책임을 다하려 애쓰는 사람 같아 보였다. 나는 그런 모습이 싫지 않았다.

"네가 살 집도 다시 좋은 자리를 골라 잘 지어주겠어. 그리고 그때까지는 전에 내가 지어서 판 것 중에서 가장 좋은 집을 다시 사서 주겠어."

나는 첫사랑의 상처가 생각났다. 이참에 기녀를 그만두고 싶어 나는 오래 시간을 끌지 않고 그의 제의를 받아들였다.

"명심해라, 전에 내가 했던 말. 너는 다시 이곳에 오지 않았으면 좋겠구나."

몇 가지의 소지품을 챙겨 기원을 나오던 날, 이제는 기원의 선생이 아니라 어머니처럼 느껴지는 금가서화 선생님이 내 손을 꼭 잡으며 말했다.

"예전에 이곳에 처음 올 때도 그랬다만, 지금도 너는 눈부터 보이는구나. 그래도 다시 내게 보이지 마라."

"예. 꼭 그렇게 할게요."

나는 그 사람이 보낸 인력거에 오르며 공손하게 허리를 숙여 대답했다.

석 달쯤 이게 기원 바깥 생활인가 싶게 꿈처럼 여유롭게 시간이 흘러갔다. 때로는 혼자 있는 시간 속에 문득 권태로운 느낌도 함께 다가오곤 했다. 기원 생활을 청산하고 결혼을 하거나 첩으로 들어간 기녀들이 일년을 채 넘기지 못하고 다시 옛 시절로 돌아오는 것도 어쩌면 그런 권태감 때문일지 모르겠다는 생각이 들었다.

나는 시내 양품점으로 나가 수틀과 실을 사가지고 돌아왔다. 문을 열고 집안으로 들어서려는데, 어떤 억센 손이 무지막지한 힘으로 내 목덜미를 잡고 함께 집안으로 들어섰다. 직감적으로 나는 그의 본처가 찾아왔다는 것을 알았다.

"이년아. 내가 너를 기다렸다."

나이가 마흔쯤 되어 보이는, 첫눈에도 무척이나 억세고 걸걸해 보이는 여인이 자신과 비슷하게 생긴 세 여자와 함께 내가 사는 집을 찾아온 것이었다.

"이년아. 내가 누군지 알기나 하고 여기에 살림을 벌여?"

본처까지 합쳐 네 명의 여인은 내 몸을 잡고 이리저리 흔들어대며 집안의 세간이라는 세간은 모두 부셔버리기 시작했다.

"이러고 나면 또 집을 옮겨서 살겠지. 그래, 어디 마음대로 해봐라. 네가 내 눈을 벗어나 살 수 있는지. 기생집에 출입하는 것도 다리를 분질러 놓아도 부족할 마당에 나 모르게 기생을 첩으로 맞아들여?"

본처는 닷새가 멀다 하고 집으로 찾아와 행패를 부리고 갔다. 하루는 그 사람도 누구에게 두드려 맞았는지 온몸과 얼굴에 상처를 입고 집으로 들어왔다.

"마누라가 드세서 못 살겠어. 내가 죽든가 그년을 죽이든가 해야지."

"얼굴은 왜 그래요? 마나님이 그래놓았어요?"

"그년 동생이 저기 부두 쪽에 유명한 깡패야. 그놈이 공장까지 찾아와 행패를 부리고 갔어."

"그럼 앞으로 어떻게 할 생각이에요? 내가 당신과 헤어져 다시 기원으로 들어가요?"

"그건 말이 안 될 소리고……."

그는 내게 이미 여러 날 전에 다른 곳에 집을 하나 봐 놓았으니 다른 세간은 다 여기에 두고 몸만 먼저 그곳에 가 있으라고 했다. 그러나 그곳에서 나를 기다리고 있는 것은 그의 처남을 포함한 세 명의 괴한이었다.

"이러면 너희들이 내 손아귀를 벗어날 줄 알았느냐?"

남자들은 그곳에서 내 몸을 벗기고 차례로 나를 범했다. 그 짐승같고 치욕스러운 밤을 나는 다시 기억하고 싶지도, 되뇌이고 싶지도 않다.

"이제 네가 기다리는 그 사람은 여기에 오지 않는다. 아니, 올 수가 없지. 온다면 너도 그 사람도 우리 손에 이 세상을 하직하는 거니까."

그 사람의 처남은 내게 그렇게 말하고 자신의 수하를 데리고 떠났다. 그리고 그의 말대로 그 사람은 다시 내 앞에 나타나지 않았다.

그 집에서 나와 무작정 상하이 거리를 헤매던 날, 나는 넋이 나가 빈터에 하염없이 주저앉아 있었다. 땅 속으로 몸이 자꾸 자꾸 가라앉는 것 같았다. 이제 기원으로 다시 들어갈 나이도 점차 지나가고 있었고, 또 그러고 싶은 마음도 없었다. 무엇보다 열다섯 살에 집을 나와 기원에서 한해 한해를 보내며 점차 선생님에서 어머니처럼 느껴지던 금가서화 선생을 다시 볼 자신이 없었다.

이제 나는 어디로 가야 하나. 그날 나는 왜 나에게만 이런 시련을 주느냐고, 이제 나는 어떻게 살아야 하느냐고 하늘에게 물었다. 하늘은 말이 없고 별빛만 영롱히 내 몸을 비춰주었다.

무작정 걷다보니 황푸강가였다. 밤은 깊어가고, 강가 별빛 아래 나는 온몸을 후들후들 떨면서 오래 서 있었다. 내 눈물은 강에 떨어져 하늘의 별이 되고, 내 땀은 안개가 되었다. 그리고 결심했다. 세상 사람들이 나를 하찮게 대하거나 모질게 대해도 나는 절대 같은 사람이 되지 않으리라. 나는 비록 기녀일지라도 저 별처럼 스스로 내 안에 마음으로 빛나는 사람이 되자고 결심했다.

그후 나는 내가 오래도록 기녀생활을 했던 사마로 쪽과는 반대쪽 동네의 어느 후미진 곳에 방을 얻어 나만의 기방을 열고 나의 손님들에게 온갖 정성을 다해 대접해주었다. 내가 세상으로부터 받고 싶은 대우를 진정 그들에게 해주었다. 온몸과 마음을 다해 그들을 대접하고 보듬어주었다. 그들의 기쁨과 슬픔을 진심으로 나의 기쁨과 슬픔처럼 나누었다. 내가 만난 수많은 남자들. 그들과 나는 밤하늘의 별만큼이나 아름다운 밤을 가졌다. 우리는 꿈을 나눠가졌고, 눈물을 나눠가졌다.

상하이에 돈을 벌러온 청년은 얼마나 힘들게 하루를 보내었을까. 고향에 부모형제를 남겨놓고, 혈혈단신 상하이로 왔을 때 누가 그들을 반겨주었겠는가. 어린 사내는 홀로 얼마나 무섭고 조바심을 쳤을까. 과연 이곳에서 내가 살아남을 수 있을까. 성공할 수 있을까. 사내는 굶기를 밥먹듯하다가 겨우 일자리를 얻어 끼니를 해결하고, 잠자리를 해결하고, 조금씩 인정받기 시작했을 것이다. 그러던 어느날 이 상하이 하늘 아래 자신을 돌아보았을 때 사내는 자신이 얼마나 외로운 존재인가를 깨달았을 것이다. 의지만으로는 떨쳐버릴 수도 잊을 수도 없는 긴 어둠 속의 외로움을 느꼈을 것이다.

그런 사내들을 위로하며 오랜 세월 나는 내 방식대로의 기녀로 일생을 살았다. 나는 다른 많은 동료들처럼 아편장이가 되지도 않았고, 남자에게 다시 버림받지도 않았다. 사내들의 정에 내 인생을 걸지도 않았고, 오히려 내가 나의 모든 걸 내어주는 사랑을 하며 나이가 들었다.

나이가 드니 가난한 사람들과 의지가지없는 도시의 노동자들이 손님으로 왔으나 나는 그들을 홀대하지 않았다. 아니, 늙은 나를 찾아주는 것만 해도 고마운 일이었다.

기녀는 묘령이 지나면 어차피 황금시대는 가는 것. 붉은 색으로 뜨겁게 타오르는 기원의 밤은 항시 과도한 애욕을 부르고, 그 속에 기녀의 청춘은 다른 여인들의 짧은 봄날보다 더 빨리 흘러간다.

나는 어린 나이에 친척에게 속아 기녀가 되고, 또 어처구니없을 정도로 짧은 시간 안에 사랑의 덧없음을 알고 인생을 알고 세상을 알았다. 그동안 무도장으로 떠나간 친구, 아편장이가 되어 어디로 갔는지도 모르게 사라진 친구, 시집을 갔다가 도망 나와 다시 기원을 찾아오기를 수차례 반복하던 친구, 사랑에 울다 지쳐 황푸강에 몸을 던진 친구, 순간순간은 빛났으되 돌아보면 불쌍한 인생들이 머릿속에 지나간다. 그들은 인생을 몰랐고, 남자들도 몰랐으며 자기 자신도 몰랐다. 그래서 우리는 이렇게 서로를 껴안고, 울며 위로받을 수밖에 없는가 보다.

꽃다운 나이가 금세 이렇게 늙는 것도, 금방 부자가 될 듯이 보이던 이 세상이 가도가도 고생만 계속되는 것도, 목숨이라도 내줄 듯 맹세한 사랑의 언약이 깨질 수 있다는 것도 몰랐지만, 우리는 오늘밤도 서로의 눈물을 핥아주며 상하이 하늘 아래 눕는다.

샹그릴라

지구상에 유일하게 중국 운남성엔 일년 365일이 내내 봄인 '상춘지역'이 존재한다. 위도 20~25도 사이, 해발 표고 2000미터의 지역이다. 이곳은 '샹그릴라'라는 말 그대로 자연과 기후가 낙원과도 같은 조건을 갖추고 있다.

"아, 좋다!"

"그래, 정말 그런데."

오월 둘째 주 여강에 도착한 친구와 나는 이곳의 빼어난 풍경과 한가로운 들녘의 아름다움에 저절로 탄성을 질렀다. 지난 주 우리는 상하이를 출발해 기차로 곤명까지 왔고, 곤명에서 다시 자동차와 나귀를 타고 이곳 여강에 도착했다.

우리는 이화양행(怡和洋行)이란 회사의 동료로 한 달간 휴가를 받아 이 여행을 떠나게 되었다. 나는 이 회사의 변호사고,

친구는 무역부 간부사원이었다. 예전에 회사는 아편 무역으로 많은 돈을 벌었으나 그것은 내가 입사하기 전의 일이고, 그즈음엔 비단 제사, 면방적, 방직, 목재, 양조 등으로 사업 방향을 전환해 세계를 상대로 무역을 하고 있었다. 나는 여기에서 파생되는 여러 가지 법률적인 문제들을 선임 변호사와 함께 해결해 주고 있었다. 회사의 사업이 확장되어감에 따라 처음 일어나는 일도 많았고, 이런저런 사건들도 끊임없이 이어져 항상 시간에 쫓기며 살았다. 그러면서도 주말에는 동료들과 함께 사냥을 나가거나 축구, 테니스, 수영 등 각종 스포츠로 스트레스를 달랬다.

한 달 간의 휴가는 이 회사에 들어온 다음 처음이었다. 보통 이런 장기간의 휴가를 받으면 다들 본국으로 돌아가 가족을 만나곤 했다. 그러나 나는 런던으로 돌아가도 나를 반가이 맞아 줄 가족이 없었다. 어린 시절 나는 부모를 잃은 다음 큰아버지 집에서 자랐고, 큰아버지 역시 내가 변호사가 되기 전에 세상을 떠났다.

내가 런던에서 상하이로 온 것은 6년 전 스물여섯 살 때의 일이었다. 그때 나는 변호사 자격증을 막 땄고 런던에서 일자리를 찾던 중 이 회사에 먼저 와 있던 친구가 자기 회사를 나에게 소개했다.

내가 처음 영국에서 상하이로 왔을 때, 그리고 회사를 다니며 열심히 일을 배우는 동안 나는 이제 내 인생의 봄이 왔다고 생각했다. 일도 재미있고, 수입도 좋았으며, 또 회사가 커 나감에 따라 나 역시 그렇게 발전하는 것 같은 느낌이 들었다. 내가 살고 있는 상하이도 하루가 다르게 도시의 얼굴을 바꿔가고 있었다. 한동안 회사 일에 파묻혀 지내다가 어느날 거리에 나가면 이것이 정말 지난번에 내가 본 이 도시의 모습인가 싶게 건물들이 날로날로 올라가고 있었다.

그러던 어느 날 나는 영국에 다녀온 동료로부터 올해의 호덴 손상을 받은 『잃어버린 지평선』이라는 책을 선물받았다. 그 책은 첫장부터 내 흥미를 자극했다. 상하이에 처음 왔을 때 어떤 모임에서 만난 한 선교사가 해준 말이 불현듯 생각났기 때문이다. 그 선교사는 운남성 어느 지역에 가면 일년 사시사철 봄날씨만 계속 되는 곳이 있다고 했다. 어떻게 그럴 수 있느냐고 하자 선교사는 이렇게 설명했다.

"적도를 중심으로 위도 20-25도 사이의 아열대지역에 해발 2000~2500미터 되는 고원지역은 일년 내내 봄만 있는 상춘 지역인데, 지구상에 아열대 지역은 많아도 이 같은 상춘 지역은 중국 운남성뿐이랍니다."

소설에서는 그곳이 영원히 늙지 않고 마음속에 바라는 꿈이 이루어지는 낙원으로 표현되어 있었다. 이상하게 그 이야기는 내 머릿속에서 떠나지 않았다. 나는 친구에게

책을 보여주며 함께 휴가를 떠나지 않겠느냐고 말했다.

"자, 일단 여기서 짐을 풀고 쉬자구."

우리는 여강 고성(古城)의 한 민가에 숙박을 정했다. 700년이 훨씬 넘는 남송시대의 모습을 그대로 간직하고 있는 이 마을은 고성 전체가 설산에서 흘러내려오는 맑은 물이 작은 수로를 따라 사방으로 실핏줄처럼 흘러 마치 동화의 나라에 온 것처럼 아름다웠다.

우리가 잔 집의 마당 가운데로도 수로가 굽이굽이 지나가고 있었다. 수로를 따라 흐르는 물이 너무도 깨끗해 나는 두 손으로 물을 떠 마시고 세수를 했다. 물은 오월 중순인데도 설산의 얼음이 내 몸에 들어와 녹는 듯 매우 차가웠다. 그 옆으로 돌을 깔아 만든 도로가 요리조리 목조집을 끼고 나 있었다. 길바닥의 돌들은 오랜 세월 사람들이 걸어다녀 반질반질 윤이 났다. 산책을 마치고 돌아올 저녁 무렵엔 큰 개울 돌다리 위에 보름달이 휘영청 걸려 있었고, 그 달빛 아래 담장을 따라 넝쿨장미가 만발해 있었다.

다음 날도 친구와 나는 얇은 면바지에 면셔츠를 입고, 사파리 모자를 쓰고 길을 나섰다. 하늘은 맑고, 기온은 온화하고, 살갗에 닿는 공기는 가볍게 스치는 바람처럼 상쾌했다. 이곳 사람들은 너무나 맑은 공기와 햇빛에 얼굴이 타 볼이 발그레했다. 키는 상하이 사람들보다 대체로 작은 편이었다. 아이들은 서양 사람을 처음 보는 듯 친구와 나를 신기한 눈으로 바라보며 아닌 것처럼 하며 몰래 우리 뒤를 따라 다녔다. 그러다 일고여덟 살 남짓한 소녀와 눈이 마주쳤다. 내가 소녀를 보고 미소를 짓자 소녀는 화들짝 놀라며 얼굴이 빨개져서 도망갔다. 여자 아이가 뛰어간 뒤 신발 한 짝이 돌길 위에 나동그라져 있었다.

그곳에 머물며 친구와 나는 나귀를 타고 고성 주변 여기저기를 둘러보았다. 언덕의 푸른 들판엔 군데군데 이름모를 야생화가 한가로운 바람에 부서지고 야크들이 무리지어 돌아다니는 것이 보였다.

어느 날 우리는 고성에서 조금 떨어진 시골 마을에 도착했다. 이곳은 오래 전 영국의 농가가 이러했으리라 짐작케 하는 아주 한적한 마을이었다. 멀리 정상엔 만년설이 덮인 설산이 보이고, 시골집 담 옆으로 맑은 개울이 졸졸졸 흐르고 있었다. 나는 잘 다져진 흙길을 밟으며 마음이 한없이 푸근해졌다. 그러다 어느 집의 대문이 열려 있는 것을 보았다. 나는 호기심에 살짝 안을 들여다보았다. 빈집엔 소와 닭의 우리가 있었고, 닭 두 마리가 마당을 돌아다니다 나를 보고 훌쩍 날아 달아났다.

농가 일층은 ㄷ자형으로 방들이 서넛 있었고, 거실과 부엌문은 열려 있었다. 위층에는 창고 같은 공간에 말린 짚더미가 아래층 창문 앞까지 늘어져 있었다. 나는 상하이에서는 경험하지 못한 중국 시골 마을의 풍요와 한가로움에 마음이 조금씩 열리기 시작했다. 소 우리 속엔 낳은 지 얼마되지 않는 송아지가 있었다. 나는 송아지를 좀 더 가까이에서 보기 위해 소 우리 속으로 머리를 디밀었다가 어린 송아지를 지키고 있는 어미 소의 머리가 내 얼굴 바로 옆에 와 있는 것을 보곤 기겁을 하고 목을 뺐다.

친구와 나는 마을을 떠나 나귀를 타고 오래 들판을 가로질러 장이 서 있는 또다른 시골 마을로 갔다. 그들은 채소와 과일 일용품을 길거리에 내다놓고 팔았다. 붉은 빛깔의 과일과 여인들의 뺨이 햇빛 아래 수줍게 빛났다. 우리는 마을 옆으로 흐르는 강을 따라 계속 앞으로 나아갔다. 진사강이라 불리는 그 강은 강 양쪽으로 웅장한 바위산을 사이에 두고 만들어낸 어마어마한 협곡으로 이어져 장관을 이루고 있었다.

앞으로 나아갈수록 산은 위용을 더했으며 물은 더 깊어져 하늘빛을 띠었다. 그 풍경을 바라보노라니 천국이 실제 있다면 그 입구가 이러하리라 하는 생각이 들었다. 물줄기를 따라 한참을 더 가다보니 강폭이 좁아지며 '호랑이가 건너뛴 골짜기〔虎跳峽〕'라는 이름의 협곡이 나타났다. 갑자기 좁아진 계곡 속 바위에 머리를 부딪친 물이 사납게 소용돌이치며 사방으로 물줄기가 몇 백 미터나 튀어오르는 장관을 연출했다. 그 모습이 마치 천국의 문으로 들어가기 전 죄지은 사람들을 모두 삼켜버리려는 것 같았다.

계속해서 마을 북쪽으로 이곳저곳을 돌아다니는 동안 우리는 갑자기 비를 맞았다. 비는 녹음 속으로 스며들었고, 초록빛 잎들은 윤기를 더하며 이파리 하나하나가 마치 숲속의 초록 물고기들처럼 살아 움직이는 듯했다. 푸른 숲이 생명을 지닌 듯 숨을 쉬는 것 같았고, 그 속에서 무언가 이상한 기운이 내 몸을 통과하는 듯한 느낌이 들었다.

그러다 계곡을 지날 때 돌틈 사이로 아름다운 분홍꽃이 피어 있는 것을 보았다. 나는 나도 모르게 빗속에서 꽃잎을 따 입에 넣었다. 여지껏 이렇게 해본 적이 없었다. 혀에 꽃잎을 놓고 그것을 가만히 입천장에 눌러 보았다. 꽃잎의 얇고 부드러운 감촉과 약간의 달콤한 즙이 목을 타고 내 몸속으로 흘러들어갔다. 나는 꽃잎을 통해 여태 알지 못했던 자연으로부터의 소리를 듣는 것만 같았다. 그것은 이제까지 한번도 느껴보지 못한 자연의 충만감이었다. 도시에서 살 때는 이런 것이 있는지도 몰랐던 한없이 아늑하고 포근한 느낌, 마치 아기가 엄마의 품에 안긴 것 같은 편안함에 나를 맡기고 싶었다.

나는 마을 어귀의 주막에서 친구와 함께 술잔을 기울였다. 나는 행복했다. 서로 말은 하지 않았지만 친구도 내 마음을 읽고 있는 듯했다. 엄마의 젖가슴을 더듬는 것처럼 이곳의 기운은 내 기억에 아슴한 엄마의 냄새를 상기시켰다. 나는 이곳을 떠나고 싶지 않았다. 이미 내 마음은 이 산에서 저 산으로, 이

들판에서 저 하늘로, 이 개울에서 저 개울로 자유롭게 흘러다니고 있었다.

"여보게, 나는 아무래도 여길 떠나지 못할 것 같네."

친구는 어안이 벙벙해진 얼굴로 물끄러미 나를 바라보았다. 그는 이틀 동안이나 나를 설득하다가 혼자 상하이로 돌아갔다. 친구는 상하이로 돌아가 내가 부탁한 짐을 소포로 부쳐주었다. 한 달 받은 휴가가 그곳에 나를 묶어두었다.

해가 바뀐 1935년 여름 어느 날 친구한테서 편지가 왔다. 회사의 선임 변호사가 과로로 심장이 나빠져 급히 영국으로 돌아가게 되었다며 나더러 빨리 와서 주임 변호사 자리를 맡아달라는 내용이었다. 친구는 여강으로 나를 찾아왔다. 그는 간곡하게 나를 설득했다. 오랜만에 보는 그에게서 도시의 냄새가 났다. 이번에 가지 않으면 너무나 후회할 것이라며 이런 기회는 다시 오지 않을 것이라고 했다. 그동안 회사는 더욱 규모가 커졌고, 나는 그런 회사의 변호사로서 누구나 내 삶을 부러워할 것이라고 했다.

나는 친구의 손에 이끌려 상하이에 도착했다. 상하이는 여전히 화려하고 번화했다. 회사 업무는 정신없이 돌아가고 있었고, 그곳에서 일하고 있는 사람들 모두 세련된 표정과 세련된 옷차림을 하고서 좋은 자동차로 출퇴근하였다. 그러나 나는 그들이 무엇을 위해 달려가고 무엇을 위해 흥분하는지 그런 삶 자체가 무의미해보였다. 나는 회사의 긴급한 법률적 문제만 해결해주고 석 달 만에 다시 샹그릴라로 돌아갔다.

친구는 5년 후 본국으로 돌아가기 전 마지막으로 나를 보러 샹그릴라로 왔다. 그동안 중일전쟁이 있었고, 제2차 세계대전이 일어났다. 그러나 이곳 샹그릴라는 세계 전란 속에서도 평화로웠다. 나와 친구는 그 옛날 둘이 함께 앉았던 식탁에 앉아 술잔을 기울였다.

친구는 내게 물었다.

"나와 함께 영국으로 돌아가지 않겠나?"

친구도 나도 아무 말 없이 웃었다. 저물어가는 저녁 들판에 나의 아이들이 뛰어다녔고, 멀리서 아내는 웃으며 아이들을 바라보았다. 우리들의 눈동자 속엔 샹그릴라의 아름다운 노을이 진홍빛으로 타오르고 있었다.

댄싱 킹

그는 아름다운 얼굴과 균형 잡힌 몸매를 부모로부터 물려받았다. 어깨선과 목선, 잘 생긴 얼굴을 쓰다듬듯 유연하면서도 빠르게 흐르는 턱선을 바라보노라면 그의 모습은 마치 신이 인간의 형상으로 빚어놓은 대리석 조각을 보는 듯했다.

거기에 그는 천부적인 운동 감각과 예술적 감성까지 타고난 듯했다. 그의 피부는 속이 비치는 듯 투명해 보였고, 이목구비는 하나하나 뚜렷하면서도 부드럽고 온화한 모습으로 그의 몸과 얼굴 안에서 조화를 이루었다. 이곳 미꼬매 무도장에 출입하는 사람이라면 누구든 플로어에서 춤을 추는 그를 바라보는 순간 자기도 모르게 저절로 감탄사를 내뱉었다. 평소에도 그랬지만 춤을 출 때 보면 그는 더욱 신이 만들어낸 걸작품처럼 보였다.

그는 자신이 태어난 고향의 작은 마을에서 부모와 조부모의 사랑을 듬뿍 받으며 행복한 어린 시절을 보냈다. 춤에 대해 최초로 어떤 재능이랄까 감각을 보였던 것은 네 살 때였다. 타고난 율동 감각 때문일까 그는 어려서부터 이층 헛간에서 아래층 계단으로 내려올 때 그냥 계단을 천천히 밟고 내려온 적이 없었다. 그날그날의 감흥대로, 또 그때그때의 기분대로 새로운 자세와 동작으로 자신의 느낌을 표현하며 내려왔다.

그는 가벼운 몸짓으로 사뿐히 구름을 타듯 계단을 내려오곤 했는데, 한번도 같은 모습이 없었다. 그런 모습을 보고 그의 부모는 걱정스럽게 혀를 끌끌 차곤 했다. 대체 저렇게 자라서 무엇이 될꼬. 비교적 넉넉한 땅을 가지고 농사를 짓던 그의 부모는 자신들이 아무리 힘들고 또 얼마간의 재산을 줄이는 한이 있더라도 아들만은 도시로 보내 더 많은 공부를 시켜 출세시키고자 했다. 또 부모로 하여금 그런 생각을 하게 할 만큼 그는 공부도 매우 잘했다.

그가 열아홉 살이 되자 그는 부모님의 헌신으로 지금까지 자라던 향리에서 상하이로 나와 대학을 다니게 되었다. 상하이에는 그가 여지껏 자랐던 시골 소읍에서는 보지도 듣지도 못했던 여러 생활이 기다리고 있었다.

학교는 눈이 휘둥그레질 정도로 화려한 도시 안에 있었다. 각양각지에서 모여든 수많은 학생들과 도서관을 가득 채우고 있는 어머어마한 장서들이 그를 놀라게 했다. 그러나 상하이엔 그가 다니는 학교만 있는 것이 아니었다. 세계 여러 나라 사람들이 몰려들어 만들어낸 국제도시답게 여러 가지 풍물들로 유

명해진 길들과 공원들도 함께 있었다. 또 매일 신문을 펼칠 때마다 마주하게 되는 온갖 신기한 일들이 그 도시에서 일어나고 있었다. 그것은 확실히 이제까지 그가 알고 지내던 세상과는 또다른 세계의 모습이었다.

그는 공부를 하느라 정신없을 정도로 바쁘게 대학생활 2년을 보냈다. 그리고 3학년이 되던 해 어느 가을날이었다. 학교에서 가까이 지내는 친구의 생일이기도 한 날이었다.

"우리도 어른인데 무도장에 한번 가보자."

학생들이 출입하기엔 제법 비싸 보이는 고급식당에서 여러 명이 저녁 식사를 마친 다음 그날 생일 턱을 낸 친구가 말했다.

"무도장? 춤을 추는 곳 말이야?"

"그래, 무도장. 여기 상하이에 무도장이 여러 군데 있는데, 그곳에 가면 아주 재미있는 일이 많다는 게야. 그리고 이제 우리도 춤을 알아야 할 나이가 되었잖아."
"너는 거기 가 봤어?"
"아니, 가보지는 않았지만 늘 궁금했어. 거기서는 어떤 춤을 출까. 그렇지만 혼자서는 쑥스러워 들어가 볼 생각을 못했지."
"춤을 출 줄은 알아?"
"모르니까 거기는 어떤 덴지, 또 어떤 춤을 추는지 한 번 가 보자는 거지."
그날 그는 태어나 처음으로 친구들을 따라 무도장이라는 곳엘 갔다. 친구의 말대로 그곳이 어떤 곳인지 한번 쯤 꼭 가보고 싶은 호기심 속에 그냥 구경을 하러 갔던 것인데, 거기서 그는 자기도 모르게 무엇에 홀리듯 온몸이 정지해버리는 듯한 순간을 맛보았다.
돈을 낸 다음 표를 받고, 어떤 경쾌한 음악이 흘러나오는 무도장 안에 막 발을 들여놓았을 때였다. 플로어 이쪽에서 영화에서나 보았던 왈츠를 추는 한 쌍의 남녀를 보는 순간 그는 그들이 만들어내는 아름다운 동작과 동작 사이의 시공간 속에 자신이 그대로 갇혀버리는 듯한 느낌을 받았다. 그들이 우아하게 얼음 위를 미끄러지듯 흘러가는 춤 동작 사이로 그도 함께 빠져 들어간 것이었다. 그것은 이제까지 까마득히 잠자고 있던 그의 감성을 깨워 뒤흔들어놓았다. 남자는 여자를 이끌고, 여자는 남자에게 바람처럼 휘몰아 돌아가는 듯한 그 춤 동작이 그의 뇌리에 깊이 각인되었다. 태어나 처음보는 무도장 안의 모든 풍경이 그에겐 조금도 낯설지 않고 오히려 감미롭고 안온하기조차 한 것이었다.

그날 이후 그는 춤의 마력에 빠졌다. 매일 저녁 학교에서 돌아오면 출근하듯 무도장에 가서 다른 사람들이 춤을 추는 모습을 바라보았다. 집에 혼자 있을 때에도 그는 춤을 추었다. 혼자 입으로 소리를 내는 박자에 맞추어 발동작, 몸동작부터 시작해 손의 표정, 몸의 표정, 얼굴 표정까지 춤에 관한 모든 것을 스스로 표현해보지 않고는 견딜 수가 없었다. 그때에도 그는 순간순간의 동작과 느낌을 자기 몸속에서 우러나는 감성대로 표현하였다. 그럴 때면 그는 땅이 아니라 구름 위를 나는 것 같았다.

그러다 어느날부터 그는 무도장에서 춤을 추기 시작했다. 우선은 무도장에 입장할 때 무희와 함께 춤을 출 수 있는 표를 산 다음 이제까지 자신과 가장 어울릴 거라고 눈여겨 봐온 무희에게 다가가 정중하게 춤을 청했다.

"픗……"

무희는 이 무도장에 자주 얼굴을 비치기는 했으나 단 한번 누구에게도 손을 내밀지 않던 이 애송이 사내의 청을 받아들이며 가볍게 미소를 흩뿌렸다.

"나가실까요?"

그가 손을 잡고 여자를 플로어로 이끌었다. 아주 잠시 동안이지만 무희와 함께 어우러져 호흡을 맞추는 그의 춤은 아무나 흉내낼 수 있는 춤이 아니었다. 그의 춤은 보는 이로 하여금 저절로 감탄을 자아내게 했다. 그의 춤이 이어지는 동안 플로어에서 함께 춤을 추는 다른 사람들의 춤은 춤이 아닌 것처럼 여겨져 모두들 슬그머니 제짝의 손을 놓고 플로어 바깥으로 물러나 그의 춤을 구경하는 것이었다. 얼음 위를 미끄러지는 듯한 환상적인 동작과, 한 동작과 다음 동작 사이의 짧은 정지 순간에 보여주는 그의 몸짓과 표정에서조차 사람들은 인간의 몸이 표현해낼 수 있는 어떤 극치와도 같은 한없는 아름다움을 느꼈다.

그가 회전을 하느라 하얀 이마로 머리카락이 흘러내리면 무도장의 여인들은 자기도 모르게 가늘게 한숨을 쉬었다. 감성이 무딘 남자들조차도 일단 그의 춤을 보면 눈을 떼지 못했다. 의자에 앉아 있는 사람도 그가 춤을 추는 모습을 보면 그의 몸을 빌려 자기가 플로어에 나가 춤을 추는 것 같았고, 몇 곡을 추고 난 다음 자리로 돌아와 쉬면서 음악을 듣는 그의 모습을 보고 여인들은 그의 품에 안겨 이미 상상의 플로어로 흘러가고 있었다. 단 한 번의 춤으로 그는 그날 무도장의 모든 사람들의 시선을 사로잡아버린 것이었다.

하루는 춤을 추고 났을 때 낯선 신사 한 사람이 무도장으로 찾아와 조용히 그를 밖으로 불러냈다.

"잠시 나하고 이야기를 나눌 수 있을까요?"

찻집에서 신사가 내미는 명함엔 '백락문 무도장 총지배인'이라는 직함이 씌어 있었다. 백락문이라면 상하이 최고의 무도장이었다. 신사는 그가 이런 보통 무도장이 아니라 백락문으로 꼭 와주길 초청했다.

"당신이 온다면 당신의 춤이 우리 백락문의 격을 더욱 높여줄 것입니다. 오기만 한다면 우리는 당신에게 돈을 받지 않을 것입니다. 그리고 늘 식사를 제공하고 무도복도 준비해드릴 것입니다. 또 월급 형식으로 얼마간의 사례도 할 것입니다."

"말씀은 고맙습니다. 그러나 제 자신이 원한다면 가겠지만, 제가 좋아하는 춤으로 절대 사례 같은 것은 받지 않을 것입니다."

"꼭 와주십시오. 백락문의 총지배인을 하기까지 참으로 많은 사람들의 춤을 보았습니다. 전에도 당신 몰래 몇 번 지켜보았지만, 당신이야말로 상하이의 댄싱킹입니다. 당신이 백락문으로 오시면 그 다음은 우리가 모든 것을 다 알아서 당신을 모실 것입니다."

상하이의 밤은 환락의 연속이었다. 상하이 어디에도 지루한 곳은 없다. 백락문 무도장엔 용수철 플로어에 100여 명의 댄서들이 일했다.

어쩌면 그것은 예정된 코스와도 같은 것이었는지 모른다. 그가 백락문에 모습을 드러냈을 때, 상하이에서 그래도 춤을 춘다고 하는 남녀들은 그의 춤에 놀랐으며 그는 곧 상하이 전체 사교계의 화제가 되었다. 많은 여인들이 그와 함께 백락문의 용수철 플로어에서 왈츠를 춰봤으면 하는 염원을 가슴에 품게 되었고, 남보다 용감한 여인은 그에게 먼저 춤을 신청하여 함께 플로어를 미끄러지는 행운을 맛보았다. 같이 춤을 추거나 보는 사람은 그의 혼이 바람을 가르고 하늘을 자유로이 나르는 것처럼 느껴졌다.

"한번만 당신과 함께 춤을 추고 싶어요."

어느 날 젊고 아름다운 여인이 벨벳처럼 검은 눈을 반짝이며 그에게 춤을 신청했다. 그는 여인의 눈에서 이제까지 다른 여자의 눈에서 보지 못한 무엇을 보았다. 그는 분명 여자의 손을 잡고 플로어 위에서 춤추고 있는데도, 보는 사람에게는 마치 두 사람의 혼이 플로어의 공간을 가르며 그들만의 아름다운 세계로 마음대로 넘나드는 듯이 보였다.

후에도 두 사람은 자주 춤을 추었다. 그 모습이 언제나 보는 사람들을 감탄케 했다. 다른 사람들의 눈에만 그렇게 보였던 것이 아니라 어느 사이 둘은 자신들도 모르는 사이 춤 안에 서로의 호흡을 느끼며 상대를 강렬히 원하게 되었다. 마주 잡은 손에서 서로의 열기가 느껴지고 움직이며 가까이 다가선 가슴에서 서로의 마음이 읽혀졌다.

"하루 종일 이 순간만 생각해요. 어쩌다 당신이 보이지 않는 날이면 그날 나의 시간은 죽어 있는 시간이에요."

여자는 끊임없이 자신의 마음을 그에게 고백했다.

"대단한 한 쌍이야."

그들의 춤을 바라보며 사람들이 말했다.

"그런데 저 여자 상하이 갑부 심길우의 애인 아니야?"

"그래. 저러다 심에게 들키면 어쩌려고 저렇게 대놓고 놀아나냐?"

사람들의 수군거림 대로 질투심에 얼굴이 새파래진 심은 상하이의 실력자 두월생을 찾아가 그들이 다시는 함께 춤을 출 수 없게 해달라고 부탁했다. 그제야 여자도 상황을 파악하고 자신의 애인 심길우에게 말했다.

"나에게는 화내지 말아요, 당신. 나는 당신이 생각하는 것처럼 그 사람을 사랑한 게 아니에요. 그 사람은 어땠는지 모르지만 나는 다만 같이 춤을 출 상대가 필요했던 것뿐이었어요."

"그러면 그 애송이 같은 녀석이 당신을 좋아했던 거야?"

"그건 그 사람의 마음이니 알 수 없지만, 나는 그렇지 않아요. 당신도 알다시피 나는 춤을 좋아하는 여자예요. 그런데 당신은 항상 바빴잖아요."

"그렇다고 나를 두고 날마다 다른 사람과 춤을 춘다는 게 말이나 돼?"

"그 사람이 나에게 어떤 감정을 가졌는지 모르지만, 나는 얼굴만 잘 생긴 미남들한텐 흥미가 없어요. 당신도 알다시피 우리 오빠 삼촌들도 얼굴은 모두 미남들이잖아요. 그렇지만 내가 좋아하는 남자는 당신처럼 능력 있고, 카리스마 있는 남자예요. 저는 능력 없이 얼굴만 반반한 미남을 제일 경멸해요."

그 말에 심길우는 조금 마음이 풀려 자신의 여자는 그냥 두고 백락문의 댄싱킹만 상하이에서 쫓아내기로 했다. 죽일 필요까지는 없겠다고 생각했다. 다만 아직도 꺼지지 않는 복수심에 그가 더 이상 춤을 추지 못하게 만들어놓고 싶었다.

며칠 후 어두운 밤, 백락문을 나와 집으로 돌아가는 그를 몇 명의 남자들이 둘러쌌다.

"자루에 담아."

꿈속이었던가. 문득 들려오는 먼 소리처럼 그런 말을 들은 듯도 했고, 그는 이내 정신을 잃었다. 며칠 만에 의식을 되찾았을 때는 두 다리의 무릎 아래가 없었다. 그는 한순간 밀려오는 통증보다 어디인지도 모를 지하실에 발목이 잘린 앉은뱅이가 되어 있는 자신의 모습에 다시 정신을 잃고 말았다.

달빛이 휘황하게 밝은 밤이었다. 이제 그는 상하이를 떠나고 있었다. 저 멀리 가로등과 건물에서 흘러나온 수많은 불빛이 황푸강에 비치어 은빛 물결을 이루며 빛의 무늬처럼 흔들리고 있었다. 그 빛을 바라보며 그는 무도장의 그런 불빛 아래에서 춤을 추던 빛나던 순간들이 떠올랐다. 플로어 천정에 매달린 휘황찬란한 샹들리에, 몸을 움직일 때마다 반짝이던 여인의 눈동자와 귀걸이와 드레스 자락이 떠올랐다. 수많은 사람들의 갈채를 받으며 춤을 추던 지난날들이 지금 자신이 바라보는 뱃전의 황푸강 은빛 물결 위에서 춤추고 있었다.

그가 탄 배가 부두에서 멀어지며 그 빛들은 그의 가슴 밑바닥에서 더욱 애타게 흔들리듯 타들어갔다. 아름다운 시간, 아름다운 날들이 저 멀리에서 손짓하듯 빛의 물결로 흔들리고 있었다.

"아……."

그는 배의 난간에 기대어 놓은 의자에 앉아 불빛을 보며 신음처럼 중얼거렸다. 그리고 감시자가 잠시 자리를 비운 틈을 타 있는 힘을 다해 자신의 몸을 황푸강에 던졌다. 그의 몸과 마음이 다시 지난날의 플로어로 미끄러져 들어갔다.

그 일을 아는지 모르는지 황푸강은 저 멀리 도시의 불빛을 받으며 달빛 아래 고요히 흘러내려갔다.

안개와 할아버지

청도 廣西路(1920년대) 사진 엽서

무서운 속도로 안개가 어느 쪽에선가 마을 쪽으로 몰려가고 있었다. 안개는 내 발밑으로 내려다보이는 마을의 붉은 지붕들 위를 빠른 속도로 미끄러지듯 흘러갔다. 그 속도가 너무나 대단해 마치 내 자신이 구름을 타고 마을 위를 비행하는 것 같았다. 마을은 금방이라도 안개에 잠겨버리고 말 것처럼 보였다.

나는 시계를 보았다. 오후 1시 30분.

어제 프랑크푸르트에서 상하이를 거쳐 청도에 도착한 다음 지금은 청도 옛거리 한켠에 있는 소어산(小魚山) 정자에 올라와 있다. 아침도 아닌 한낮에 이렇게 맹렬한 기세로 몰려드는 안개는 평생 처음 본다. 마치 도시 전체를 안개가 실어가버릴 것만 같다. 미리 본 여행 가이드북에 청도는 계절이 바뀔 때 일년에 몇 번 안개가 심하게 낀다고 했다. 공원 입장권을 보니 내가 서 있는 정자 왼쪽에 푸른 바다가 있다. 그러나 내 눈엔 바다가 전혀 보이지 않는다. 오직 흰구름 같은 안개가 마을로 마구 몰려들고 있다.

나는 마술에 걸린 듯 어렸을 때 하이델베르크에 있는 할머니 집에 갔을 때 할아버지 책상 유리 밑에서 보았던 중국의 사진엽서가 생각났다. 언덕에 아름답고도 조용한 성 같은 집이 위풍당당하게 서 있고, 주위에 새로 심은 듯 받침목을 한 나무들이 줄지어 서 있는 엽서에는 '1907년에 완공된 독일 총독 관저' 라고 씌어 있었다. 또다른 엽서에는 아름다운 종 모양을 한 돔 지붕의 러시아풍 건물과 독일풍의 건물들이 거리 양쪽에 연이어져 있었고, 그 사이를 마차가 한가롭게 지나가고 있었다.

어릴 때 나는 그 동화 같은 건물 속에는 누가 살까 늘 궁금했다. 할머니 방에는 그 엽서 외에도 그 시절 중국에 가 있던 할아버지에게서 온 사진과 엽서들이 몇 장 더 벽에 걸려 있었다.

시간이 흐를수록 안개는 더욱 걷잡을 수 없는 기세로 언덕 밑에 있는 마을을 함몰시키려는 듯 몰려들고 있었다. 나는 혹시 이 꿈같은 안개 속에서 할아버지를 만날 수 있지 않을까 하는 상상을 해보았다. 할아버지는 이곳 청도에서 젊은 날을 보냈다. 내가 보았던 엽서에는 '언제 고국에 돌아가 당신을 데리고 올 수 있을지 그날을 손꼽아 기다리오.' 라고 할머니에게 쓴 글이 있었다. 그리고 할머니는 그 말대로 할아버지를 따라 이곳으로 왔다. 어린 날 늘 그것을 보고 자란 나에게 그 엽서 속의 거리는 내 마음속에 또 하나의 고향처럼 느껴졌다.

할아버지 할머니 어디 계세요?

정자에서 내려온 다음에도 나는 어디선가 끊임없이 풀어져 나오는 안개 속의 골목길을 걸으며 나도 모르게 할아버지 할머니를 찾았다. 할아버지는 독일이 산뚱반도에서 특권을 가지고 있던 시절 청도에 와 살았다. 처음엔 빈털터리로 와 열심히 일을 하여 이태 후엔 할머니를 데리고 올 수 있었다. 그 후엔 독일에서 축음기와 각종 기계를 중국으로 가져오고, 중국에서는 도자기와 차, 비단을 독일로 수출해 많은 돈을 벌었다.

할머니는 후일 귀국하여 겪은 일이차대전을 떠올릴 때마다 젊은 시절 청도에서 살던 때를 회상하며 그 시절이 할머니의 인생에서는 가장 평화롭고 꿈처럼 아름다운 때였다고 말했다. 할머니에겐 평생 청도가 유토피아인 것이었다.

나는 청도의 오래된 거리에 있는 단단한 돌집들을 둘러보며 이 집이 할아버지 할머니가 살았던 사진 속의 그 집이 아닐까 유심히 살펴보았다. 나는 어린 날 사진 속에서 보았던 할아버지 할머니의 집을 찾다가 집과 집 사이의 빈 공터에 만들어진 작은 정원을 발견하고 그 속으로 들어가 보았다. 안개는 나를 따라 들어와 정원 아래에 살포시 깔렸다. 할머니도 이 정원에 와 보았을까? 그곳에는 키가 작은 분꽃들이 얼굴을 마주대고 피어 있었다.

할머니는 할아버지의 가게가 청도 광서로에 있었다고 했다. 집은 거기에서 멀지 않은 주택가에 있었다고 했는데, 그 집의 사진은 보았지만 주소는 물어본 적이 없었다. 그런데도 나는 조그만 정원에서 할아버지를 기다리는 할머니를 생각했고, 또 광서로를 걸으며 할아버지의 가게를 찾았다.

이 건물의 일층인지 저 건물의 일층인지 내 눈엔 온통 모든 건물이 할아버지의 가게처럼 보였다. 나는 거리를 헤매 다닌다. 그때 안개 속에 마주 바라보이는 건물에서 뽀얀 불빛이 새어 나온다. 일층 가게의 유리창 속으로 한 젊은 남자가 함박웃음을 지으며 손님을 맞고 있는 모습이 보인다. 그 가게는 온갖 진귀한 물건들이 쌓여 있으며 아름다운 음악이 축음기에서 흘러나오고 있다. 잠시 전 손님을 맞던 젊은이는 책상에 앉아 서랍에서 무엇인가를 꺼내 쓰기 시작한다. 그 모습이 어딘지 낯익다.

"아! 할아버지, 여기 좀 보세요. 제가 찾아왔어요!"

할아버지를 보고 자라지는 못했지만, 항상 제 가슴 속에는 할아버지가 살아계셨어요. 할머니는 시간이 나면 언제나 앨범을 펼쳐보이며 청도에서 두 분이 사시던 얘기를 들려주셨거든요. 그래서 저는 마치 할아버지 가게 안을 돌아다니며 자라난 것 같답니다.

할아버지 문을 열어주세요. 그러나 문은 굳게 닫혀 있고 꿈쩍도 하지 않는다. 잠시 전에 보았던 젊은 남자도 보이지 않는다. 나는 다시 길을 걸으며 다른 건물들을 바라본다.

그러다 나는 옛거리 주택가의 한 불 켜진 창문에서 젊은 날의 할머니를 발견한다. 창문 속에서 그녀는 내게 등을 보이고 무엇인가를 꺼내고 있다. 할머니는 독일에서 보내온 소포를 푸는 것 같다. 포장 속에서 예쁜 레이스의 청도 바다와도 같은 코

상하이와 달리 칭따오는 독일군이 오래도록 지배했다. 이곳엔 아직도 그때의 독일 총독 관저와 독일풍의 건물들이 남아있다.

발트색 드레스가 나온다. 할머니는 거울에 이리저리 옷을 비춰 보며 너무 기뻐한다. 할머니는 그 드레스를 입고 할아버지와 함께 마차를 타고 총독 관저에서 열리는 파티에 초대받아 간다.

언덕 위 총독 관저로 가는 길이 환하게 밝혀져 있다. 할머니는 긴 치마를 살짝 걷으며 마차에서 내려 할아버지의 손을 잡고 관저 계단을 올라간다.

"안녕하세요, 총독님."

"안녕하십니까? 스트브츠베린 씨, 그리고 부인."

"안녕하세요, 장군님."

"안녕하십니까? 스트브츠베린 부인. 그간 별고 없으시지요?"

서로 반갑게 인사하며 음악에 맞춰 춤을 추기 시작한다. 할머니의 뺨이 발갛게 상기되어 있다.

아, 할머니, 나도 할머니처럼 청도를 사랑해요.

나는 가로등 불빛이 안개처럼 번지듯 녹아내리는 길 옆 카페에 들어가 맥주를 시킨다. 나는 입가의 맥주 거품을 손등으로 닦으며 할아버지와 할머니의 청도 생활과 나의 청도 방문을 자축한다. 맥주 거품 속에 할머니 할아버지가 참석한 파티의 샹들리에가 빛난다. 나는 할아버지와 할머니의 모습이 거품처럼 사라지고 말까봐 조바심이 나 소리친다.

"여기, 칭따오 맥주, 하나 더요!"

언덕 위에 있는 이전의 독일 총독 관저

낙타의 사랑

오늘밤도 그는 캐세이호텔 뒤에 황포차(인력거)를 세우고 그 속에 천근만근 무거워진 몸을 누인다. 손님이 앉는 좌석에 앉아 발판 쪽으로 발을 쭉 뻗으면 그런대로 잠을 청할 수가 있다. 집도 절도 없는 그에게 이 황포차는 달리는 일터며 숙소다. 하루종일 부르트도록 달린 발바닥은 아무런 감각도 없다.

누워서 그는 자신이야말로 이 도시에서 살아가는 한 마리의 낙타가 아닐까 생각해본다. 상하이에서 황포차를 끄는 수많은 인력거꾼 가운데 그만큼 오래 이 일을 한 사람도 없을 것이다. 8년 이상 인력거를 끌고 달리다 보면 자기도 모르는 어느 날 길 위에 쓰러져 죽는다. 아마 낙타가 아니었다면 그도 이미 예전에 이 도시 어느 모퉁이에서인가 쓰러져 죽었을 것이다.

잠은 꿈처럼 깊어 그는 아침까지거나 한밤중에 황포차를 흔들어 깨우는 손님이 있을 때까지 잔다. 한밤중에 호텔에서 나

상하이 거리를 달리는 인력거들. 인력거꾼들은 낙타처럼 튼튼한 다리로 단숨에 거리를 내달렸다.

오는 손님을 태우고 가면 낮보다 더 많은 요금을 받는다. 남자 손님들은 마치 자기가 앉을 자리를 내놓으라는 듯 거칠게 발로 황포차를 흔들고, 여자들은 손으로 조용히 요람을 흔들 듯 그를 깨운다. 그들은 그 시간까지 남자 손님들을 상대하고 나오는 기생들이거나 무희들이다. 목적지에 다다를 때까지 여자 손님들은 아무 말도 하지 않는다. 그러면 모두가 잠든 적막한 도시의 가로등불 아래 인력거를 잡고 뛰는 그의 발소리와 거친 숨소리만 들려올 뿐이다.

그가 캐세이호텔 옆으로 잠자리를 옮긴 것은 지난 해 봄부터의 일이었다. 어느 날 저녁 그는 한 손님을 모시고 숨이 넘어가도록 호텔로 달려왔다. 너무도 피곤해 그는 그대로 호텔 옆 골목에 황포차를 세우고 잠이 들었다. 그러다 한밤중에 누군가 조용히 황포차를 흔드는 손길에 잠에서 깨어났다.

"지금 남시 쪽으로 갈 수 있나요?"

황포차의 휘장을 잡고 선 여자는 어둠속에서도 너무도 아름답고 완벽해 그에겐 자기와 전혀 다른 세계에 살고 있는 사람처럼 느껴졌다.

"모시지요. 이리 오르십시오."

그는 얼른 손님이 앉는 좌석에서 내려와 그녀가 그곳에 오르기 편하게 손잡이를 조정해 주었다. 후에도 그는 혹시나 해서 그곳에 갔다가 한 번 더 그녀를 태운 적이 있었다. 조각처럼 아름다우면서도 얼음처럼 차갑고 멀게 느껴지는 여인이었다.

한번은 그녀가 어디라고 행선지를 말하기 전에 그가 먼저 황포차의 방향을 그쪽으로 향해 튼 적이 있었다. 그러면서 슬몃 뒤를 돌아보자 여자는 입가에 손을 올리며 처음으로 조금은 당황한 모습을 보였다. 새벽 공기를 가르며 남시 쪽으로 인력거를 끌고 달리다보면 여자의 몸에서 풍겨 나오는 향내가 온 거리를 가득 채우는 것처럼 느껴지곤 했다. 그러나 그의 마음은 오히려 편안하지 못해 괜히 자신에게 화가 나곤 했다.

황포차를 끌고 달리는 내내 그는 마음의 감옥에 갇힌 사람처럼 이상한 압박감에 시달렸다. 그러다 그녀의 집 앞에 도착하면 언제나처럼 말 한마디 건네보지 못하고 허리를 굽혀 그녀가 인력거에서 안전하게 내릴 수 있도록 도와줄 뿐이었다. 그녀는 도도하게 인력거에서 내려 뒤도 안 돌아보고 석고문 속으로 총총 사라졌다. 그는 그때의 기분을 뭐라 표현하기 어려웠다. 매번 그런 순간을 자신이 기다리고 있었던 것인지, 아니면 그때마다 무시당하고 있는 것인지조차 알지 못했다.

1932년 1월 28일, 그날 밤도 그는 호텔 뒷골목에 세워둔 황포차에 누워 잠을 자고 있었다. 갑자기 펑, 펑, 터지는 폭탄 소리에 놀라 잠이 깨었다. 이게 무슨 일인가 싶어 주위를 두리번거리는데, 갑북 쪽에서 큰 불꽃이 치솟았다. 그곳엔 방직공장과 제분공장 등 큰 공장들이 몰려 있었다.

어둠 속에 도시는 금방 놀라움과 공포 속에 휩싸였다. 상하이엔 지난 100년 가까이 전쟁이 없었다. 사람들은 발을 동동 구르며 시내를 뛰어다녔다. 그는 비명을 지르며 허둥지둥 황포차로 뛰어오는 손님을 태우고 남경로로 달렸다. 한밤중이었지만 거리는 온통 난장판이었다.

날이 밝은 다음에도 일본 비행기는 계속 포탄을 퍼부었다. 북사천로 일대는 일본 낭인들과 해군 육전대가 이미 들어와 점령하고 있었다. 거리는 우왕좌왕하는 시민들로 아수라장을 이루고, 폭격으로 갑북의 공장들이 계속 파괴되고 있었다. 그야말로 상하이가 무차별하게 폭격 당하고 있는 것이었다. 북기차역도 기차가 훼손되었다는 소리가 들렸다.

황포차에 손님을 태우고 골목과 골목 사이를 달리다 보니 대로에서 일본군들이 트럭에 사람을 끌어다 싣는 모습이 보였다. 일본군들은 지나가는 사람들을 마구 붙잡거나 쫓아가 때리기도 하고, 심하게는 눈을 가리고 손을 뒤로 묶은 다음 한쪽으로 끌고 가 그 자리에서 총으로 쏴 죽이기도 했다. 그는 그곳을 멀찍이 돌아 쏜살같이 내달리곤 했다.

사람들은 일본군의 총부리만 보면 놀라 길을 가다가도 도망치듯 골목으로 숨었다. 위험하기 짝이 없는 일이었다. 그러나 그는 오히려 위험을 즐기듯 매일 인력거로 피난민들의 짐을 조계지로 실어 날랐다. 한겨울 물이 줄면 보 밑으로 고기들이 모여들듯 사람들은 조계지로 몰려들었다. 황포차를 부르는 사람도 많았고, 난리 중인만큼 요금도 부르는 게 값이었다. 사람들은 황포차에 쌓을 수 있을 만큼 가득 짐을 싣고 조계지로 들어가거나 또 멀리 시골로 피난을 떠났다.

길에서도 인력거 위에서도 여자들은 수건으로 얼굴을 가렸다. 그는 한 모녀의 피난 짐을 옮겨주던 중 갑자기 그녀의 안부가 궁금해졌다. 조계지에 피난 짐을 내려다준 다음 그는 바로 황포차를 돌려 그녀의 집 쪽으로 뛰었다. 그곳도 며칠 동안 폭

상해사변때 조계지를 향해 물밀듯 밀려오는 피난민들.

격을 많이 당한 곳이었다. 왜 미처 그 생각을 못했던 것일까. 그는 달리며 자신도 모르게 온몸을 덜덜 떨었다. 도착했을 때 그녀의 집은 어디에도 없었다. 그 근처의 집들이 폭격맞아 마치 귀신이 지나간 자리처럼 흉물스러웠다. 한밤중이거나 이른 새벽에 그녀가 내렸던 부서진 석고문 안으로 들어가 그는 집집마다 뒤지고 다녔다.

"여보쇼. 사람 없어요? 누가 있으면 대답 좀 해봐요."

폭격 맞은 건물더미에 깔려 있지나 않은지, 그래서 이미 목숨을 잃은 건 아닌지, 그는 자신이 왜 그녀를 걱정하는지 알 수 없었다. 폭격으로 내려앉은 서까래를 걷어내며 그는 혼자 씩씩거렸다.

"여기 아무도 없냐구요?"

그녀는 지붕이 무너져 내린 어느 집 방 한구석에 내려앉은 천장과 허물어진 벽 사이에 꼼짝도 못하고 갇히듯 누워 있었다. 그는 그녀를 발견하자 왈칵 눈물이 쏟아졌다. 대체 이게 무슨 변이란 말인가. 그는 그녀를 덮고 있는 건물 잔해를 치워낸 다음 이미 정신을 잃고 있는 그녀를 흔들어 깨웠다.

"이봐요. 내가 누군지 알겠소?"

그제야 그녀도 간신히 눈을 뜨고 그를 향해 옅은 미소를 지었다. 희미하기는 했어도 그때 그는 처음으로 여자의 웃음을 보았다. 그는 그녀를 덮고 있는 건물 부스러기를 마저 치우고 상처를 살폈다. 그녀의 두 다리가 피에 엉겨 있었다. 다행히 무릎 위로는 멀쩡하였다. 그가 업고 밖으로 나가려고 하자 그녀가 잠시 그를 제지했다.

"왜요?"
"가져가야 할 물건이 있어요."
그녀는 그에게 자신의 짐 몇 가지를 챙기게 하였다. 작은 자루에 담은 것은 몇 가지의 패물과 돈이었다. 그는 그녀를 황포차에 싣고 거리를 달렸다. 일본군이 어느 거리 어느 길목을 지키고 있는지 살필 겨를도 없었다. 그는 오직 병원만을 찾았다. 그녀의 집에서 병원까지의 거리가 천리나 되는 것 같았다. 그는 드디어 조계지 병원에 도착해 다짜고짜 의사의 멱살을 잡고 그녀를 살려내지 않으면 이 병원에 불을 질러버릴 것이라고 거칠게 협박했다. 의사는 자신의 행색과는 전혀 어울려 보이지 않는 여자를 병원으로 데리고 와 행패를 부리는 그를 어이가 없다는 듯 바라볼 뿐이었다.
두 다리의 발목 쪽에 부상을 당한 여자는 병원에서 꾸준한 치료를 받았다. 그는 여전히 거리로 나가 피난민들의 짐을 옮겨주거나 사람을 실어주고 돈을 벌어 하루에도 몇 번씩 그녀에게 먹을 것을 사다 날랐다. 자신은 생전 먹어보지도 못한 고급 죽과 음식을 사 나르면서 그는 돈이 조금도 아깝지 않았다. 또 그러기 위해 더욱 열심히 일했다.

전쟁은 거의 40일간 지속되었다. 그는 낮 동안 거리를 달릴 때에도, 저녁이 되어 병원 옆골목에 황포차를 세우고 그 속에 누워 눈을 붙일 때에도 오직 그녀만을 생각했다. 때론 그런 자신의 마음을 알 수 없어 그는 괜히 화가 난 사람처럼 자신의 몸을 걷어차듯 황포차의 바퀴를 걷어차기도 했다. 아무리 생각해

봐도 이 거리에서 거칠게 살아온 자신 같지 않은 모습이었다. 그러나 또 그녀 앞에 가면 언제나 고분고분해져 있는 자신의 모습을 보곤 했다.

시간이 지나며 그녀는 약간 발을 절기는 하지만 조금씩 옛 모습을 찾아갔다.

"이제 퇴원해도 좋겠소. 대신 매일 조금씩 걷기 운동을 하시오. 그러면 발은 금방 예전처럼 돌아올 것이오."

의사가 그렇게 말하던 날에도 그는 세 번 음식을 사들고 병원에 들렀다. 참으로 알 수 없는 마음이었다. 그 소리를 듣는 마음이 기뻐야 할 텐데, 그는 그러지 않았다. 저녁 음식을 갖다주러 갈 때 그는 허우적거리기까지 했다. 그가 기운빠진 모습을 하자 오히려 여자가 어디 아픈 거냐고 물었다. 그는 아니라고, 종일 거리를 달려서 그렇다고 거듭 강하게 부인했다.

그녀가 퇴원하는 날 아침, 그는 아침 일찍 일어나 목욕을 하고 황포차를 다른 때보다 더 깨끗하게 닦았다. 손잡이도 윤이 나게 닦고, 그녀가 올라앉을 의자와 바큇살도 윤이 나게 닦았다. 이제 그녀와 헤어져 다시 예전처럼 돌아가야 할 시간이 온 것이었다. 그는 잘 손질한 자신의 황포차를 병원 앞에 대고, 병원 안으로 들어가 그녀를 부축해 밖으로 데리고 나왔다.

"오르십시오."

와이탄 캐세이호텔 뒤에서 처음 그녀를 태웠던 날처럼 그는 황포차의 손잡이 쪽을 아래로 내리고 그녀가 의자에 안전하게 올라갈 수 있도록 시중을 들었다.

"이제 어디로 모실까요?"

여자는 말이 없었다.

"남경로로 가주세요."

한참만에야 여자는 입을 열었다. 그는 잠자코 인력거의 손잡이를 잡았다. 처음부터 달릴 생각은 하지 않았다. 그러나 어느새 자신도 모르게 걸음이 빨라졌다. 조금씩 조금씩 앞으로 달려나가는데 그는 왠지 자신의 얼굴이 멍멍하다는 느낌이 들었다. 가슴까지 답답해져 오고 있었다. 바보같이, 바보같이 눈물을 흘리고 있는 자신에 대해 그는 또 화가 나기 시작했다.

어쩌면 그녀와의 만남도 이것이 마지막일지 몰랐다. 그는 먹먹해져 오는 가슴으로 멀리 하늘을 바라보았다. 눈에는 자꾸 눈물이 흘러내렸다. 바보같이 길 위에서 서로 다가갈 수 없는 자리에 있는 한 여자를 가슴에 두게 된 것이었다.

그래. 우리는 이렇게 만나 이렇게 헤어진다. 그까짓 이별이야 나 같은 사내의 가슴에 무슨 상처가 되겠는가. 그 이별보다 더 길게 이제 나는 내 사랑을 추억할 텐데. 그는 다시 빠른 걸음으로 황포차를 끌고 남경로를 향해 달렸다. 여전히 비가 내리듯 빗속에 안개가 피어오르듯 그의 눈앞이 뿌예져 왔다.

그 거리, 한 마리의 낙타가 달리고 있었다.

정원의 신사

'모친 사망, 후속처리 후 6월 하순 상하이 도착 예정'

아. 결국 돌아가셨구나. 마가렛 양은 지금 뉴욕에 가 있는 머피 부인으로부터 전보를 받고 자신도 모르게 한숨이 나왔다.

지난 달 머피 부인은 뉴욕에서 날라온 전보를 받고 남편과 함께 상하이를 떠났다. 주인이 집을 비운 동안 이곳 저택은 어쩐지 뒤숭숭하고, 안정이 되지 않았다. 마가렛 양은 매일 이 방 저 방을 왔다갔다 하며 이유 없이 마당을 들락거리기도 했다. 그러다 전보를 받으니 슬픈 중에도 차라리 안정이 되는 기분이었다.

머피 씨 부부가 돌아오려면 아직 두 달이나 시간이 남아 있었다. 그녀는 다시 이 방 저 방을 오가며 커튼과 침구를 점검하며 창 밖을 바라보았다. 바야흐로 4월이었다. 창 밖에는 파란 하늘에 흰 구름이 두둥실 떠가고, 흰 물방울을 뿌리듯 햇빛이 사방으로 반사되고 있었다. 새싹이 막 돋아나는 이즈음은 일년중에서도 상하이가 가장 빛나는 계절이었다. 그녀는 부인의 방 화장대에서 부인의 이름이 수놓여진 얇은 레이스 손수건을 들고 창문 쪽 하늘에 비춰보았다. 하늘의 쪽빛이 그대로 손수건에 물들어 그녀의 마음까지 적시는 듯했다.

그녀는 얼핏 작년 이맘때가 생각났다. 머피 부인은 유난히 이때 파티가 많았다. 그녀는 부인의 파티 시중을 들며 갖가지 색깔의 시폰, 모슬린, 오간자, 실크, 타프타 외출복을 다리고, 모자의 리본을 손보고, 구두를 반짝반짝 닦아놓았다. 거기에 레이스 양산과 레이스 손수건, 파티 도중 화장을 고칠 수 있는 물품을 점검해 주었다. 그녀는 부인이 파티장을 향해 출발하는 모습을 늘 부러운 눈길로 바라보곤 했었다. 바로 그 계절이 돌아온 것이다.

야외에서 파티가 있던 어느 날 마가렛 양은 갑자기 쏟아지는 빗속에 부인의 비옷과 갈아신을 신발을 안고 뛰어가 무사히 부인을 모셔온 적이 있었다. 그때 그녀는 처음 파티장의 분위기를 보았다. 파티는 비 때문에 정원에서 실내로 옮겨져 있었고, 여기저기에 손님들이 모여 있었다. 밖에 비가 내려 주위가 우중충한데도 실내는 꽃밭보다 더 화사했다. 남자 손님들은 머리에 기름을 발라 멋지게 뒤로 빗어 넘겨 마치 저마다 발렌티노처럼 빛났으며, 여자 손님들은 갖가지 색깔의 꽃잎처럼 화사한 드레스와 가까이에서 느껴지는 남자들의 시선들로 더욱 생기 있는 모습을 연출했다. 그녀는 출입문 입구에서 파티가 끝날 때까지 기다렸다가 머피 부인을 대기실로 데려가 진홍 시폰 러플이 달린 실크 드레스와 같은 색깔의 비즈 장식이 달린 고급 파티구두가 비에 젖지 않도록 준비해간 우비와 신발로 갈아 신겨 모시고 나왔다.

마가렛은 그때 느꼈던 파티장의 농축된 분위기를 잊지 못해 한동안 그런 파티에 자신도 한번 가 보았으면 하는 마음을 누를 수 없었다. 주인인 머피 부인은 6월중에 돌아온다. 아직 두 달이나 남았다. 자신도 모르게 달력으로 눈이 가자 한번만 자신을 속여보고 싶은 마음이 들었다. 머피 부인의 옷장을 손질하는 그녀의 손이 저절로 떨렸다. 부인이 미국으로 가 있는 지금도 몇 통의 파티 초대장이 날아와 있었다.

"안녕하세요? 참 좋은 날씨죠?"

"예. 안녕하세요?"

"처음 뵙는데 이름이 어떻게 되시는지요?"

"제 이름은 비비안입니다."

"아, 비비안 양……."

미스 마가렛, 아니, 미스 비비안은 일찍 피어난 장미의 향기가 코끝을 자극하는 4월의 푸른 잔디밭 사이를 이리저리 돌아다니며 그날 저녁에 열리는 파티 분위기를 파악하고자 애썼다. 그녀는 머피 부인 앞으로 온 초대장을 들고 이곳에 왔다.

그녀는 조심스럽게 자신이 취할 수 있는 최고의 우아한 자세와 파티에 참석하기 전 거울 앞에서 연습한 대로 매혹적인 미

1934년의 어느 가든파티. 이 시절 상하이에 와 있던 외국인들은 영국인 9,200명, 미국인 3,800명, 프랑스인 2,500명 정도 되었다. 이들이 상하이에 서양문화를 접목시켰다.

소를 머금은 채 아무 그룹에나 함부로 끼지 않으면서도 어떻게 하면 이 파티에 자연스럽게 어울릴 수 있을까를 생각했다. 또 방금처럼 누군가 말을 걸어오면 어떻게 대답해야 할지, 또 그 사람에게 자신을 어떻게 소개해야 할지 두렵기도 하고 조바심이 나기도 했다.

머피 여사의 비단옷으로 성장을 하고, 미장원에서 두 시간이나 정성을 들여 아름답게 올린 머리를 하고도 마가렛은 영 자신이 서질 않았다. 그녀는 혼자 긴장을 풀듯 별장 정원 한쪽에 비치된 갈색 등나무 의자에 앉아 웨이터가 은쟁반에 날라주는 음료수를 조금씩 목구멍에 흘려 넣었다.

그 옆에 몇 발자국 떨어진 자리에 젊은 남자 둘과 우아한 모습의 중년 부인 둘이 테이블에 앉아 이야기를 나누는 소리가 들려왔다.

"아시다시피 저도 여기 오기 전 4년 동안 뉴욕 증권교역소에서 일했습니다. 물론 그동안 그곳에서 일하며 번 돈도 있지만 인생에서 배운 것도 많습니다. 주식시장에서 큰 요행을 잡기는 했습니다만, 소문과 유행, 투기성 매매가 판을 치는 증권가에서 그 행운이 언제까지 계속될지는 아무도 모르는 일이지요. 그럴 때 내 인생의 새로운 변화를 꿈꾸며 이곳 신천지 상하이를 찾아온 것입니다."

"어머, 그러셨군요."

"와 보니 소문 그대로 상하이는 확실히 별천지입니다. 없는 것이 없고, 또 저마다 노력만 한다면 안 이루어질 일이 없는 도시 같아요. 저는 그 기운을 여기에 와서 봤습니다. 상하이의 가능성을요. 그런데, 이야기를 하다보니 두 분 숙녀 앞에서 저 혼자 아는 척을 한 것 같군요."

"아니, 아니에요."

"제가 가깝게 느껴지면 늘 이럽니다. 너그럽게 보아주십시오."

그 청년은 너무 자랑을 해서 미안하다는 얼굴로 반쯤 자리에서 일어나 깍듯하게 예의를 갖추었다. 그러는 사이 그녀가 미국에 있을 때 유행을 타던 재즈 음악이 감미롭게 들려오고 있었다. 하늘은 어느새 분홍색으로 물들어 마주 보이는 건물 위로 발그레하게 퍼져 있고, 정원엔 일찍 피어난 장미꽃 말고도 노란 수선화와 자두꽃의 오묘한 향기가 뒤섞여 있었다. 그 꽃처럼 피어나는 은은한 열기로 여자들의 조그마한 탄성 소리가 여기저기에서 터져나오고 있었다.

그런 남녀들과 어느 정도 거리를 두고 마가렛은 혼자 멋쩍은 듯 여기저기를 구경다니며 넉 잔째의 칵테일을 마시고 있었다. 이제 그녀는 조금씩 배짱이 생기며 대체 자신이 이 파티에 어울리지 못할 이유가 무엇이며, 또 용기를 내지 못할 이유가 무엇이냐고 스스로에게 되물었다. 파티장 곳곳에 걸려 있는 오색등과 가로등도 환하게 불을 밝혔다. 그녀의 볼은 이미 발그레해졌고, 발바닥도 누군가와 마주 손을 잡고 춤을 추고 싶어 간질거리는 듯했다.

"내 이름은 로버트입니다. 아가씨의 이름은 어떻게 되는지요?"

아까 뉴욕 증권교역소에서 일을 했다는 청년이었다.

"제 이름은…… 비비안입니다."

"오, 비비안 양. 어디에서 오셨는지요."

"뉴욕에서 왔습니다."

"그러고 보니 우리는 같은 곳에서 이곳 신천지로 왔군요. 나도 미국인입니다. 아까부터 아가씨를 바라보았지요. 저와 함께 춤을 추시겠습니까?"

그녀는 로버트가 이끄는 대로 한 발짝 한 발짝 파티에 젖어들었다. 그동안 머피 부인의 파티를 준비해 주며 그녀가 마음속으로 늘 꿈꾸어왔던 세계 속으로 그녀 자신도 모르게 진입해 들어갔다.

그 날 이후 마가렛은 파티에 가고 싶은 충동을 억누르기 힘들었다. 사흘 전 딱 한번만 가보기로 한 파티에 그녀는 다시 발을 들여놓고 말았다. 머피 부인의 책상 위엔 부인이 있을 때나 집을 비웠을 때나 여전히 수북하게 초청장이 쌓여 있었다.

애스터하우스호텔에서 열린 파티는 6시에 시작되었다. 와이탄의 맨 오른쪽에 위치한 이 호텔은 로비 바닥에서부터 천정까지 짙은 갈색의 나무로 우아하게 장식되어 더욱 장중한 느낌을 주었다. 지난번 보았을 때에도 그랬듯 파티장에 모인 남자 손님들은 빛나는 정장 차림이었고, 여인들은 하늘거리는 이브닝 드레스를 입고 갖가지 보석으로 치장해 모두들 더없이 아름답게 보였다.

식사는 코스가 끝이 없이 이어졌다. 황금색 나이프와 포크는 중앙 접시 양 옆으로 즐비하게 놓여 있었다. 식탁 위에 놓인 갖가지 식기들의 모습도 어느 왕궁의 대연회를 방불케 할 만큼 화려했다. 마가렛은 의자를 조금 뒤로 빼고 그곳에 모인 사람들을 둘러보았다. 자리에 모인 사람들은 평소 자신이 보아왔던 사람들보다 어떤 면에서는 다소 우월해보였고, 또 그런 만큼 일부는 허울 좋은 저속함이 몸속 깊이 배어 있는 듯했다.

식사 후 사람들은 하나 둘 넓고 화려한 홀로 나가 춤을 추기 시작했다. 맞은편에 앉은 황금색 드레스의 여자는 남자를 조르고 있었지만, 남자는 이미 술에 취해 여자의 청을 피하고 있었다. 여자가 화난 얼굴로 남자를 노려보는데도 남자는 저쪽의 다른 남자와 나누는 이야기에만 열을 올리고 있었다.

그 자리에서 마가렛은 새로운 사실을 알게 되었다. 이곳에 모인 사람들이 쓰는 영어는 그녀가 미국에 있을 때 써왔던 말처럼 이것저것 뒤섞인 발음들과는 틀리게 낱말과 낱말들이 그녀의 귀에도 어딘가 모르게 산뜻하고 명확하게 들리는 듯했다. 미국인에게는 조금은 독특하게 들리는 영국식 발음이었다. 미국인인 듯한 사람들도 자신의 상류사회적 신분을 드러내보이듯 그런 독특한 말씨를 썼는데, 이 말을 쓰는 사람들은 그렇지 않은 사람들을 은근히 깔보는 듯한 인상을 풍겼다. 마가렛도 마음속으로 이 말을 쓰기로 했다. 꼭 이 파티에서 말고도 부인을 찾아오는 방문객 중에서도 그런 사람들을 여럿 보았다. 그래서 장난삼아 혼자 따라 해본 적도 있었다. 당장 이 파티를 돕고 있는 웨이터나 다른 나라 사람들도 그런 발음을 하는 사람들을 더 극진하게 대하는 것 같았다.

그 파티에 그녀는 지난번 파티에서 보았던 로버트를 다시 만나게 되었다. 식탁에 앉았을 때는 몰랐는데, 춤을 추는 시간에 그가 먼저 다가와 그녀에게 손을 내밀었다.

"비비안 양, 또 뵙는군요. 저하고 한 곡 추시겠습니까?"

"어머, 로버트 씨."

딱 두 번의 만남이었지만, 그때 이미 로버트는 마가렛의 마음을 사로잡아버렸다. 약속을 정하고 파티장이 아닌 곳에서 몇 번 따로 만나기도 했다. 두 사람이 데이트할 때면 로버트는 오래도록 마가렛의 눈을 바라보곤 했다. 그럴 때면 그녀의 갈색 눈은 짙은 속눈썹의 그늘 속에 어떤 우수를 담고 있는 듯 깊고 빛나 보였다. 슬픔을 간직한 듯한 우수의 눈빛이 로버트의 마음을 사로잡으며, 한편으로는 불안하게 했다.

마가렛 역시 로버트가 가지고 있는 직업적인 투기성과 가끔 엿보이는 감상주의가 다소 걱정스럽기는 했지만, 이미 어쩔 수 없는 마음처럼 그에게 깊이 끌리고 있었다. 게다가 그녀는 머피 부인의 비서 마가렛에서 전혀 새로운 인물 비비안으로 위장하고 있는 자신의 거짓말이 언제 발각될지 늘 조마조마한 마음이었다.

이렇듯 두 사람은 서로 끌리면서도 상대에 대해 자신의 존재를 불안하게 여겼다. 어쩌면 두 사람은 정말 사랑하고 있는 것인지도 몰랐다. 그런 가운데, 머피 부인이 돌아올 날도 이제 보름 앞으로 다가왔다.

그날 그녀는 상하이에서, 그리고 비비안이란 이름으로 마지막이 될 파티에 참석했다. 아직도 파티에 미련이 남았다기보다 이제 뭔가 예전의 자신, 마가렛으로 돌아가야 할 또 한 번의 절차가 필요하다는 생각을 했던 것이다. 일테면 비비안으로서는 고별 파티인 셈이고, 마가렛으로서는 잠시 꿈과 같았던 비비안의 날들과 결별하는 절차이기도 했다. 또 그러면서 마지막으로 비비안의 입장에서 로버트와의 일도 어떻게 해야 할지 결정할 때가 되었다고 생각했다.

어느 부호의 별장에서 열리는 저녁 파티였다. 파티 주최자는 그 별장의 주인이 아니라 주인과 아주 각별한 사이의 건설업자라고 했다. 그는 이 별장을 주인의 뜻과 취향에 꼭 맞게 지어준 사람인데, 자신이 별장을 건설하고도 건물과 정원 분위기에 흠뻑 빠져 이따금 장소를 빌려 이곳에서 자신의 파티를 연다고 했다.

비비안으로 참가하는 마지막 파티인 만큼 그녀는 말을 적게 하고 미소를 많이 지었지만, 시간이 지날수록 점점 속이 불편해져 왔다. 그녀는 사람들을 피하듯 실내에서 나왔다. 이 별장은 지금 파티가 열리고 있는 아늑한 본채 건물과 서너 개의 별채 건물, 그리고 그림 같은 정원으로 이어져 있었다. 그녀는 가로등이 있어도 조금은 어두운 정원 사잇길을 걸어 큰 나무가 제법 많이 서 있는 숲속으로 들어갔다.

그녀는 그곳에 놓여 있는 서너 개의 돌의자 중 하나를 손으로 더듬으며 살며시 자신의 몸을 내려놓았다. 그러나 얼른 적응되지 않은 어둠 때문에 미처 깨닫지 못했는데, 그곳엔 자신보다 먼저 한 사람이 돌의자에 앉아 있었다. 뒤늦게 사람을 발견하고 놀랐으나 그녀는 짐짓 아무렇지 않은 듯 방금 전 파티장에서 그랬던 것처럼 영국식 악센트를 섞어 인사를 했다.

"안녕하세요? 밖에 나와 계시는군요."

"예. 아가씨도 안녕하신가요?"

저쪽에서 가늘게 새어나오는 불빛에 자세히 보니 꽤 나이든 노인이었다. 그녀는 나이든 노인이 그곳에 있다는 게 놀라웠고, 노인은 젊은 그녀가 파티장에 있지 않고 바깥으로 나와 어두운 숲으로 걸어왔다는 것에 대해 조금은 의외라는 얼굴로 그녀를 바라보고 있었다.

"지금 파티중이 아닌가요?"

이번엔 노인이 먼저 물었다.

"예."

"그런데 왜 여기로 나오셨나요?"
"잠시 머리 좀 식히려구요."
"아, 예. 내 이름은 브라운입니다."
"저는 비비안이에요. 그런데 브라운 씨는 이곳에 사세요? 실례가 되지 않는다면 무얼하시는 분인지 여쭤봐도 될까요?"
마가렛은 여전히 서툰 영국식 영어를 사용하여 물었다.
"나는 이 집의 집사였답니다. 지금은 은퇴를 하여 그냥 이곳에 살고 있지요."
"아, 그러시군요."
마가렛이 저절로 감탄할 만큼 노인의 목소리와 태도는 사람의 마음을 한없이 안심시켜주는 구석이 있었다. 조금 전 정원 숲속에서 만났는데도 두 사람은 아주 친숙한 사이처럼 돌의자에 나란히 앉아 저 앞에 불빛이 비치는 건물을 바라보았다.
그녀는 다시 한 번 자신을 미스 비비안으로 위장한 채 이제까지 자신이 다녀본 세계의 여러 도시와 이곳 상하이에 와서 느낀 점을 이야기하며 점점 상하이가 좋아지고 있다고 말했다.
"오, 그러시군요. 그러면 이곳 상하이에 오래 머물다가 가십시오. 마브리스 씨의 별장에도 오래 머물다 가시구요."
"어머. 아니에요. 제가 어떻게 이곳에 머무를 수가 있겠어요? 저는 단지 파티에 초대받았을 뿐인데요."
"이곳 별장이 마음에 드시는가요?"
"예. 세계의 아름다운 곳들과 또 아름다운 집들을 많이 둘러보았지만, 여긴 정말 제가 이 안에 있는 것만으로도 꿈만 같아요. 아까 저 안에서 바깥을 바라볼 때에도 그랬는데, 반대로 여기에 앉아 저 건물 안의 불빛을 바라보노라면 가슴 안에 있는 모든 시름들이 사라져 가는 것 같아요."

"아니, 아가씨 나이가 몇인데 그 아름다운 얼굴로 시름 이야기를 하는 건가요?"

"사실은 제가 깊은 사랑에 빠졌거든요."

마가렛은 이제까지 두 번의 파티에서 만나고, 또 밖에서 따로 만난 적이 있는, 요즘 온통 그녀의 마음을 사로잡고 있는 로버트에 대해서 말했다.

"저는 그 사람이 저를 어떻게 여길지 그 생각에만 붙잡혀 있어요."

"아가씨가 지금 마음속처럼 그 사람을 이 세상에 다시없는 사람으로 귀하게 여기면, 그 사람 역시 아가씨를 이 세상에 다시없는 사람으로 귀하게 여길 겁니다."

"브라운 씨. 아니, 제가 브라운 씨를 아저씨라고 불러도 될까요? 저 사실은 아저씨에게 고백하고 싶은 것이 하나 있어요."

그녀는 자신을 진정으로 이해해 줄 어떤 사람이 필요하다는 얼굴로 노신사를 바라보았다.

"그럼요. 아가씨가 부르고 싶은 대로 부르세요. 그런데 무슨 이야기인지요?"

마가렛이 가만히 들어보니 노인이 쓰는 영어가 자신이 흉내 내어 쓰는 영어와 틀린 진짜 영국식 영어임을 깨달았다. 그녀는 순간 쥐구멍에라도 들어가고 싶을 만큼 창피했다.

"아저씨, 저는 사실 미국 사람이랍니다. 제가 아무리 영국식 영어로 흉내를 내도 아저씨는 금방 아셨을 거예요."

"아이구, 괜찮아요. 여기 상하이에 와 있는 많은 미국 사람들이 그런 식으로 말하는데요, 뭘."

"그리고 또 하나는……."

"예. 말씀해 보세요."

"실은 지금 제가 안고 있는 고민은……."

그렇게 입을 열어도 차마 자신이 비비안이 아니라 마가렛이란 말만은 도저히 할 수 없는 것이었다.

"무엇이든 말씀해 보세요. 제가 모든 걸 아가씨의 편이 되어 생각해 보도록 하겠습니다."

다시 노신사가 저 멀리에서 다가와 그녀의 몸을 감싸안는 불빛처럼 부드럽고도 따뜻한 목소리로 말했다.

"저는 로버트 씨로부터 내일 상하이 경마장에 초대를 받았어요. 혹시 아저씨는 그곳에 가 보신 적이 있으신지요?"

"예. 저도 주인님을 모시고 여러번 그곳에 가보았지요."

"그런 곳에 여자는 어떤 복장을 하고 가야 할까요? 막상 초대를 받긴 했지만 그런 곳엔 어떤 복장을 하고 가야 할지 모르겠어요."

"비비안 양이 그렇게 물으니 지금도 가장 기억에 남는 한 분의 모습이 생각나는군요."

"어떤 사람이었는데요? 아주 화려했던가 보군요."

"아뇨. 그 반대였습니다. 제가 경마장에서 보았던 수많은 여성분들 가운데 제 눈에 가장 우아하게 보였던 분은 지금 내 옆에 있는 비비안 양 또래의 젊은 부인이었답니다."

"그런데요, 아저씨."

"거기에 온 대부분의 여성들이 자신만의 화려하고 독특한 복장으로 자신의 남편과 가문의 위세를 자랑하고 있을 때, 그 젊은 부인은 오히려 수수한 면 드레스 차림으로 그 자리에 나와 조금도 주눅들지 않고 끝까지 경기를 관람하더군요. 그런데도 그녀의 주위에는 아무도 근접할 수 없는 맑고 높은 위엄이 흘러넘쳤답니다. 지금도 그 여인을 다시 쳐다봤던 기억이 나는군요."

"얼굴이 아주 빼어난 미인이었던가 보군요."

"물론 그 모습이 예쁘긴 했지만, 지금 비비안 양만큼은 아니었어요. 그런데도 내가 지금도 그 부인을 가장 아름답고 우아하며 위엄이 있는 여인으로 기억하는 것은 아마 그분이 젊은 나이인데도 자신의 삶을 있는 그대로 당당하게 드러내 보이는 모습 때문이 아니었나 싶어요."

함께 앉은 노인이 그런 말까지 하자 마가렛은 마치 자신의 속을 노인에게 들키고 만 것 같은 심정이 되고 말았다. 저절로 깊은 한숨이 새어나왔다.

"너무 걱정하지 말아요. 모든 일이 다 잘 될 겁니다. 파티에서건 경마장에서건 누구에게도 나 이상의 것을 보이려고 애쓰지 말고, 있는 그대로 아가씨를 보여드리세요. 그러면 그 사람도 비비안 양을 지금보다 더 좋아할 겁니다."

"……"

거기에 대해 그녀는 아무 말도 할 수 없었다.

"기운을 내요, 아가씨. 우리 마음속의 진실보다 아름다운 것은 없어요. 내일 로버트라는 청년과의 데이트가 어떻게 될지

나도 궁금해지는군요. 언제 나를 만나 그 이야기를 해 줄 수 있겠어요?"

"정말요?"

"아까는 몰랐는데, 이야기를 듣고 보니 궁금해지는군요."

"그렇지만 제가 아저씨를 다시 어디에서 만날 수 있겠어요? 사실 저는 이제 이런 파티에도 다니고 싶은 마음이 크게 없거든요. 그러니 아저씨를 더욱 만나기 어렵울 거예요."

"파티야 앞으로 다니지 않는다 하더라도 우리는 얼마든지 다시 만나 얘기할 수 있지요."

"어떻게요?"

"그거야 비비안 양이 언제고 다시 이곳으로 찾아오면 되지요. 나는 늘 이곳에 있는 사람이니까요. 자, 이제 파티가 거의 끝나가는 모양인데, 이제 그만 안으로 들어가 보셔야지요."

그녀가 이 저택을 다시 찾은 건 정확하게 닷새 후의 일이었다. 이제 열흘 후쯤이면 머피 부인이 돌아올 터였다. 아니, 항해 사정이 좋아 그보다 빨리 일주일 후면 돌아올지도 모를 일이었다.

그녀는 로버트와 약속한 경마장 데이트에 나가지 않았다. 진정 자신의 마음이 로버트에게 끌리고 있는 것은 틀림없었지만, 그 사람 앞에서 더 이상 자신의 신분을 감출 자신이 없었다. 그동안 자신이 만났던 사람은 로버트였지만, 무슨 말로 설명을 한다 하더라도 로버트가 만난 것은 자신이 아니라 이 세상에 존재하지 않는 어느 부호의 딸 비비안인 것이었다.

로버트와의 약속을 깨트리고 나자 갑자기 지난번 파티가 열렸던 저택에서 만난 집사 노인이 보고 싶어졌다. 그 사람이라면 왠지 자신의 마음을 위로해 줄 것 같은 심정이었다. 아니, 꼭 그 사람이 아니라도 좋았다. 그녀는 혼자 거리를 걷고 싶은 마음에 평상복을 입고 집을 나왔다. 그러나 발걸음은 자신도 모르게 그 저택 쪽으로 이끌렸다.

다시 노인을 만나겠다는 마음도 아니었고, 찾아오면 언제라도 문을 열고 기다리겠노라던 노인의 말을 믿었던 것도 아닌데, 그곳에 이르자 정말 그 저택의 정원 문이 열려 있는 것이었다. 그녀는 정원 안으로 들어갔다. 그리고 지난번처럼 정원 한가운데에 큰 나무가 있는 숲속으로 조심스럽게 한 발 한 발 걸음을 옮겼다.

"아, 오셨군요. 비비안 양."

정말 거짓말처럼 그곳에 노신사가 두 손으로 지팡이를 짚고 앉아 있었다. 이곳으로 오면서도 그러리라곤 전혀 예상하지 않은 일이었다.

"어머, 아저씨. 여기 계셨군요."

그녀는 자신도 모르게 왈칵 눈물을 쏟을 뻔했다.

"그때 아가씨와 약속한 대로 매일 이곳에 나와 아가씨를 기다렸답니다."

반갑게 인사를 나눈 다음 노인은 옆으로 조금 물러나 앉으며 그녀에게 자리를 내주었다.

"참, 아가씨. 지난번에 얘기하던 로버트 씨와의 데이트는 어떻게 되었는지요."

"저는 그날 데이트에 나가지 못했어요, 아저씨."

"아니, 왜요? 어디 많이 아팠나요?"

"그게 아니라 아저씨, 이제 저는 제 원래의 모습으로 돌아가야겠어요."

그녀의 눈엔 비로소 한 방울 눈물이 맺혀 흘렀다.

"아니, 돌아가다니. 그건 또 무슨 얘기인지요?"

"아저씨. 제 원래의 이름은 비비안이 아니라 머피 부인의 비서 마가렛이에요. 그동안 제가 이런저런 자리의 파티에 나올 수 있었던 것은 지금 머피 부인이 미국에 가 계셔서 부인 앞으로 온 초대장을 들고 다녔던 것이랍니다."

"아, 영자신문사를 운영하는 그 머피 씨의 부인 말인가요?"

노인은 짐짓 놀라는 표정을 지었다.

"잘 아시는군요, 아저씨."

"몇 번 뵌 적은 있지요."

"로버트와의 데이트에 나가지 않은 것도 이제 더 이상 제 자신과 다른 사람을 속일 수 없기 때문이었어요. 그동안 저는 아무도 깊이 사귈 수가 없었어요. 그건 제 자신이 진실성이 없기 때문이었지요. 부인이 없는 동안 파티를 다니며 그래도 제가 가장 가깝게 느낀 사람은 아저씨 한 분뿐이었어요."

"이렇게 나이든 사람에게 그렇게 말해 주니 오히려 내가 고맙군요."

노인의 말씨는 부드러웠고, 또 그 안에 진심이 배어 있다는 걸 그녀도 느낄 수 있었다.

"아저씨는 아마 아실 거예요. 여기에서 아저씨를 처음 만났을 때 제가 억양이 독특한 영국식 말씨를 흉내냈던 것 말이에요. 그때 첫눈에 알아보시고도 아저씨는 오히려 제가 무안할까 봐 그냥 빙그레 웃어주셨지요. 제가 로버트와의 데이트에 대해 말하고, 다음날 경마장에 입고 갈 옷에 대해 물었을 때에도 아저씨는 정말 성심성의껏 대답해 주셨어요. 집에 돌아와서야 저는 어쩌면 아저씨가 그때 이미 저의 원래 모습을 아시고 그렇게 말씀하셨던 것은 아닐까 생각하게 되었어요."

"내가 그랬었던가요?"

"머피 부인이 집을 비운 동안 이런저런 파티에 다니며 한편으로는 이게 그동안 말로만 들었던 상하이 상류사회인가 싶어 꿈만 같았고, 또 한편으로는 언제 꺼질지 모를 얼음 위를 걷는 것처럼 불안하기만 했어요. 순간순간 파티의 분위기와 아름다움에 감탄하다가도 무심코 내뱉은 어느 한마디에 내 신분이 들통나지는 않을까, 또 머피 부인을 아는 분이 나를 알아보지는 않을까 전전긍긍했어요. 그날 파티장에서 이곳 정원으로 걸어 나와 아저씨를 만난 것도 그 때문이었어요."

"비비안 양. 아니, 마가렛 양. 내가 그날 아가씨에게 이제까지 내가 만난 많은 부인들 가운데 가장 아름답고 위엄이 있는 부인에 대해서 얘기를 했던가요?"

"예. 아저씨."

"부인은 아니지만, 그 여성분이 지금 바로 제 옆에 계시군요. 그 날은 그렇게만 말씀드렸지만, 사실은 그런 옷차림보다 더 아름답고 우아한 것은 자기 삶에 대한 자긍심과 정직이랍니다."

노인은 고개를 돌려 그녀를 바라보며 부드럽게 미소를 지었다.

열흘 후 머피 부인이 돌아왔다. 머피 씨와 부인은 이곳 상하이의 생활을 정리해 다시 뉴욕으로 돌아갈 것이라고 했다. 그러면서 그녀에게 너는 어떻게 할 것이냐고 물었다. 그녀가 원한다면 뉴욕으로 함께 가고, 그렇지 않으면 이곳에 독립하여 혼자 남아 있어도 좋다고 했다.

"저는 혼자서 이곳에서 살아보겠어요."

그녀는 머피 부인의 비서를 그만둔 다음 공공 조계지 안에 있는 양품점에 취직을 했다. 그녀는 하루하루 열심히 일했다. 그리고 주말이 되면 그녀는 노인을 만나러 그 별장의 정원으로 갔다. 시간이 지날수록 두 사람은 절친한 친구가 되었다. 마가렛이 자신의 일에 대해 의논하면 노인이 자신의 오랜 삶과 경험으로 여러 가지 조언을 해주었다.

그러던 어느 일요일 그녀는 여느 때와 마찬가지로 노인을 만나러 나갔으나 노인은 정원으로 나오지 않았다. 그녀는 혼자 기다리다가 집으로 돌아왔다. 다음 일요일에도 문은 열려 있었으나 노인은 나오지 않았다. 그녀는 조금 섭섭한 마음 반, 걱정 반인 마음으로 혹시 편찮으신 것 아니냐고 노인에게 편지를 띄웠다.

두 달 후 가게로 한 젊은이가 찾아왔다.

젊은이는 그녀에게 조그마한 상자를 내밀었다. 그 안에는 열쇠 하나와 편지 한 통이 들어 있었다.

마가렛 양.

나는 몸이 아파 더 이상 외출을 못해요. 내가 나가지 못하더라도 용서해 주어요.

그리고 나도 이제 마가렛 양에게 마지막으로 고백할 게 있군요.

마가렛 양이 나를 만났을 때 아가씨의 이름을 마가렛이 아니라 비비안이라고 말했던 것처럼, 나 역시 그날 얼결에 아가씨에게 나의 진짜 이름을 말해 주지 않고 가명을 말했답니다. 또 그 저택의 전 집사라고 자신을 소개했지요. 일부러 속이려고 그랬던 것이 아니라 그날은 서로 그렇게 자신을 소개하는 것이 아가씨에게도 편했고, 나에게도 편했던 거지요.

편지와 함께 동봉한 열쇠는 별장의 정원과 바로 통하는 정문 열쇠입니다.

이제 내가 없더라도, 언제라도 내 집처럼 이 화원에 와서 쉬었다가 가십시오. 그 열쇠로 정문을 열고 들어오면 그 다음엔 그곳에 있는 모든 사람들이 아가씨를 이 화원의 주인처럼 따뜻하게 맞이할 것입니다.

세상살이가 힘들거나 답답할 때, 또 우리가 처음 만난 날처럼 누구에게도 말하지 못할 고민이 생겼을 때 조금도 주저하지 말고 처음 우리가 만났던 곳으로 나를 찾아오시기 바랍니다. 나는 항상 그곳에서 마가렛 양을 기다리고 있을 겁니다.

"저희 할아버지는 한 달 전에 돌아가셨습니다."

편지를 가져온 청년이 말했다.

중국의 딸

만찬은 사슨 별장 중앙 홀에서 열렸다. 나는 아저씨를 본 다음 빠르게 실내를 훑어보았다. 저쪽 끝에 구부정한 어깨에 머리가 희끗희끗한 반백의 노인이 어떤 사람과 이야기를 하고 있는 모습이 마침내 내 눈에 들어왔다. 그냥 낯이 익은 정도가 아니라, 노인을 보는 순간 한겨울인데도 등판에 찬물이 끼얹어지듯 어떤 전율과도 같은 소름이 쫙 끼쳐왔다. 꿈엔들 단 한순간도 잊을 수 없었던 아버지였다.

그러나 내 앞에 모습을 드러낸 아버지는 너무 늙어 있었다. 보는 사람의 마음까지 밝아지게 할 만큼 훤하던 얼굴은 윤기를 잃고, 입가엔 먼 곳에서 보기에도 팔자 주름이 깊게 파여 있었다. 나는 손에 들고 있던 물건을 떨어뜨리고 황급히 홀을 빠져나왔다. 정신없이 복도를 뛰어가다가 나의 상사 헨리 씨와 부덮혔다.

"이봐요, 리칭 씨, 대체 무슨 일이오?"

평소 모습과 다른 나를 보고 헨리는 함께 놀라서 물었지만, 나는 그의 얼굴을 보지도 않고 계단을 뛰어내려왔다.

아아, 아버지.

아버지를 그곳에서 만나다니. 구부정한 어깨에 어쩔 수 없이 늙어버린 얼굴은 차마 저 사람이 아버지라는 것을 믿고 싶지 않게 했다. 그러나 아무리 믿고 싶지 않아 부인한다 한들 그 사람은 틀림없는 내 아버지였다. 나는 파티 장소에서 울며 뛰쳐나온 다음 바로 집으로 들어와 이틀 동안 회사에 나가지 않았다.

열세 살 때 집을 나온 다음 나는 오래도록 아버지를 미워했다. 끝까지 엄마를 보호해 주지 못한 아버지, 나를 그 지옥 같은 집에 방치한 아버지가 미웠다. 아버지가 엄마와 나하고만 살았던 때처럼 우리를 사랑해 주었다면 이런 이별도 없었을 것이고, 내 인생에 누군가에게 빼앗기듯 엄마를 잃는 슬픔도 없었을 것이다.

돌아보면 어린 날 내 기억 속의 아버지는 용감한 군인이었다. 한번도 전투 장면을 본 적은 없지만, 동북 지방의 유명한 군벌 가운데 한 사람이었다. 아버지는 자신의 젊은 시절을 자신의 군대를 이끌고 풍미했다. 어느 군벌이나 비슷했겠지만, 아버지는 여러 곳으로 부대를 이동시켜가며 이런저런 작전들에 참여했고, 엄마와 나 역시 그런 아버지를 따라 여러 곳을 옮

신해혁명 후 손문이 남경으로 갔을 때 각 성의 군벌 대표들이 손문을 환영하고 있다.

겨다니며 살았다. 엄마는 아버지의 셋째 부인이었다. 세상에서 흔히 말하는 바대로 첩이었던 것이다.

아버지는 한때 자신의 휘하 부대와 떨어져 천진에서 절반은 은둔과도 같은 도피 생활을 했다. 그때는 아버지의 다른 부인들과도 떨어져 엄마와 나, 이렇게 셋이서만 살았다. 아버지에겐 자신의 부대와 떨어져 있어야 하는 실의와 시련의 시절이었지만, 내겐 그때가 가장 좋은 시절이었다.

내 어릴 때의 모든 기억은 여섯 엄마들과 열다섯 열여섯 명인지 여섯 명인지도 모를 이복 형제들 사이에 얼룩져 있었다. 그 많은 사람들이 누군가의 보호를 받듯 한 저택에서 살았는데(아버지로서는 그렇게 하는 것이 여러 아내와 여러 자식을 관리하는 데 가장 편했던 것인지도 모른다), 그럴 때면 아침에 자리에서 일어나 식탁에 앉아서부터 마음 상하지 않고 시작하는 날이 단 하루도 없었다.

엄마도 그 중 하나였지만, 나는 아버지의 많은 부인들을 증오했다. 내 눈에 첩은 사람도 아니었다. 그들 스스로도 그렇게 말하고, 또 끊임없이 같은 처지의 사람끼리 암투를 벌이듯 사사건건 부딪치며 싸우고 공격했다.

그러던 어느 날 갑자기 엄마가 세상을 떠났다. 그때 아버지는 자신의 주력 부대와 함께 오랫동안 집을 떠나 있던 중이었다. 엄마가 왜 돌아가셨는지 아는 사람은 아무도 없었다. 느닷없는 사고와도 같은 돌연사인지, 아니면 안방 간의 암투 속에 누구의 음모로 일어난 독살인지, 그것도 아니라면 엄마 스스로 끝없이 벌어지는 암투에 질려 자신의 목숨을 끊은 것인지 그것조차 알 수 없었다.

집안의 여자들은 내가 아직 어리다는 이유로 엄마의 시신조차 보지 못하게 했다. 멀리 집을 나가 있는 아버지는 물론 딸인 나조차도 엄마가 무슨 일로 왜 죽었는지도 모르게, 그냥 집안엔 서로 경쟁적 입장인 첩의 숫자만 하나 줄어들고 만 것이었다.

그러나 엄마는 세상을 떠나기 전 무슨 느낌이 들었는지 나를 불러 앉히고 이렇게 말했다.

"리청아. 만약 집안에 어떤 큰 일이 생기거든, 그리고 엄마가 너를 도울 수 없는 처지가 되거든 너는 바로 이 집을 떠나야 한다."

"엄마, 왜 그런 말을 하는데요?"

"그런 건 묻지 말고 너는 엄마가 시키는 대로 하면 돼."
"떠나도 엄마와 함께 떠나면 되잖아."
"사람 일은 알 수 없어서 그래. 나도 너와 함께 그러고 싶지만, 그러지 못할 상황도 있는 거란다. 아버지는 저렇게 가족들을 두고 세상을 돌아다니고 싶어서 돌아다니시겠니?"

그러나 나는 전에도 비슷한 말들을 몇 번 들은 터라 그 말을 우리의 슬픈 처지로만 받아들였지 이내 닥칠 어떤 상황의 위험 신호로는 받아들이지 않았다. 돌아가기 전날 저녁에도 멀쩡했던 엄마가 다음 날 아침 거짓말처럼 돌아가시고 난 다음, 그리고 서둘러 엄마의 장례를 치르는 동안 서로 쉬쉬하며 다섯 엄마들이 벌이는 어떤 연막과도 같은 쇼를 보며 나는 엄마가 왜 죽었는지, 또 어떻게 죽었는지를 순전히 혼자만의 짐작으로 판단해야만 했다. 그러나 엄마가 나에게 마지막 남긴 말 외에는 짐작할 수 있는 것이 아무것도 없었다.

나는 엄마의 장례를 치른 다음, 삼일째가 되던 날 어둠을 틈타 바로 집을 나왔다. 그냥 그대로 있다가는 나도 엄마처럼 아버지가 돌아오기 전에 어떤 일을 당할지도 모를 일이었다. 그때 내 나이 열세 살은 그런 상황을 판단하기에는 어리지 않았지만, 혼자 몸으로 세상 밖으로 나오기엔 한없이 어리고 두려운 나이였다.

아버지는 여러 명의 부인들 가운데 엄마를 총애했다. 그러나 엄마를 맞아들인 후에도 아버지는 세 여자나 더 집에 데리고 와서 살았다. 그 세 여자는 내가 꽤 자라고 나서 왔다. 아버지는 오래 집을 떠나 있을 때마다 한 명씩의 첩을 늘여갔다. 가족보다 부대와 함께 하는 날들 속에 아버지의 여자와 우리의 배다른 형제가 늘어났던 것이었다.

그런 첩들 가운데서도 엄마는 다른 엄마들이 질투하던 대로 누구보다 아름답고 총명했다. 사실 아름답기는 다른 엄마들도 마찬가지였지만, 어린 내가 보기에도 엄마는 다른 여자들보다 슬기로웠다. 그것이 늘 문제를 일으켰던 것 같았다.

아버지가 변방의 부대에서보다는 집에 오래도록 머무는 평온한 날들이 이어질 때 아버지는 엄마를 특별히 총애해서 아버지의 파티에 엄마와 나를 자주 참석시켰다. 엄마는 아버지의 세번째 부인이기도 했지만 훌륭한 조력자이며 또한 조언자이기도 했다.

나는 일단 고향 동북 지역에서 상하이로 도망 나왔다. 상하이는 엄마와 내가 잠시 살던 천진 조계지와 비슷했으나 그보다 훨씬 크고 복잡한 도시였다.

나는 몇 번의 관문을 거쳐 열일곱 살 때 어렵게 신사슨양행에 취직을 했다. 그러나 나이가 어린 내 직급은 최하위직인 사환에 불과했다. 나는 어릴 때부터 부모님의 배려로 신교육을 받았고, 또 아버지를 따라 많은 파티에 다니며 익힌 분위기를 바탕으로 금방 회사 생활에 적응해 나갈 수 있었다. 또 나는 회사 일을 하는 동안 매일매일 많은 외국인들과 마주치며 금방 그곳에서 영어를 배워 나갔다.

그런 노력으로 나는 차츰 회사에서 내 위치를 확보해 나갔다. 내가 정식 직원으로 자리를 잡으면서 맡은 일은 업무가 확장된 부동산투자부에서 고층건물을 짓는 데 필요한 자료와 서류를 타이핑하는 일이었다. 나는 그런 서류를 타이핑하면서 고층건물을 하나 짓는 데 엄청난 돈과 자재, 디자인, 시간이 걸리는 것을 알게 되었다. 상하이에는 새로 짓는 건물마다 다 특색이 있었고, 중국의 다른 곳에서는 보기 힘든 현대화된 고층건물들이 속속 들어서고 있었다.

그러는 사이 어느덧 10년이란 세월이 흘러 나도 20대 중반의 처녀가 되었다. 회사에서 나는 뭐든지 배우겠다는 자세로 꾀를 피우지 않고 일을 했다. 그러다 나중에는 회사의 핵심 부서에 들어가 회계 업무까지 담당하게 되었다.

그러던 어느 날이었다. 회사에서 자주 여는 파티를 준비하다가 나는 그날 사장의 초청을 받아 온 사람들이 각 지역의 군인들이라는 것을 알게 되었다. 서양에서 온 사업가가 중국의 군인들을 파티에 초청하는 것이 아주 뜻밖의 일인 것은 아니었다.

파티는 유럽전쟁(1차세계대전)에서 남겨진 대량의 무기를 헐값에 사들여 증기선에 실어온 사슨 사장이 그것을 팔기 위해 각 지역 군벌들을 초대한 자리였다. 그날 나는 헨리 상사의 지시로 파티에 참석해 매우 조심스럽게 파티의 진행을 도왔다. 그러다 초대되어 온 손님 중에 아버지와 매우 친했던 진성 아저씨의 얼굴을 보았다. 내가 마지막으로 보았을 때는 30대의 장군이었던 진성 아저씨는 어느새 나이가 들어 있었다. 한 순간 등줄기가 서늘해지는 느낌 속에 그때부터 나는 나도 모르게 아버지를 찾기 시작했다.

얼마를 그렇게 탐색한 끝에 저쪽에 머리가 희끗희끗한 초로의 노인으로 변해 있는 아버지의 모습을 발견한 것이었다. 아, 아버지. 나는 지난 10여 년 동안 너무도 변해버린 아버지를 금방 알아보지 못했다. 아버지도 같은 세월 속에 아이에서 어른이 된 내가 이 자리에서 파티의 진행을 돕고 있으리라고는 꿈에도 생각하지 못했을 것이다.

홀로 집을 떠나 있는 동안 나는 아버지를 미워했다. 아버지는 왜 엄마를 보호해 주지 못했나. 또 왜 나를 보호해 주지 못했나. 그런 원망 속에 아버지는 엄마가 죽고 내가 없어졌는데 단 한번이라도 나를 찾기 위해 애를 썼을까, 그것까지 마음의 트집을 잡으며 10여 년 동안 나를 찾지 않은 무정한 부정(父情)을 미워했다.

나의 행복을 빼앗고, 엄마의 목숨까지 빼앗았으면 보다 더 당당하고 보다 더 큰 산처럼 나타났어야지, 파티장에서의 모습은 또 무엇이란 말인가. 내가 없어져도 지난 10여 년 간 찾지도 않을 만큼 무정한 아버지가 무엇 때문에 그렇게 늙어버렸단 말인가.

미움과 연민이 교차하여 나는 제대로 잠을 이룰 수 없었다. 파티장에서 본 아버지의 모습은 아버지가 그동안 얼마나 힘든 세월을 살아왔는가를 그대로 보여주었다. 사실 지난 10년 간은 각 지역 군벌들간의 전쟁의 시기였고, 경쟁의 시기였다. 내가 집을 나온 다음 아이에서 어른으로 성장하는 동안 지켜본 상하이 모습도 그랬지만 그동안의 정국도 너무나 변화무쌍했다. 장제스는 북벌로 국가를 통일하겠다고 끊임없이 군벌들을 공격했다.

어릴 때의 기억에 아버지는 한때 피를 나눈 동지가 하루아침에 적군으로 등을 돌리는 모습에 분개했다. 엄마는 그때마다 아버지를 다독였다. 그러나 엄마는 다른 엄마들의 불타는 적개심을 다독이지는 못했다. 아버지는 늘 그런 일에서 벗어나 전쟁터 한가운데에 있었다. 어쩌면 아버지가 지금까지 살아 있다는 것이 하늘의 은총인지도 몰랐다.

삼일째 되는 날 헨리 상사가 나를 찾아왔다. 파티장에서 뛰쳐나온 다음 이틀이나 무단결근을 하고 있는 부하직원이 걱정되어 찾아왔다는 그에게 나는 나의 개인적인 일들에 대해 말하지 않을 수 없었다.

"파티장에서 아버지를 만났어요."

"아버지라니요?"

"나는 그날 그 파티에 참석한 동북 지역 어느 군벌의 딸이랍니다."

"무슨 얘깁니까? 자세히 말해 봐요."

"나의 아버지는 동북 지역의 한 군벌이고, 나는 12년 만에 그 자리에서 아버지를 만났어요. 그래서 너무도 놀라 피티장을 뛰쳐나온 거예요."

헨리 상사는 때로는 놀라며, 때로는 조용히 내 얘기를 다 듣고 난 다음 자신의 힘이 닿는 데까지 나와 아버지를 도와주겠다고 했다. 그는 회사에서 확보하고 있는 무기 중 가장 성능이 좋고 보관상태가 좋은 것을 거의 무상으로 아버지에게 주었다. 다른 군벌들에게는 사슨 사장이 확보해 온, 이제 유럽에서는 쓸모도 없는 대량의 고물 군수품들이 엄청난 고가에 팔려나갔다.

"리청 씨. 한 가지 조건이 있어요."

"무엇이든지 말씀하세요."

"내가 리청 씨를 돕는 대신 리청 씨는 이 일을 비밀에 부쳐야 합니다. 회사에 들어와 처음으로 원칙에서 벗어난 일을 했습니다."

나에 대한 다짐으로서 뿐 아니라 실제로 나의 상사 헨리는 그런 사람이었다. 그는 오직 회사만을 위해서 일했다.

파티장에서 단 한번 먼발치에서 바라본 것을 마지막으로 아버지는 상하이를 떠났다. 이후, 나는 일을 하다가 사무실 창 밖을 바라보고 하늘을 바라보는 버릇이 생겼다. 지금쯤 아버지는 어디에 계실까. 몸이 편찮으신 것은 아닐까.

흐르는 물처럼 그렇게, 또 흘러 창 밖을 지나가는 구름처럼 고요하게 나의 젊은 날들은 흘러갔다. 그러다 몇 년이 지난 어느 가을 날, 이곳 상하이에서 듣는 소식으로는 그야말로 갑자기 만주사변이 터졌다. 일본이 만주를 침공하여 거점을 확보한 다음 폐위된 지 20년이나 지난 푸이를 다시 자신들이 세운 만주국의 허수아비 황제로 내세운 것이었다. 장제스는 군벌들에 대한 토벌을 중지하고 남경으로 철수했다. 산동으로 출병하고 장작림을 폭살시켰던 일본이 만주에 새로운 침략 전쟁을 도발한 것이다. 이 틈에 아버지가 돌아가셨다.

나는 슬픔과 외로움을 견딜 수 없었다. 아버지가 돌아가신 다음에야 나는 어린 시절 아버지가 나를 많이 사랑했음을 뼈저리게 느꼈다. 이제 이 세상엔 나 한 사람뿐인 것이었다. 일찍이 어머니가 돌아가시고, 어디에 계시는지는 모르나 고아처럼 늘 외로운 내 마음 안에는 아버지가 있었다. 그러나 이제 그런 아버지마저 돌아가시고 말았다. 나는 회사 일을 하다가도 까닭없이 눈물짓고, 창 밖을 바라보다가도 깊은 한숨을 내쉬었다.

"리칭 씨. 이제 더 고집을 피우지 말고 나하고 결혼해요."

헨리의 말대로 나는 더 이상 고집을 피우지 않고 그와 결혼했다. 돌아보니 절대 결혼 않겠다던 고집도 꽤 오래 간직해온 셈이었다. 예전에 무기 판매건으로 나와 아버지를 도와준 이후로 그는 오래도록 나에게 구혼해 왔다. 이제 완전하게 혼자라는 생각이 나의 오랜 고집을 꺾게 했다.

동북 지역은 일본의 침공으로 어지러웠지만, 같은 시기 상하이는 최고의 고양기를 맞이하고 있었다. 나와 헨리가 몸담고 있는 신사슨양행 역시 사업의 전성기를 구가했다. 중간에 1차 상하이사변이 있긴 했지만 상하이의 경제와 문화는 여전히 세계 최고를 지향했다. 상하이 전체가 자주 파티가 벌어지던 내 어린 시절을 연상시켰다. 사슨 사장의 위세 역시 하늘 높은 줄 몰랐다.

한번은 이런 일도 있었다. 국민당 정부가 와이탄에 34층의 중국은행을 지으려 했다. 그게 바로 우리 회사 옆이었다. 사슨 사장은 그곳이 영국 조계지라는 이유를 들어 그 건물의 신축이 부당하다며 런던까지 재판을 끌고 갔다. 결국 국민당 정부는 은행 건물을 34층에서 16층으로 설계를 고쳤다. 그것도 옆에 있는 우리 회사 빌딩보다 30cm 낮게 하는 것으로 조정했다.

그만큼 신사슨양행의 사슨 사장은 상하이에서 중국 최고의 권력자보다 더 기세가 당당한 부와 권력을 누렸다. 그는 돈이 되는 일이면 무슨 일이라도 했다. 먼저 말한 것처럼 아버지와 같은 중국 각 지역의 군벌들을 상대로 유럽에서는 고철에 불과한 무기를 들여와 고가에 팔아넘기기도 했고, 자신의 명예와 자존심을 위해서는 국민당 정부와도 맞서 그 뜻을 관철시키기도 했다. 그는 참으로 여러 얼굴을 가진 사업가였다.

중일전쟁이 터지고, 태평양전쟁이 터진 다음 사슨 사장은 이곳이 아무리 조계지라도 자신의 영화를 영원히 보장해 주지는 못하리라는 판단 아래 중국에 벌여놓은 사업들을 축소하고 그 자금을 국외로 차출하기 시작했다. 외국 투자가로서는 어쩔 수 없는 선택이었다.

항일전쟁이 끝난 다음 사슨 사장은 상하이 직속회사를 전부 홍콩으로 이전시키고 상하이엔 지점만 남겨두었다. 상하이 지점의 업무도 대폭 축소하고, 자신이 가지고 있는 수많은 부동산과 주식을 대량으로 매각했다. 남편을 필두로 회사 간부들이 이 일을 맡았다.

그때 나는 혼란의 틈바구니 속에서 저마다 자기 이익에 혈안이 되어 있는 많은 사람들을 보았다. 국가 원수와 영부인의 친족도 그랬고, 국민당의 고위 관리들도 그랬다. 또 나는 그때 회사 간부들이 저지르는 온갖 탐욕과 부정을 보았다. 그들의 탐욕과 부정은 중국 대륙에서 국민당 정부가 몰락하기 직전 극에 달했다.

국공내전이 공산군의 승리로 끝나자 신사슨양행은 본사를 홍콩에서 바하마군도의 나소로 이전했다. 나와 헨리도 사슨 사장을 따라 낫소로 나왔다. 1961년 사슨 사장이 나소에서 사망할 때까지 우리는 그의 곁을 지켰다.

사장님의 장례식을 마치고 나는 헨리에게 말했다.

"나는 당신의 아내로서 당신이 사장님에게 끝까지 신의를 지킨 것을 소중하게 여겨요."

"그 신의를 흔들리지 않고 지키게 해준 사람이 바로 당신이오."

"딱 한 번, 아버지의 일로 당신에게 부탁한 적이 있어요."

"훗날 어떤 일에도 그것은 나에게 교훈이 되었소. 그 일로 나는 후일 사장님에게 더욱 신의를 지킬 수 있게 되었고, 당신에게도 내가 내 사랑하는 사람에게 할 수 있는 모든 것을 할 수 있게 되었던 것이오."

나는 바닷가에 나와 대서양과 태평양 두 바다 너머에 있을 중국을 바라보는 날들이 많아졌다. 내가 떠나올 때 혼란의 극에 달했던 상하이가 지금은 어떤 모습으로 변했을까?

끝없이 푸른 바다를 바라보노라면 그리운 아버지의 얼굴이 수평선 저 멀리 하늘에 걸려 있었다. 아버지는 구름 사이로 나를 보고 웃고 계셨다. 그곳에 어린 시절 내 눈에 늘 불쌍하게만 보였던 엄마도 함께 계셨다.

또 푸른 창문과도 같은 바다 위로 상하이의 아침노을과 사무실에 일찍 나와 열심히 걸레질을 하며 하루를 맞이하던 어린 내가 보이고, 헨리와 결혼 후 행복했던 나날들이 떠올랐다. 회사 앞길을 오가던 수많은 사람들, 또 그들 모두를 품에 안고 와이탄을 내려다보며 서 있던 자유의 여신상 너머로 핑크색 구름이 흘러가던 상하이가 떠올랐다.

사랑 때문에 내 아버지를 돕는 일에서 말고는 단 한 번도 회사에 대해서도, 사슨 사장에 대해서도 신의를 버린 적이 없는 남편 헨리는 사슨 사장이 죽은 다음해 같은 나소에서 영면했다.

나의 사랑 김염

하늘이 나의 뜻에 응답했다. 걱정에 못이겨 보낸 나의 편지가 이제 한 편의 영화로 탄생된다. 사실 그에게 편지를 보낸 팬들은 얼마나 많을까. 더구나 나같이 평범한 여자가 보낸 편지를 과연 그가 읽기나 할까. 나는 번민했다. 그러나 더 이상 내 마음의 걱정을 참을 수 없어 나의 진실을 그에게 전하기로 하고 창피함을 무릅쓰고 2년 넘게 계속 편지를 썼다.

그러다 어느날 신문에서 영화배우 김염에게 보낸 한 여성의 편지가 작가의 마음을 움직여 한 편의 영화가 탄생하게 되었다는 기사를 보게 되었다. 바로 내 얘기였고, 앞으로 그렇게 만들어질 영화가 '3인의 모던 여성' 이라는 것이었다. 기사를 보고 나는 너무도 놀라 오히려 무릎에서 힘이 쭉 빠지는 느낌을 받았다. 드디어 하늘이 나늘 도왔구나. 이런 일이 실제로 이루어

영화 '야초한화'에 부잣집 도련님 역으로 출연한 김염이 극중에서 바이올린을 연주하고 있다. 이 영화로 그는 일약 상하이 최고의 인기배우로 등극해 이후 '영화 황제'라는 칭호를 얻는다.

지다니. 감격해서 한참 울었다. 말할 것도 없는 기쁨의 눈물이었다.

김염은 나와 내 친구 모두의 우상이었고, 우리 회사의 남자 직원들뿐만 아니라 어른들도 좋아하는, 우리 모두의 사랑스럽고 자랑스러운 배우다. 이번에 새로 찍는 영화 '3인의 모던 여성' 은 실제로 김염을 모델로 하여 김염이 남자주인공으로 출연할 영화였다. 기사에 난 대로 김염에게 보낸 어느 영화팬의 편지를 바탕으로 영화를 만든다면, 그 영화의 여자 주인공은 내가 나가야 하지 않을까. 아니 배우가 내 역을 한다 하더라도 내 마음을 자세히 설명해 주어야 하지 않을까. 그렇지 않으면 그 영화는 관객들에게 감동이 제대로 전달되지 않을 거라는 생각이 들었다.

나는 그를 만나야겠다. 방구석에 혼자 처박혀 여전히 속으로만 그를 사모했다가는 하늘이 내게 주신 이 기회를 영 잃어버리고 영화마저 망칠지 모른다. 그렇다. 상하이로 가자. 나는 이 결심을 하는 순간 어떤 사명감과 함께 내 스스로의 결의에 대하여 소름이 목 뒤로 쭉 올라오는 듯한 느낌이 들었다. 가자! 김염에게로.

얼마나 황홀한 순간인가. 내가 그를 만날 수 있다니. 아니, 그가 내가 바로 그런 편지를 쓴 사람이라는 것을 알 수 있을까. 어떻게 증명해 보일 수 있을까. 나 말고도 나처럼 계속 편지를 쓴 여자가 있는 것은 아닐까. 아, 그래, 그에게 내 필체를 보여 주어야지.

그 후 나는 월급을 모아 상하이로 떠날 준비를 서둘렀다. 다행히 평소 낭비를 안 해서 얼마간 저축한 돈이 있었고, 회사에 휴가를 신청했다. 나는 평생 사 입어보지 않은 고운 분홍색 원피스를 샀다. 지난 일주일 동안 나는 회사로 출근하는 길에 옷가게에서 보았던 그 옷을 남이 사기 전에 내 손에 넣었다. 그날 그 원피스는 하늘거리며 내게로 왔다. 나는 반쯤 비칠 듯 말 듯한 부드러운 분홍 시폰 사이로 내 몸을 실어 어느새 김염을 만나러 가고 있었다.

나는 바람을 가르고 하늘을 가로질러 머리를 휘날리며 그 앞에 도착하는 내 모습을 상상했다. 과연 그는 나를 알아볼까. 나를 반갑게 환영해 줄까. 또 내 마음 속을 알아줄까. 내가 얼마나 그를 사랑하고 있는지. 그에 대한 내 사랑이 얼마나 깊은지.

그를 처음 본 것은 '야초한화' 에서였다. 그 영화에서 나는 그의 신선하고도 아름다운 모습에 내 혼을 빼앗기고 말았다. 그가 사랑하는 여자와 맺어지지 못하고 고뇌하는 모습을 볼 때 나의 가슴은 그야말로 찢어지는 듯했다. 그는 어쩌면 고뇌하는 모습조차도 그토록 아름다울까.

나는 남자를 별로 좋아하는 타입이 아닌데도 그만은 예외였다. 그는 헐리우드 배우인가 중국 배우인가 싶을 정도로 서양 사람과 중국 사람의 경계를 넘어서는 아름다움이 있다. 아니 그보다 무어라 정확히 표현할 수 없지만, 그에게만은 모든 것을 도와주고 싶고 가까이 다가가고 싶은 마음이 넘쳐 나를 지킬 수 없었다. 무엇이건 그와 함께 하고 싶었다. 이미 마음은 그와 함께였다. 영화에서 그를 처음 보기 전까지 나는 내게 그런 면이 있는지조차 알지 못했다. 그는 어쩌면 나를 천하게 만든 것이 아닐까. 그를 알기 전까지는 남자에게 별 관심조차 없었는데.

지난날 어스름 속이거나 산들바람이 살랑거리던 밤에 내가 그에게 보낸 수많은 속삭임과 먼 하늘에 대고 그에게 고백한 고귀한 그 무엇들, 차마 사랑한다고 대놓고 말하지는 못했지만 그때의 황홀했던 열정과 떨림, 그것을 어떻게 그에게 부담되지 않게 내 감정 그대로 전할 수 있을까 밤을 새며 고민하던 밤들. 그러나 속으로는 얼마나 말하고 싶었던가. 사랑한다고, 그대야말로 내 사랑이라고.

지난 2년간 편지를 쓰며 그와 함께 했던 나날들, 그의 영화가 나오면 그와 새로이 만난 것처럼 가슴 떨리고 눈동자가 커지며 온몸이 화끈거리는 것처럼 열정에 휘말리던 것을 그가 알까. 그가 내 인생에 얼마나 큰 영향을 끼쳤는지, 나의 나날들을 얼마나 지배했는지. 정말 가슴이 콩알만해지는 것처럼 긴장되고 기쁘기만 하고 걱정되는 순간순간들을.

그를 좋아하게 되면 될 수록 내 자신이 너무도 보잘것 없는 존재라는 것을 깨닫게 되었다. 별 하나 떠 있지 않은 하늘처럼 외롭던 내 가슴에 그는 너무도 황홀하게 타올라 나를 걷잡을 수 없게 했다.

그렇다. 더 이상 나 자신을 숨기자 말자. 그에게로 가자.

드디어 나는 상하이에 도착했다. 긴장감과 조바심은 시간이 지날수록 더해 가나, 우리는 곧 만날 것이니 죽든 살든 부딪쳐 보자. 상하이 숙소에서 미리 편지에 적은 대로 그와 만날 장소에 입고 나갈 원피스를 바라보며 나는 다시 꿈을 꾼다. 온몸이 소름이 끼치는 듯 더우면서도 몸이 떨리는 것 같다.

오후 3시의 찻집. 나는 4시에 만나자고 편지를 띄웠다. 그가 나오지 않으면 어떻게 하나. 그가 편지를 받지 못했으면 어떻게 하나. 받고도 그것이 내 편지인 줄 모르고 안 나올 수도 있고, 또 나인 줄 알고도 안 나올 수도 있다. 촬영이 있어서 못 나올 수도 있고, 아파서 못 나올 수도, 또 다른 일이 있어 못 나올 수도 있다.

그러나 제발 나와주기를 바랍니다. 김염 씨, 제발 나와서 나를 만나주세요. 이렇게 빕니다. 찻집에서 나는 두 손을 모아 기도하듯 나도 모르게 내 가슴을 꼭 누르고 있었다.

머리가 핑 도는 것 같다. 여기가 어디일까. 그는 어디에 있는 것일까. 나의 사랑하는 김염 씨. 당신은 나를 만나러 와 주겠지요. 나는 애타는 눈빛으로 입구 쪽을 바라본다. 입구 유리 문으로는 신록의 가로수가 비춰보이고, 사람들의 검은 머리가 보일 듯 말 듯 스쳐지나간다. 또 가끔 한두 사람이 입구에 나타나 찻집 안으로 들어오기도 하고 또 나가기도 한다. 그러나 한참을 기다려도 그는 보이지 않는다.

시간은 벌써 네 시를 지나고 있다. 나는 테이블 위의 찻잔을 바라보며 갑자기 한심한 생각이 든다. 정말 바보 같다. 바보같아 비참해지기까지 하려 한다. 눈엔 어느새 자괴감에 눈물이 맺힌다. 스스로 이러고 있는 꼴을 보자니 이제까지 금이야 옥이야 나를 귀하게 키워주신 부모님에게도 뵐 낯이 없다. 친구들에게도 창피하고 무엇보다 나 자신에게 제일 창피하다.

그때 갑자기 나는 찻집 안에 썰렁한 공기가 지나가고 있는 것을 느낀다. 나는 고개를 들 수가 없다. 나도 모르게 왈칵 눈물이 쏟아진다. 한참을 눈물을 감추기 위해 찻잔에 든 물만 바라본다. 어서 다른 곳으로, 아무도 나를 모르는 곳으로 가고 싶다.

그러다 문득 고개를 들어 다시 입구를 바라본다. 아, 그때 나는 김염을 보았다. 그가 웃으며 내게로 걸어오고 있다. 나는 정신을 차리기 위해 눈을 깜빡여 본다. 이것이 꿈인지 현실인지 알 수가 없다. 아아, 김염. 나는 꿈에서라도 그를 만나리라. 절대 그를 놓지 않으리라.

김염 씨. 저에게 다가오세요. 여기에요. 저 여기에서 당신을 기다리고 있어요.

내 마음의 별

방적공장의 어린 노동자. 이들을 불과 예닐곱 살 나이에 공장에 들어와 하루 열두 시간의 중노동을 이겨냈다. 그들은 작업 시간 내내 서서 일하며 열악한 작업 환경 및 엄청난 저임금에 시달렸다.

'엄마, 살려줘…… 나, 너무 힘들어…….'

나는 마음속으로 백번도 넘게 엄마를 불렀다.

'엄마, 엄마, 엄마…….'

저녁을 먹은 다음 나는 지금 여섯 시간째 기계 앞에서 앉았다 일어섰다, 무릎을 폈다 구부렸다를 반복하고 있다. 기계는 쉬지 않고 소리를 내며 돌아가고, 우리도 기계에 맞춰 쉬지 않고 몸을 움직여야 한다.

정말 너무너무 힘들다.

'엄마, 엄마……. 나 이대로 죽을 것 같아.'

나는 2년 전 여섯 살 때 이곳으로 왔다. 이 공장은 밭에서 나는 면화를 옷감을 짜는 실로 만드는 공장이다. 무명실을 감는 기계는 얼굴 앞에서 돌아가는데, 자꾸만 눈이 감긴다. 공장 언니들 말대로 이 세상에서 제일 무거운 것이 사람 눈꺼풀이다. 정신을 차리려고 하면 할수록 자꾸만 아래로 내려와 감긴다. 한번 잠이 쏟아지면 눈꺼풀을 제자리로 밀어올리는 것조차 어떻게 해볼 수 없을 만큼 힘이 든다. 그럴 때면 저쪽에 있던 작업반장 아저씨가 있는 대로 고함을 지르며 달려와 끝을 뾰족하게 깎은 몽둥이로 사정없이 우리 몸을 찌른다.

"일어나! 일어나서 기계를 똑바로 보고 일하란 말이야!"

그때마다 파드득 놀라 졸음에서 깨어나지만, 한번 쏟아지기 시작한 잠은 작업반장이 저쪽 줄로 옮기기도 전에 다시 내 눈꺼풀을 누른다. 게다가 공장 안은 너무나 덥고 시끄럽다. 실을 뽑기 전 면화를 삶아내는 커다란 가마에서 뿜어져 나오는 뜨거운 증기가 짙은 안개처럼 공장 안을 가득 채우고 있다. 뜨거운 물과 한번 삶은 면화가 담긴 대야에 늘 손을 넣고 작업을 한다. 이때 까닥하면 손을 데기 십상이다. 아무리 조심해도 위험은 언제나 졸음처럼 언제 오는지 모르게 스스르 다가온다.

얼마 전에도 한 아이가 면화를 삶는 커다란 가마 옆을 반쯤 눈을 감은 채 걸어가다가 무엇에 발이 걸린 듯 휘청 그 안으로 떨어지고 말았다. 아악, 하는 비명소리와 함께 그 아이는 끓는 물 속에 순식간에 목숨을 잃고 말았다.

목숨을 잃는 그런 큰 사고가 아니라도 면화를 삶는 통에 손을 데거나 한 올 한 올 실을 뽑아 물레에 감아야 하는 대야 속의 뜨거운 실뭉치에 손을 데는 일은 며칠마다 한 번씩 일어난다. 그러면 대번에 손바닥과 손가락이 시뻘겋게 부어오른다. 때로는 손톱이 빠지고, 손가락의 모양마저 뒤틀어지기도 한다. 사고를 당하지 않으려면 억지로라도 졸음을 쫓아야 하는 걸 아는데도 내 몸이 마음대로 안된다.

"죽고 싶어! 졸지 말라니까!"

저쪽으로 간 줄 알았던 작업반장이 어느 결에 다시 이쪽으로 와 내 옆구리를 찌른다. 하루에도 몇 번씩 당하는 일이라 옷을 걷으면 옆구리와 엉덩이가 온통 푸른 멍으로 얼룩져 있다. 때로는 회초리 같은 작대기로 사정없이 등을 후려치기도 한다.

그런데도 이 시간만 되면 견딜 수 없을 만큼 잠이 쏟아진다. 어떤 아이는 하늘에서 별이 쏟아지듯 잠이 온다고 했고, 어떤 아이는 자기가 별이 되어 하늘로 올라가듯 잠이 온다고 했다. 아직도 다섯 시간이나 더 참아야 교대 시간이 된다. 잠을 쫓기 위해 나는 다시 엄마와 이야기를 한다.

'정말 다리가 너무 아프고 너무 힘들어, 엄마. 저기 가마 옆에 가면 머리가 깨질 것 같아. 우리가 일하는 작업장 옆에도 항상 기분 나쁜 냄새가 안개처럼 둥둥 떠다녀. 여기 작업장도 공기가 나빠서 숨이 탁탁 막혀. 냄새 때문에 쓰러지는 사람들도 있어. 엄마, 나도 여기 처음 올 때 그랬지만, 여기에는 나보다 더 어린 애들도 많아. 정신 바짝 차리고 일해야 돼. 저기 작업반장이 이쪽으로 오고 있어, 엄마…….'

엄마를 생각하면 자꾸 그날이 생각난다. 우리집은 어느 농촌의 작은 강가에 살았다. 그해 엄청나게 많은 비가 내렸다. 강이 불었고, 논과 밭이 물에 떨어져 나갔다. 그런 홍수에 오빠와 나는 아버지와 엄마를 잃었다. 한 순간의 일이었다.

며칠 째 비가 몹시 내리던 날, 아버지와 엄마는 나와 오빠를 강으로부터 조금 더 떨어진 보다 안전한 이웃집으로 옮겨놓고, 살림살이를 하나라도 더 챙기려고 다시 강가에 있는 집으로 갔다. 그런데 그때 물속에 잠겼던 위쪽 마을의 보가 터지며 한꺼번에 빠른 물살이 밀고 내려와 우리집을 삼켜버렸다. 오빠와 나는 그것을 언덕 위의 이웃집 마당에서 지켜보았다. 우리가 본 것은 한 순간 불어난 물이 우리집을 휩쓸어버리던 모습뿐이었다. 물 속에 장난감처럼 집이 구겨지며 흔적도 없이 사라졌다. 지붕은 떠내려가며 꽤 오래 보였지만, 거친 물결 속에 아버지와 엄마의 모습은 어디에도 없었다.

"어, 오빠. 우리집이 없어졌어. 아버지와 엄마도 안 보여."

정말 거짓말 같은 일이 오빠와 내 눈앞에 펼쳐졌다. 너무도 순간적으로 벌어진 일이라 오빠와 나는 슬퍼하고 말고 할 정신도 없었다. 물이 빠진 다음 오빠와 나는 우리집이 있던 자리에 가보았다. 그곳은 집이 있던 자리가 아니라 마른 강바닥 같았다.

이웃집 아저씨는 마을로 찾아온 어떤 아저씨에게 우리를 맡겼다.

"너희들이 사는 방법은 그것밖에 없다. 홍수가 지나간 이 마을에서 너희를 거두어줄 집은 이제 없구나."

이웃집 아저씨로서도 어쩔 수가 없는 일이었을 것이다. 강가에 있던 논밭들은 떠내려가거나 모래와 진흙바닥에 묻혀 버리고, 남은 곡식들도 금방 누렇게 병들어버렸다.

오빠와 나는 윗마을의 다른 아이들 네 명과 함께 아저씨를 따라 여러 날 걷기도 하고 배를 타기도 하면서 상하이에 왔다. 이곳은 우리가 자란 동네와는 아주 딴판인 곳이었다. 우리는 여기 저기 높이 솟은 집들과 새로운 것들을 구경하느라 서로 손을 놓치기도 해서 아저씨한테 야단을 맞았다. 상하이로 온 날 아저씨는 우리에게 만두를 사주었다. 오빠와 나는 아버지와 엄마가 돌아가신 다음 오랜만에 맛있는 음식을 먹었다.

"다음에 우리 돈 벌어서 이런 거 또 먹자."

다른 아이들이 듣지 않게 오빠가 말했다. 어리지만 막연하게나마 우리가 돈을 벌러 간다는 걸 오빠도 알고 있었고, 나도 알고 있었다. 그러나 그날 먹은 만두가 오빠와 내가 함께 한 마지막 식사였다.

우리보다 키가 크고 예쁜 여자 언니는 홍등이 걸려 있는 어떤 큰 기와집 앞에서 내려졌고, 오빠는 어떤 벽돌공장에 내려졌다. 아홉 살이지만 오빠는 충분히 벽돌을 나르는 일을 할 수 있었다. 나는 나와 나이가 비슷한 다른 친구와 함께 양수포에 있는 지금 이 방적공장에 오게 되었다.

'엄마, 그리고는 오빠를 한 번도 보지 못했어. 오빠는 내가 어디에 있는지 모르지만, 나는 오빠가 어느 벽돌공장으로 갔는지 알아. 내가 조금 더 자라면 오빠를 찾아갈 거야. 그런데, 엄마. 왜 이렇게 졸립고, 잠이 쏟아지는지 모르겠어……. 오빠와 헤어져서 너무나 겁났지만, 우리를 이곳으로 데리고 온 아저씨가 이제 우리도 밥 같은 건 굶지 않고, 돈도 벌 수 있다고 해서 마음이 아픈 것도 꾹 참았어. 그리고 처음엔 이렇게 힘든 일을 하지 않았어. 그때 나는 여섯 살밖에 되지 않아서 공장 안에서 나보다 큰 언니들이 한 일을 정리하는 일을 맡았어. 하루 종일 실을 감고, 다른 언니들이 기계에서 뽑아낸 실에 뭉친 보푸라기를 뜯어내는 일을 했어. 그러다가 몇 달 지나 언니들 몇이 공장을 나가면서 여섯 살인 우리도 물레 앞에 서기 시작했어. 그때 무서운 건 아닌데 얼마나 겁이 났는지 몰라.'

그건 처음 공장에 왔을 때부터 그랬다. 우리가 왔을 때 나이 든 언니들이 너희들 어디에서 왔니? 하고 묻지 않고 어디에서 팔려왔니? 하고 물었다. 여섯 살인 내가 열 살이 될 때까지는 아무리 일을 해도 내가 받을 수 있는 돈이 없다는 것도 뒤늦게 알았다. 우리가 일을 하며 받아야 할 돈을 우리를 이곳에 데리고 온 아저씨가 이미 받아갔다고 했다. 공장에 온 친구들이나 언니들 대부분이 그랬다. 우리는 몇 년 동안 공장에서 먹여주는 밥만 먹고 일만 하는 것이라고 했다. 그 말을 들었을 때에도 나는 우리가 와서는 안 될 곳에 온 것처럼 무서운 생각이 들었다. 우리는 이곳으로 우리도 모르는 사람들의 손에 의해 팔려 온 아이들인 것이었다.

거기에 처음 작업장 안으로 들어서던 때의 일도 잊을 수가 없다. 마치 부엌에 연기가 들어찬 것처럼 수증기가 꽉 차 있었고, 앞도 옆도 알아볼 수 없는 곳에서 기계에서 나는 시끄러운 소리와 철거덕거리며 돌아가는 물레 사이를 이리저리 움직이며 일하는 언니들의 모습이 보였다. 나는 작업장의 그런 분위기만으로도 이내 겁에 질려버렸다. 그것은 얼굴에 확 다가오는 뜨거운 김과 기계에 대한 두려움만이 아니라, 왠지 이곳에서 쉽

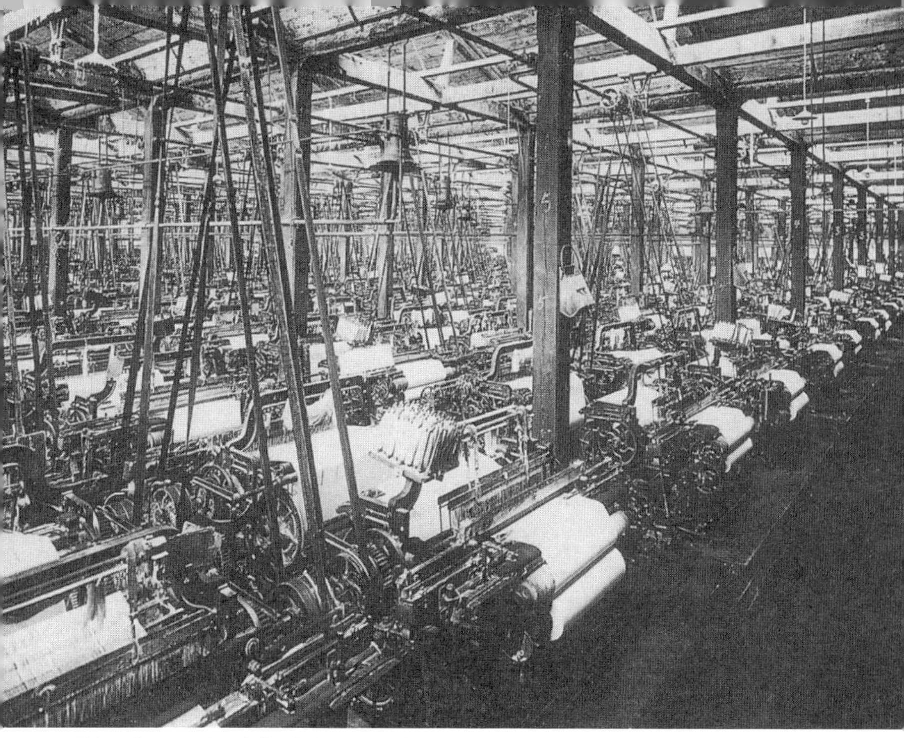

양수푸에(杨樹浦)는 방적·방직 공장 등이 많았다. 외국과 민족자본으로 운영되는 상공업이 상해 경제의 밑받침이 되었다.

게 빠져나갈 수 없을 것 같은, 마치 무엇엔가 갇혀버린 것 같은 마음이었다.

'엄마. 그때 생각을 하면 지금도 막 속이 울렁거려. 기계가 내는 소리가 그렇게 시끄러운지 몰랐어. 시끄럽게 소리를 내며 돌아가니까 그게 엄청 더 빠르게 느껴졌어. 오빠는 어디에서 무얼하는지, 여섯 살밖에 되지 않은 내가 여기 이 기계들 앞에서 제대로 일을 할 수 있을지, 우리집 생각도 나고 동네의 별의 별것들이 다 생각나며 무서워지는 거야. 그래서 그날 엄마를 얼마나 찾고 불렀는지 몰라. 엄마가 물에 휩쓸려 바다로 가지 않고 하늘로 올라간 거면 날 좀 내려다보고 도와 달라고 막 기도하며 엄마를 불렀어. 너무 기가 질려 울음 같은 건 나오지도 않았어. 나중에 보니까 아래 옷이 다 젖어 있었어. 등에서는 땀이 줄줄 흐르고, 나도 모르게 오줌까지 저렸던 거야. 엄마, 정신을 차리고 보니까 큰 찜통 같은 작업장 속에서 사람들이 기계 앞에 서 있는 것이 마치 커다란 솥에 떡이 쪄지는 것처럼 보였어. 그런 수증기 속에 사람의 머리가 떡에 박힌 검정콩처럼 보이는 거야. 그게 그때나 지금이나 똑 같은 이곳의 모습이야. 엄마는 우리가 살던 농촌에서만 살아서 이런 모습을 상상할 수도 없을 거야.'

나는 작업장으로 옮겨와 처음엔 오후에서부터 밤일을 하는 반에 편성되었다. 우리가 일을 하는 시간은 하루 열두 시간이었다. 그것은 밥을 먹고, 숙소로 오가고 하는 것을 빼고 작업장 기계 앞에 꼬박 붙어 있는 시간만 그랬다.

졸음은 처음 며칠 동안만 오지 않았다. 귀를 사납게 하던 시끄러운 소리가 조금씩 익숙해지며 나는 내 손을 잘라낼 수 있는 기계 앞에서도 졸음이 몰려와 작업반장 몰래 눈을 감았다. 낮엔 일부러 다른 생각을 하지 않고 잠을 잤지만, 매일 자던 시간에 깨어나 일을 해서인지 기계 앞에 선 지 여섯 시간이 지나면서부터는 졸음을 참을 수 없는 하품과 함께 내 몰려오곤 했다.

우리가 뽑아낸 실로 전에 엄마가 짜던 광목 같은 것도 짜고, 그보다 더 부드럽고 하얀 실은 옥양목을 짜는 공장으로 팔려간다고 했다. 우리가 뽑아내는 실과 그 실로 짜는 천들은 눈처럼 하얗고 매끄럽지만 우리가 하는 일들은 왜 이렇게 힘든지 모르겠다.

어떤 때는 기계소리가 시끄러워 내가 조는 것을 반장님도 모르겠지, 하는 엉뚱한 생각이 들 때도 있다. 짧은 졸음 속에서도 나는 구름 사이에서 내가 뽑은 실로 짠 한 조각의 헝겊 위에 누워 자는 꿈을 꾸기도 한다.

'엄마. 그게 어느 정도냐면 말이지. 졸다가 한순간 기계를 잘못 건드려 손이 빨려들어 갈까봐 늘 무서워하면서도 그래. 그 시간만 되면 잠은 한 번도 비켜가지 않고 찾아와 내 몸이 떡시루 같은 작업장의 수증기 속에 아주 붕붕 떠다니는 것 같은 느낌이 들 때도 있어. 나는 눈을 뜨고도 감은 것처럼, 또 감고도 뜬 것처럼 기계와 물레 사이를 허우적거려. 그러면 어김없이 작업반장의 몽둥이가 내 몸을 찔러. 작업반장은 늘 그렇게 말해. 이렇게 몸이 찔려 아픈 게 낫지, 졸면서 찔리지도 않으면 그때는 자기도 모르는 순간 손이 기계에 빨려들어가는 거라고. 내가 일하는 곳은 이런 곳이야, 엄마.

실이라는 건 참 이상해. 내가 눈을 뜨고 바라볼 때는 잘 끊어지지 않는데, 내가 조금만 졸아도 대번에 끊어져. 빈 기계가 몇 바퀴만 돌아가면 어느 결에 작업반장이 다가와 고함을 질러. 그때마다 화들짝 놀라 덜덜 떨리는 손으로 다시 실을 이어 붙여.

야간 근무조로 일할 때가 제일 힘들어. 새벽 세 시가 되면 우리가 뽑아내는 실도 그 시간을 아는지 그때 기계가 제일 많이 서. 우리는 한꺼번에 몰려오는 더위와 졸음과 싸우느라 울면서 물레 사이를 뛰어다녀. 그리고 엄마. 이 공장 안에서는 여러 가지 이상한 일도 일어나고 그래.'

우리한테는 호랑이 같은 작업반장이 우리보다 훨씬 나이가 많은 몇몇 언니들한테는 더없이 친절한 모습을 보이곤 한다.

어떤 언니는 기계 앞에서 꾸벅꾸벅 졸아도 작업반장이 그냥 가만히 다가가 그 언니의 어깨를 토닥거리며 저쪽에 가서 한숨 눈을 붙이고 오라고, 친절하게 말하기도 한다. 처음엔 그 언니도 우리처럼 졸 때마다 작업반장이 뾰족한 몽둥이로 찌르며 못살게 굴었는데, 어느 날부턴가 전과 다르게 대해주는 것이다.

'그런데 엄마. 그러고 나면 그 언니하고 작업반장 사이에 이상한 소문이 돌아. 그런 소문은 언니들끼리 귓속말로 소곤거리는데, 어떤 언니는 나중에 반장과의 소문 때문에 공장을 그만두기도 해. 언니들이 우리 보고 그래. 너희들은 아직 어려서 모르지. 커봐라. 너희들도 저절로 알게 된단다, 그러면서 빙긋 웃는데 나는 언니들의 그런 웃음도 싫고, 작업반장이 언니들한테 능글능글한 얼굴로 친절하게 대해주는 것도 무서워. 그 모습을 보면 마치 내 몸에 어떤 벌레가 기어가는 것처럼 기분이 나빠져.

엄마, 지금 다시 머리가 터질 듯이 아파지고 있어. 나만 그런 게 아니라 함께 일하는 친구들 모두 그렇대. 어떤 때는 토할 것 같기도 한데, 그러면 가마 쪽에서 일하는 아저씨들이 "오늘, 약을 너무 많이 넣었나?" 그런 말을 하기도 해. 이렇게 졸음에 취하고, 머리가 빠개질 것 같은 기분 나쁜 냄새에 취해 일하다가 교대 시간이 되면 우리는 모두 짐승우리처럼 어두컴컴한 방으로 가 다음 일할 시간까지 세상 모르고 잠을 자. 어떤 때는 세수도 하기 싫고, 변소에 가는 시간조차 아까울 정도야, 엄마…….

여기 일은 겨울보다 여름이 더 힘들어. 사람들 말로는 공장 안의 온도가 지금 40도가 훨씬 넘을 거래. 너무 더우니까 어떤 아이들은 바지를 가위로 잘라 입고, 또 어떤 아이들은 겨드랑이와 등을 파서 입어. 남자들은 아예 웃통을 벗어부친 채 일을 해.
공장 안에 있으면 누가 뭐라고 하지 않을 때에도 저절로 짜증이 나. 겨울보다 여름에 사람들이 더 많이 다투는 것도 그 때문이라고 해. 엄마, 나는 시간만 나면 짐승우리 같은 방이라도 그곳에 가 잠만 자고 싶어. 왜 이렇게 피곤하면 피곤할수록 머리가 더 아픈지 모르겠어.'
엄마와 많고도 많은 이야기를 나누었던 어느날 밤이었다. 잠을 자다가 변소에 가려고 눈을 떴는데, 창문으로 하늘의 별이 유난히도 반짝이는 것이 보였다. 하늘까지 맑아 별들이 더욱 영롱하게 보였다. 나는 아버지와 엄마와 오빠와 내가 같이 살았던 예전 강가의 우리집 마당에서 누워 보았던 별들이 생각났다.
가만히 별을 바라보자 엄마가 하늘에서 내게로 손을 내밀었다. 나는 엄마의 손을 잡고 하늘의 별 속으로 들어갔다. 거기엔 아주 깨끗하고 보드라운 침대가 놓여 있었다. 그곳엔 우리가 헤어졌을 때의 모습 그대로 오빠도 아버지도 함께 있었다. 나는 엄마의 손길을 느끼며 다시 깊은 잠에 빠져들었다.
엄마 꿈을 꾼 날이면 나는 그 얘기를 친구에게 했다.
"나는 이곳에서 열심히 일해 돈을 모은 다음 오빠와 함께 전에 우리가 살던 강마을로 돌아가 다시 그곳에 집을 짓고 살 거야."
"나는 지난번에 상하이에 올 때 시내에서 본 아름다운 집에서 사는 게 꿈이야. 아마도 그때는 낮에는 일하고, 밤에는 아늑하고 푹신한 침대에서 잠을 잘 수 있겠지. 그 집 마당엔 아주 커다란 나무가 있었어. 어찌나 시원해 보이던지 이 공장과는 아주 딴판이었어. 그런데 우리가 얼마나 더 일하고 또 얼마나 벌어야 그런 집에서 살 수 있을까?"

나는 친구가 아무리 열심히 일하고 아무리 돈을 모아도 그런 집은 살 수 없을 것 같았다. 그렇지만 우리가 태어난 강가의 작은 집은 오빠와 내가 돈을 모으면 얼마든지 다시 지을 수 있을 것이다.

그러나 우리는 아직도 우리가 일한 값의 돈을 받지 못한다. 나를 이 공장에 넘길 때 아저씨 말로는 일 년 후부터 우리가 돈을 받을 수 있다고 했지만, 공장 사람들 말로는 그 아저씨가 나를 넘기며 먼저 받아간 돈이 있어 열 살이 될 때까지는 월급이 묶여 있다고 했다.

이제 겨우 이년이 지났다. 앞으로 얼마나 더 많은 날들이 지나가야 나는 내가 힘들게 일해서 번 돈을 내 손으로 만져볼 수 있을까. 오빠는 또 어떻게 지내고 있을까. 꿈속의 별은 오빠와 내가 강가에서 보았던 것처럼 지금도 내 마음 안에 빛나고 있는데…….

내 친구 나타샤

1905년 러시아에서 유태인 학살이 있었다. 나와 나타샤는 그 사건이 있은 해로부터 2년 후 하얼빈에서 태어났다. 공교롭게도 우리는 똑같이 아기일 때부터 부모가 없어 니콜라스 신부님 아래에서 자랐다. 사람들은 다소 이국적인 얼굴을 하고 있는 우리가 유태인이라는 것을 알려주었다. 왜 고아가 되었는지에 대해서는 설명해 주지 않았지만, 우리의 부모들이 러시아에서 학살을 피해 중국으로 왔을 것이란 얘기를 해주었다.

나는 나타샤를 보면 내 모습을 보는 것 같기도 하지만, 우리는 서로 많이 달랐다. 다만 그 애를 보면 내가 어떻게 행동하면 좋을지, 지금 어떻게 살아야 할지가 저절로 생각났다. 남들 눈에 비치는 우리는 같았지만, 그러나 크게 다른 것이 하나 있었다.

나타샤는 아름다웠다. 자라면서 더욱 예뻐져 갔다. 나는 그 애가 좋기도 하면서 한편으로는 늘 묘한 거리감을 느끼게 되었다. 같은 성당 안의 시설에서 자매처럼 자라면서도 어떤 날 밤엔 그 애가 나와는 전혀 다른 세상에서 다른 모습으로 살 것 같은 생각에 함께 자리에 누워 도란도란 얘기를 하다가도 벽 쪽으로 혼자 획 돌아누워 자는 척했던 적도 있었다. 아직 어린 나이였는데도, 나는 나타샤 앞에서 일찍 절망감이 들 때가 한두 번이 아니었다. 하느님은 왜 나는 이런 모습으로 만들어주시고, 나타샤는 왜 저다지도 예쁘게 만들어주셨냐고, 괜히 그 애가 밉기까지 했다.

그러던 어느 날 우리에겐 아버지 같았던 니콜라스 신부님이 돌아가셨다. 사람들은 심장마비라고도 하고, 과로사라고도 했다. 그때 하얼빈엔 볼셰비키 혁명을 피해 국경을 넘어온 러시아 사람들이 많았다. 그들 중엔 우리와 같은 유태인들도 있었다.

"언제까지고 여기 하얼빈에 있을 수는 없지."

"그럼 자네는 어디로 갈 생각인가?"

"우리는 이미 러시아에서 쫓겨나온 몸이야. 이 세상에서 우리가 살기에 제일 자유로운 도시가 상하이라는 말을 들었어. 아니, 돈 많이 벌어 성공한 유태인도 많다는 얘기를 들었어. 그곳은 비자 없이 들어갈 수가 있어서 세계의 그렇고 그런 사람들이 모두 모이는 곳이라고 했어."

"그렇다면 위험하지는 않을까?"

"무슨 소리. 그러니까 오히려 우리 같은 사람들이 새 출발하기에 딱 좋은 곳이지."

나는 그들이 나누는 얘기를 듣고, 이제 우리도 신부님도 없는 하얼빈을 떠날 때가 되었다고 생각했다. 그전부터 막연하게나마 상하이에 대한 얘기를 들었었다.

"나타샤, 우리도 가자."

"어떻게?"

"너는 나만 따라오면 돼. 나는 저 사람들을 따라갈 거고."

나는 나타샤를 데리고 그들 유태인 가족의 뒤를 따라 기차를 탔다. 그 돈은 지난 이태동안 성당 바깥에 거처를 마련하고 있는 러시아 망명자들을 도우며 언제 어떻게 필요할지 몰라 틈틈이 품삯처럼 받아 모은 것이었다.

나와 나타샤는그들 가족과 함께 상하이역에 내렸다. 그곳은 우리가 살았던 하얼빈에 비해 참으로 따뜻했다. 그리고 첫눈에 보아도 하얼빈보다 어마어마하게 큰 도시였다. 그것은 마치 예전에 우리가 매일매일 꿈꾸던 세상과도 같은 모습이었다.

"이제 너희들은 어떻게 할 거니?"

다른 기차에서 내뿜는 잿빛 연기를 뒤로하고 역 바깥으로 나오자 함께 온 아주머니가 물었다.

"아주머니는 어떻게 하실 건데요?"

조금은 당돌한 표정으로 내가 되묻자 아저씨와 아주머니는 잠시 마주보고 웃은 다음 우리를 역 앞의 직업소개소에 데려다 주었다. 우리는 상하이에 도착했을 때 금방이라도 좋은 일이 일어날 것 같은 기분 그대로 어느 마음씨 좋은 유태인 가정의 가정부로 들어가게 되었다.

이 집에서 우리는 일하는 사람들 중 제일 높은 사람의 지시에 따라 마루를 쓸고 닦고, 아름다운 정원을 청소하며 하루하루를 지냈다. 일하는 사람이 우리를 포함해 열두 명이나 되어 이 집의 마루는 늘 반짝였고, 마루에서 내다보이는 정원은 항상 손질이 잘 되어 있었다. 계절 따라 붉은 꽃, 흰 꽃, 분홍 꽃이 교대로 피어나고, 정원의 큰 나무들은 집안에 시원한 그늘을 만들어 주었다.

넷이나 되는 주인집의 아들딸들도 하나같이 멋질 뿐만 아니라 공부도 많이 하는 것 같았다. 우리와 비슷한 나이의 아이들은 저마다 가정교사가 따로 있어 학교가 파한 후에도 집에서 계속 공부를 하고 있었다. 제일 큰아들이 우리보다 여섯 살 많은 열여덟 살이었다. 우리 눈에 그는 거의 어른처럼 보였다.

어느 날 나는 마루를 닦다가 우연히 이층으로 올라가는 계단 중간에 서 있는 주인집 큰아들을 보게 되었는데, 그때 그의 시선이 나타샤를 향해 있는 것을 보고 나도 모르게 깜짝 놀라고 말았다. 어렸을 때부터 내가 우려해온 나와 나타샤의 다른 인생이 실제로 이렇게 시작되는 게 아닌가 하는 느낌에 소름까지 돋는 기분이었다.

그런데 며칠 후 우리는 엉뚱한 일로 그 집에서 해고되고 말았다. 하필이면 주인 마나님의 목걸이가 없어진 날 우리 둘이 그 방을 청소했기 때문이었다. 우리가 아무리 아니라고 하여도 주인 마나님의 태도는 단호했다. 나는 그런 마나님의 태도에서 어쩌면 우리의 해고 이유는 목걸이가 아니라 다른 것에 있지 않나 하는 의심이 들었다. 내가 나타샤를 바라보는 주인집 큰

아들의 눈빛에서 이상한 느낌을 받았다면, 주인 마나님 역시 나보다 일찍 그런 낌새를 느꼈을지 모를 일이었다.

그 집을 나온 첫날은 무작정 걷기만 했고, 다음날 우리는 가게마다 일할 사람이 필요하지 않느냐고 물으러 다녔다. 이때에도 나타샤는 어느 세탁소에 금방 일자리를 구했다. 나는 쉽사리 취직이 되지 않아 3일 만에야 간신히 어느 식당의 허드렛일을 하는 자리를 구할 수 있었다. 그 후로 우리는 잘 만날 수 없었다. 쉬는 날이 거의 없기도 했거니와 어쩌다 있다 해도 서로 날짜가 틀렸다. 이따금 그녀가 세탁물이거나 수선한 옷을 배달하러 나왔다가 내가 일하는 가게에 들러 잠시 얼굴을 보고 가는 정도였다.

우리가 열아홉 살이 되던 해 나타샤는 거짓말처럼 꿈에서나 그릴 법한 사람을 만났다. 7년 전 우리가 상하이에 처음 와 가정부로 일했던 유태인 집안의 큰아들을 거리에서 다시 만난 것이었다. 지난 7년 동안 나타샤가 열두 살의 소녀에서 열아홉 살의 처녀로 성장하는 동안 그 남자도 스물다섯 살의 청년 실업가로 성장해 있었다. 그는 그 7년 중 4년을 영국에 돌아가 있다가 이태 전 다시 가족과 떨어져 혼자 상하이로 온 것이라고 했다.

이제 그녀와 나는 인생이 완전히 달라져 버린 것이었다. 어려서부터 누가 가르쳐 주지 않았어도 어떤 예감처럼 느껴왔던 우리 사이의 거리감이 가장 극적인 모습으로 현실이 된 것이었다. 그녀는 이제 부잣집의 마나님이 되고, 나는 몇 군데 일자리를 전전하다 갑북에 있는 어느 제분공장의 직공이 되었다.

"글쎄 이런 일이 내 인생에 일어날 줄 알았겠니? 나도 그동안 몇 군데 세탁소를 옮겨 다니며 옷 수선 기술을 배웠어. 처음엔 고생도 많았지만 그래도 기술을 배워두면 나중에 유용하겠다 싶어 열심히 일을 했어. 마지막에 일하던 세탁소는 불란서 조계지 안에 있어서 그곳에 사는 마나님들의 좋고 아름다운 옷들이 많이 맡겨졌어. 그런 옷들을 만지는 동안 나도 점점 일류 기술자가 되어 가고 말이지. 그러던 어느 날 우리 가게 단골 마나님 한 분이 내게 고마움의 표시로 자기에겐 잘 맞지 않는 드레스 하나를 선물했어. 그 옷을 내 몸에 맞게 수선해 입고 하비로에 나갔다가 바로 그 사람을 만난 거야."

"어머 어쩜……"

"나는 이쪽에서 걸어가고 그 사람은 저쪽에서 걸어왔는데, 먼 곳에서도 그가 마치 나를 아는 사람처럼 바라보며 오는 거야. 그러다 서로 마주쳐 지나갈 때 그 사람이 '나타샤?' 하고 내 이름을 불러 확인하는 거야. 내 얼굴이 많이 달라졌을 텐데도 말이지."

그녀가 자신이 수선한 새 옷을 입고 구름 위를 밟듯 하비로를 걷던 날 운명의 여신은 그녀에게 사랑을 가슴에 담게 해주었다. 그는 젊고 유능한 사업가로 어느 모로 보나 우리와는 어울리지 않는 신분이었다. 나도 그렇지만 나타샤 역시 제대로 교육받지도 못한 천애의 고아인데다가 무국적자 신분이었다. 그날 하비로 거리에서 그는 내 친구를 영원히 빼앗아갔다. 후에도 아주 이따금 길에서 그녀를 만날 때가 있었지만 그때는 너무나 아름다운 마나님으로 변해버린 그녀를 내가 미처 알아보지 못했다.

"미니, 정말 오랜 만이야. 왜 이렇게 오랫동안 나를 안 찾아왔어? 내가 미니를 얼마나 기다렸는데."

"나도 바빴어."

"아무리 바빠도 그렇지. 이제는 내가 사는 곳을 아는데."

그녀는 자신을 피하는 나를 책망하며 막무가내로 나를 끌고 자기 집으로 갔다. 조계지 안에 있는 그녀의 집은 으리으리했다. 두 부부만 사는 집에 하인이 3명이나 되었다. 나는 그들을 보자 예전에 나타샤와 내가 그의 집에 하인으로 있다가 쫓겨났던 일이 떠올랐다. 그때는 우리 둘 다 똑 같은 처지에서 서로 의지하며 살았는데…….

그날 이후 나는 한동안 그녀를 만나지 못했다. 내가 그녀를 피했을 수도 있고, 이제 그녀가 나를 무심하게 대했을 수도 있었다.

나타샤가 다시 나를 찾아온 것은 그로부터 8년이란 시간이 지난 다음이었다. 해가 기울어가는 어느 가을 저녁, 웬 거지 같은 여자가 내가 살고 있는 집을 찾아왔다.

"미니. 날 살려줘. 나, 나타샤야. 나를 알아보겠어?"

여자는 스스로 나타샤라고 말했지만, 내가 알던 나타샤는 상하이 제일의 귀부인이었다. 나는 왠지 섬뜩한 기분에 대문을 닫아버렸다.

"미니. 나, 나타샤라고. 내 목소리를 듣고도 모르겠어?"

그러고 보니 거지 같은 여자는 틀림없는 나타샤였다. 나는 그녀를 내가 살고 있는 집 안으로 불러들였다. 잠시 안정을 취한 다음 그녀는 그동안의 일에 대해서 말했다.

"내 얘기를 들어봐 미니. 5년 전만해도 남편은 러시아와 일본 상사들이 만츄리아에서 벌이는 사업에 함께 참여해 많은 돈을 벌어들였어. 그가 관여하는 사업마다 불이 붙은 것처럼 잘되어 나갔지. 그는 모든 것이 내가 복을 몰고온 때문이라며 언제나 극진히 나를 사랑해 주었어. 나는 그와 살면서 인생에서 행복이란 바로 이런 것이구나 하는 느낌으로 신혼 시절을 보냈어. 그는 내게 자기 나라의 국적도 갖게 해주고, 상하이에서 부잣집 마나님이 누릴 수 있는 모든 것을 다 누리게 해주었어."

"그래. 그건 나도 알아. 네가 그렇게 사는 모습도 봤었고. 그런데 왜 이렇게 된 거니?"

"우리의 사랑이 절정을 향하던 그 무렵 남편은 만츄리아에 새로운 광산을 구입할 계획이었어. 그걸 둘러보러 가는데 남편이 나보고 함께 가자고 했어. 나도 오랜만에 우리가 태어나고 자란 하얼빈으로 가는 기차를 타보고 싶었어. 그래서 남편과 함께 만츄리아로 가는 기차를 탔는데, 목적지에 거의 다 도착할 무렵 그동안 상하이에서 말로만 듣던 비적들의 습격을 받은 거야. 달리던 기차가 갑자기 멈춰 섰는데, 비적들이 한순간에 기차를 덮친 거였어."

"어머, 저런……."

"그 사람은 나를 끌어내리려는 비적들을 저지하다가 오히려 내 눈 앞에서 비적이 휘두르는 칼에 심장이 찔려 즉사하고 말았어. 나도 정신을 잃고 말았고."

"그래서 어떻게 된 거니?"

"깨어나 보니 나도 모르는 어떤 지저분한 장소에 끌려와 있는 거야. 정말 그때의 일은 다시 떠올리기도 말하기도 싫어. 비적들에게 납치당해 2년 동안이나 그들과 함께 지옥 같은 날들을 보냈어. 그런 상황에서 어떻게 사람이 미치지 않을 수 있겠니? 내가 반미치광이에 아편장이로 전락해 버리니 비적단 두목이 나중엔 도저히 안 되겠는지 오히려 자기가 먼저 나를 추방해 버리더구나. 나를 사이에 놓고 부하들이 싸우느라 전투 사기도 저하되고, 조직의 기강도 문란해지고 하니까 나를 모든 문제의 근원으로 지목해 멀리 내다버리라고 명령한 거야. 그러나 그때 나는 이미 그곳에서 사람이 경험할 수 있는 모든 끔찍함을 다 경험한 다음이었어.

그들은 늘 아편을 피웠고, 또 나를 억지로 아편장이로 만들었지. 아니, 나 스스로도 그렇게 하지 않고는 그곳 생활을 견뎌낼 수가 없었는지도 몰라. 처음 나를 끌고 간 다음 그들은 나를 소나 말처럼 자기들 마음대로 강간하고, 몰래 도망이라도 갈까봐 옷도 없이 지내게 했어. 나는 수치심 때문에 술을 마시게 되었고, 깨어나면 다시 끔찍하게도 어느 비적 옆에 맨 몸으로 누워 있곤 했어. 나는 그런 것이 괴로워 아편을 하게 되었고, 몸은 점점 더 망가져만 갔던 거야. 그리고 두목한테 내쫓긴 다음 이곳까지 너를 찾아오는데 3년이 걸린 거야. 그 3년이 어떤 시간인 줄 알겠니?"

나타샤의 질문에 나는 대답하지 않았다.

"그건 예전 상하이 시절의 나를 지우고 지금의 나를 받아들이는 시간이었어. 그리고 그런 이야기를 너에게 할 수 있는 시간이기도 하고, 아편중독에서 헤어나오는 시간이기도 했어. 다시 상하이에 오니까 그 사람에 대한 흔적이 모두 지워져 있는 거야. 그가 벌려놓았던 사업들도 그의 가족이 와서 다 정리를 해 떠나고, 나는 다시 예전처럼 아무 존재도 없는 무국적자가 되어버리고 만 거야."

"그래, 지금은 어떻게 살고 있니?"

"그곳에서 살아나오게 된 다음 인생은 과연 무엇일까, 혼자 생각하게 되었어. 사람들은 비가 오면 처음엔 비를 안 맞으려 애를 쓰지. 비가 계속 오면 어쩔 수 없이 아주 조금씩 비를 맞게 되고, 그러다 옷과 몸이 흠뻑 젖어버리면 그땐 차라리 우산이나 우비 없이 그냥 빗속을 걸어가는 것이 오히려 편하고 아늑하지. 다시 아편을 하지 않은 건 정말 이를 악물고서였어. 그러나 그때 이미 몸을 망쳐 다시는 옛 시절로 돌아갈 수가 없게 된 거야. 이제 세상 천지에 너 말고는 아는 사람도 없고, 알아보는 사람도 없는 상하이이에서 내가 할 수 있는 일이 무얼까. 지금은 토굴 같은 방에서 남의 옷을 수선하며 지내고 있어. 내가 예전에 배운 기술은 오직 그것뿐이니까."

나타샤의 얘기를 듣는 동안 나는 살면서 처음으로 그녀 앞에 내 인생이 당당해지는 것이었다. 이제까지 그녀와의 관계에서 나는 늘 패자였다. 그녀를 생각할 때마다 이상하게도 내 인생은 빛을 잃고 말았다. 그러나 이제 그녀의 불행 앞에 왠지 내 인생은 새로운 가치를 찾아 환하게 빛나 보이는 것이었다.

1943년 2월 18일 일본은 '무국적난민 거주구 설립'을 선포했다. 위 사진은 상하이 홍구에 있는 유태인 난민수용소. 이들은 유태난민 신분증을 발급받고, 통행증을 받아야 외출이 가능했다. 소설 속의 주인공은 무국적 유태인으로 2차대전이 끝난 다음에도 그대로 상하이에 남았다.

내가 사는 집에 왔다간 다음 나타샤는 다시 소식이 없었다. 나도 그녀를 다시 찾을 생각을 하지 않았다. 그녀가 남편을 만나 잘 살 때 애써 나를 찾으려 하지 않았던 것처럼. 아니, 이렇게 말하는 건 좀 지나친 부분이 있다. 그 시절 나는 이 세상의 모든 행운과 축복을 양손에 쥔 나타샤가 나를 찾아올까봐 일부러 일터를 바꾼 적도 있었다. 그때 나는 나타샤가 나도 알고, 또 그 집에서 하인으로 일하는 동안 어린 마음으로지만 늘 눈부시게 바라보았던 그 사람과 함께 사는 모습을 볼 자신이 없었기 때문이었다. 딱 한번 나를 찾아와 자신의 삶에 대해 고백한 적은 있지만, 그녀도 예전의 내 마음처럼 나를 다시 마주치고 싶어하지 않으리라 자위하면서 세월은 다시 흘러갔다.

그 후 상하이를 침략한 일본이 국제 이주지를 점령하고 유태인들을 강제수용하거나 공장에 데려가 일을 시켰을 때 나는 그녀가 어느 군수공장으로 끌려가 일을 한다는 얘기를 얼핏 들었다. 그러나 거기까지였다. 나는 그녀를 찾아가지 않았다. 그것은 내 스스로를 유태인이라고 노출하는 일이기도 했다.

이차세계대전이 끝나고, 상하이가 공산주의자들에게 넘어갈 기미가 보이자 유태인들도 이 나라를 떠날 준비를 서둘렀다. 신인민공화국이 탄생하자 거의 다 이 나라를 떠났다. 나는 그때야 수소문을 해 옛집으로 돌아온 나타샤를 찾아갔다.

"나타샤. 진작에 찾아오지 못해 미안해. 우리 이제 여기를 떠나자. 많은 외국인들이 떠났어. 아무리 생각해도 여기는 우리가 있기엔 위험한 곳이야."

"미니. 찾아와줘서 고마워."

그녀는 내 손을 잡고 한참 동안 곰곰이 생각하더니 이렇게 말했다.

"나는 이곳에 아는 사람도 없고, 집도 돈도 없어. 게다가 국적이 없는 나 같은 사람은 갈 수 있는 나라도 없지. 나는 이곳에 남을래. 전에 그런 말을 했을 거야. 많은 비를 맞은 다음엔 남의 집 처마 아래보다 빗속이 오히려 편하고 아늑하다고. 상하이는 내게 그래. 그리고 무엇보다 상하이는 내가 이 세상에 태어나 가장 사랑하는 사람을 만나게 해준 도시이고, 또 만신창이가 되어 돌아온 나를 다시 품에 안아준 도시야. 내 걱정 말고 잘 가, 미니."

그러고 보니 어느새 나이 마흔이 넘은 나타샤의 외모 역시 외국인인지 중국인지도 모를 정도로 변해 있었다. 친구를 만나고 나오며 나는 그녀야말로 유태인도 그 어느 나라 사람도 아닌 바로 상하이인이며, 죽어서도 이곳에 묻혀야 할 사람이라는 것을 알았다.

불꽃 속의 나라

"플로리엔, 정말 괜찮겠어?"

마지막 약상자까지 포장한 다음 남편이 나를 바라보고 물었다. 이제 모든 준비가 끝났다.

"괜찮아요, 다니엘. 내 걱정은 하지 않아도 돼요."

나는 함께 박스를 묶느라 이마로 흘러내린 머리를 쓸어올리며 대답했다.

"미안해. 나 때문에 당신까지 고생시켜서."

나는 그것이 이제 우리가 살던 집을 떠나며 의례적으로 하는 소리가 아니라 남편의 진심임을 잘 알고 있었다. 우리는 문 밖에 대기하고 있는 자동차에 상하이로 가져갈 의약품과 이삿짐을 실었다.

나는 리옹에서 지방법원 판사의 둘째딸로 태어났다. 그곳에서 어린 시절을 보낸 다음 파리에서 대학을 다니던 중 어떤 송년 모임에서 처음 남편을 만났다. 그때 그는 졸업을 앞둔 의과대학 학생이었고, 나는 이제 막 대학에 들어온 문과대학 일학년생이었다. 졸업한 다음 다시 만났을 때 그는 어느새 장래가 촉망되는 파리 시립병원의 외과의사로 변해 있었다.

일년의 연애와 이년의 결혼생활은 정말 꿈처럼 흘러갔다. 그와 나 사이에 사랑스러운 아들 폴이 태어났다. 나는 우리의 미래도 그렇게 평화롭고 아름다운 날들의 연속일 거라고 생각했다. 그런데 어느 날, 남편은 매우 심각한 얼굴로 의과대학 시절 은사님의 부름을 받고 상하이로 가 그곳에서 의료활동을 펼치고 싶다고 말했다.

이럴 때 어떻게 해야 할지 갈등은 있었지만, 나는 남편을 너무나 사랑하고 존경해 그의 뜻을 받아들이기로 했다. 나도 이 기회에 젊은 날 동양의 파리라고 불리는 상하이에 가서 한번 살아보고 싶은 마음도 들었다. 1925년 2월의 일이었다.

상하이에 도착해 가장 놀랐던 것은 우리가 탄 연락선이 상하이 부두에 입항하던 날, 와이탄에서 바라본 엄청난 규모의 아름다운 건물들에 대해서였다. 유럽에서 내가 다녀본 도시 가운데 파리만큼 아름다운 도시는 없었다. 그러나 상하이는 첫인상만으로도 유럽의 어느 도시보다 번화하고, 도시 전체가 이제 막 일어서는 기운이 온몸으로 느껴질 정도였다.

남편과 나는 은사님의 배려로 프랑스 조계지 안에 있는 병원 사택에서 살림을 시작했다. 조계지는 중국 땅이면서도 또 하나의 외국 영토 같은 곳이었다. 그것은 외국과 무역이 개방된 항구에 외국인이 자유로이 거주하며 치외법권을 누릴 수 있도록 설정한 구역인데, 지금 상하이엔 공공 조계와 프랑스 조계 두 곳이 있다고 했다. 행정권과 경찰권도 조계를 설치한 나라에 속해 있어 서양인들은 남의 나라에 와서 오히려 자기 나라에서보다 더한 무소불위의 권력을 행사할 수 있었다. 그러나 조계 안에 살고 있는 중국인들은 많은 세금을 부담하고도 행정에 대해 어떤 간섭도 할 수 없다는 게 나로서는 잘 이해되지 않았다.

우리 옆집에는 같은 병원에서 일하는 왕 선생 가족이 살고 있었다. 키가 작고 동그란 얼굴의 왕 선생 부인은 수줍어 하면서도 나에게 매우 친절했다. 다른 사람들은 이곳에서 굳이 중국말을 배울 필요가 있느냐고 했지만 나는 생각이 달랐다. 말을 배운다는 것은 그냥 단순히 의사소통만 하는 것이 아니라 그 세계의 모든 것을 함께 배운다는 뜻이었다.

왕 선생 부인은 중국 문자로 내 이름을 써주었다. 내 눈에 중국 문자는 글자 하나하나가 암호와도 같았고, 또 그 속에 다시 암호와도 같은 뜻을 가지고 있었다. 서양 문자는 단지 말을 전하거나 어떤 기록을 남기는 데만 사용되지만 중국 문자는 그것을 커다란 종이에 붓으로 쓰는 것 자체가 그림을 그리는 것과 마찬가지로 하나의 예술이라고 했다. 그 모든 것이 내게는 신기하기만 했다.

어느날 남편이 일하는 병원에 학생들이 피를 흘리며 몰려들어왔다. 우리가 상하이로 오던 때에 일본인 방적공장에서 여자

공원을 학대한 사건이 있었고, 이어 노동자 대표 한 명이 살해되었다. 이 일로 학생들까지 가담해 시위를 하던 중 조계의 영국 경찰이 시위대를 향해 총을 쏘았다. 남편의 병원은 갑자기 밀려든 부상자로 넘쳐나 의사와 간호원만으로는 손이 부족할 정도였다. 나도 사택에서 연락을 받고 병원으로 달려갔다.

"우리를 살려주세요."

부상을 입고 실려온 여학생은 하얗게 질린 얼굴로 부들부들 떨며 내 팔을 잡고 말했다.

"수백 명의 학생과 노동자들이 공부국에 가서 먼저 붙잡혀 있는 사람들을 풀어달라고 항의하는데, 갑자기 총을 쏘았어요."

10여 명이 그 자리에서 죽고 수많은 사람이 다쳐 여러 병원으로 실려갔다고 했다. 정말 그럴 수는 없는 일이었다. 이것이 영국에서라면, 프랑스에서라면 있을 수 있을까? 상하이이기 때문에, 또 상대가 힘이 없는 중국인이기 때문에 그런 것이 아닐까? 나도 모르게 가슴이 답답해졌다.

상하이에 온 지 아직 얼마 되지 않는 기간이지만, 와서 처음 듣고 놀랐던 얘기 중의 하나가 조계지의 어느 공원에 대한 얘기였다. 그곳에 가면 개와 중국인은 출입을 금지한다는 경고판이 설치되어 있다는 말을 듣고 설마 남의 나라에 와서까지 그 나라 국민을 그렇게 대할 수 있을까 생각했는데, 실제 내 발로 걸어서 가본 가든브릿지 옆의 황푸공원 입구의 경고판은 먼저 들은 말과 조금도 다르지 않았다. 그 표지판을 보며 내가 떠올린 단어는 '모멸' 이었다. 아, 우리 이방인들은 이곳에 너무 예의없이 와 있구나 하는 생각을 떨쳐버리기 어려웠다.

"플로리엔. 이런 일엔 화부터 나야 하는데, 왜 내가 오히려 부끄러워지는 거지요?"

함께 병원에 나와 부상자 간호를 돕던 왕 선생 부인은 아주 더듬거리는 영어로 내게 그렇게 말했다. 아마도 그 말은 나라의 힘이 없어 이런 모욕과 수치를 당하고 있는 것이 부끄럽다는 뜻일 것이다. 그러나 그 말에 나야말로 진정 부끄러워지고 말았다.

다음날 더 많은 노동자와 학생들이 거리로 나와 총파업과 동맹 휴학에 들어갔다. 나도 병원 일을 거들며 이들과 함께 공분을 느꼈다. 나의 조국 프랑스는 유럽의 어느 나라보다도 먼저 자유혁명을 겪은 나라였다. 나는 거리에 나온 중국 노동자와 학생들의 모습에 저절로 고개가 숙여졌다. 희생 없는 자유와 희생 없는 개선은 없는 법이었다. 남편은 부상자를 치료하느라 며칠 병원에서 집으로 들어오지 못했다.

이것이 그 유명한 '5 · 30 운동' 이었다. 이 일로 나는 한 발 더 중국과 가까워졌다. 나에게 중국말을 가르쳐주는 왕 선생 부인과도 그랬지만, 나는 중국의 어린 학생들에게 깊은 감명을 받았다. 이제 열 살이 된 그 집 아들과도 친해졌다. 왕 선생의 아들 섭은 파란 눈에 금발인 우리 아들 폴이 너무도 귀엽고 신기한 듯 학교에 다녀온 다음 매일 우리집에 드나들었다. 섭 역시 나에게는 훌륭한 중국어 선생이었다.

상하이는, 그리고 중국의 전통과 풍습은 모든 면에서 내게 새롭고 또 강한 호기심을 자극했다. 전족 이야기는 상하이에 온 다음 일찍 듣기는 했지만 누가 길에서 신발을 벗어 나에게 자신의 발을 보여줄 것도 아니어서 실제 나는 그것을 오래도록 보지 못했다. 그것에 대해 궁금해 하는 나에게 왕 선생 부인은 마치 소녀처럼 수줍은 표정을 짓고 듣는 사람이 없는데도 귓속말로 그것은 중국 여자의 신체 중 가장 은밀하게 감추어지고 관리되는 부분이라고 말했다.

나는 전족을 남편의 병원에서 아주 우연한 기회에 보게 되었다. 전족을 한 여인이 발목을 크게 다쳐 병원에 왔는데, 그때 마침 폴을 데리고 병원에 갈 일이 있어서 그 모습을 보게 된 것이었다.

"구경하러 온 사람이 아니라 도우러 온 사람처럼 슬쩍 들어와서 봐."

남편도 중국 여인에게 전족이 어떤 의미인가를 잘 알고 있었다. 같은 여자이지만 이들과 다른 곳에서 태어나고 자란 내 눈엔 기형적으로 일그러진 발의 형태만으로도 그것은 절로 비명이 터져나올 만큼 끔찍스럽고도 가엽게 보였다. 어린 시절 발가락 다섯 개를 모두 발바닥 아래로 강제로 꺾어 붙이고 압박붕대 같은 천으로 감싸 발이 더 이상 자라지 못하도록 하는 것이라고 했다. 엉겨붙은 발가락들은 반박에 안돼 보이는 발바닥에 박혀 무어라 형언할 수 없는 냄새와 함께 죽은 피부색으로 붙어 있었다.

왕 선생 부인의 설명도 그랬다. 걸음걸이는 자연 뒤뚱뒤뚱하고 오래 걸을 수도 없긴 하지만, 그것이 중국 여인이 갖추는 전

통적인 미의 한 부분이라고 했다. 그래서 전설처럼 전해오는 중국의 한 미인은 힘센 남자의 손바닥 위에 두 발을 올려놓고 춤을 추었을 정도로 발이 작았다고 했다.

"그럼 요즘도 여자 아이들의 발을 그렇게 하나요?"

"예전만큼은 아니지만 여전히 그렇게 하는 가정들이 많아요. 상하이는 개화되어 덜 하지만 시골로 가면 더욱 그렇구요."

그런 전족이 남자의 성적 충동의 직접 대상이 되고, 또 그것을 충족시키는 도구처럼 여겨지기도 한다는 설명을 들었지만 태어나 성장하고 교육받아온 문화의 차이인지 그 부분을 나는 끝까지 이해할 수가 없었다. 그것을 일상처럼 겪는 중국 사람들에겐 그런 모습이 낯설지 않겠지만 이방에서 온 내 눈엔 이쪽의 뿌리깊은 전통과 일상적인 풍습조차 어떤 신비감을 느끼게 했다.

"당신은 이곳이 무섭지 않아?"

어느날 남편이 물었다.

"왜요?"

"혼자 늘 거리를 돌아다니니 하는 얘기지."

"왜, 혼자 다니면 안 되나요? 나는 재미있는데."

"늘 조심하라는 얘기야. 당신은 아직 중국말에 서툰 외국인이고, 이곳은 프랑스와는 문화가 다른 곳이고."

"나 이제, 중국말 서툴지 않아요"

"그럼 그 암호 같은 글자들을 쓸 줄도 알아?"

"전부다 쓸 수 있는 정도는 아니지만, 말은 서로 통하게 할 수 있어요."

내 말에 남편도 놀라는 것 같았다. 상하이에 온 지 어느새 5년이 되어 가고 있었다. 나는 집에 있기보다 자주 외출을 하며 조계지에 있는 많은 잡화 가게의 중국인들과 사귀었다. 외국인과의 대화에서는 영어가 제일 많이 쓰이지만 가끔 불어를 사용하는 중국인과 러시아인도 만날 수 있었다.

프랑스 조계 골목엔 월남인 경찰이 정찰을 하고, 공공 조계의 중요 건물 앞엔 머리에 터번을 두른 인도인 시크교도 경찰과 초병이 서 있다. 그렇지만 특정 구역만 벗어나면 눈앞의 범인도 잡을 수 없는 특수한 지역이 바로 이곳이었다. 항구에 나가면 영국, 미국, 프랑스, 이태리의 군함이 멀지 않은 거리에 함께 정박해 있었다. 처음엔 그런 모습이 혼란스러웠지만 시간이 지나며 그것이 오히려 상하이의 본모습인 것처럼 익숙해지기 시작했다.

그러던 1932년 1월 28일, 남편과 나는 사택에서 잠을 자던 한밤중에 요란한 총소리와 함께 쿵, 쿵, 터지는 포탄 소리에 놀라 잠에서 깨어났다. 다행히 집 부근이 아니라 조금은 먼 곳에서 들리는 소리여서 용기를 내어 마당으로 나가보았다.

"어디지?"

병원 일에 바빠 취미 클럽에도 제대로 나가지 못하는 남편은 아직 상하이의 전체적인 지리에 어두웠다.

"갑북 같은데요."

"갑북?"

그곳에서 연이어 총소리가 들려오고 포탄이 떨어지는 소리가 들릴 때마다 섬광과도 같은 붉은 빛이 밤하늘을 뒤덮었다. 의사들과 가족들은 무슨 일인가 하여 모두 놀란 얼굴로 병원으로 모여들었다. 사람들은 일본이 기어이 상하이를 침공한 것이라고 했다. 이튿날부터는 일본 항공모함에 위에 있던 공습기가 날아올라 북정거장 일대를 폭격했다. 근 백년 동안 전쟁이 없던 상하이에 전쟁이 난 것이었다.

성당의 신부님과 수녀까지 달려와 환자를 돌보아주었지만 병원은 환자들이 고통 속에 내지르는 비명으로 또 하나의 전쟁터를 이루었다. 거리에서는 많은 중국인들이 길을 가다가도 이유없이 일본군에게 잡혀가거나 총에 맞아 죽는다는 소문이 끊이지 않았다. 조계지는 연일 피난 봇짐을 싸들고 몰려드는 난민들로 발 디딜 틈이 없었다. 그런데도 매일 가든브릿지를 넘어 피난민들이 조계지로 몰려들었다.

이 숨가쁜 전쟁 속에 누구도 이해하지 못할 어리둥절한 일이 벌어졌다. 자기 나라 영토가 공격을 받았는데도 중국 정부와 정부군은 일본과의 충돌을 피해 전혀 대응을 하지 않고, 지역 군벌 휘하의 19로군만 일본군과 싸우고 있다는 것이었다. 그 소식은 왕 선생 같은 중국인 의사들이 전했다.

"중국군 사이에서도 '철군' 이라 불릴 만큼 대단한 부대입니다. 사람들은 전투가 벌어지면 중국군이 지레 겁을 먹고 퇴각하리라 생각했지만 지금 상황은 반대입니다."

상하이 곳곳에 폭격 소리가 요란해도 왕 선생이 전하는 소식에 따르면 육상 전투에서는 오히려 일본군이 고전하고 있는 듯했다.

"일본 함정이 엄청나게 몰려와서 배와 비행기로 폭격하고 있어요. 육상에도 날마다 일본군이 상륙해 총공세를 펼치고 있습니다. 그런데도 19로군이 한 치도 물러서지 않고 맞서 싸우고 있어요."

나는 불안한 마음에 폴을 데리고 병원과 집을 왔다갔다 했다. 왕 선생 부인은 집에서 동네 부녀자들과 함께 음식을 만들어 그것을 19로군에게 보냈다.

"여자가 봐도 무슨 싸움이 이런지 모르겠어요."

내가 걱정이 되어 찾아갔을 때 왕 선생 부인이 말했다.

"부끄러운 얘기지만, 국민당 정부는 무저항 명령을 내리고, 일본군과 싸우고 있는 군대는 19로군밖에 없어요. 군인을 돕는 것도 정부가 아니라 상하이 시민들이랍니다. 상하이는 지금 국민당과 일본군 빼고는 다 한 편이 된 분위기예요."

"어떻게 그럴 수가 있죠?"

"그러게 말예요. 미국에서도 교민들이 성금을 보내오고 한다는데 정작 국민당 정부는 뒤로 물러나 있어요. 여자 대학생들까지 전쟁에 자원해 나서고 있다는데. 해외에서도 학생들이 돌아와 의용군으로 자원하고요."

"그 얘기는 저도 병원에 나갔다가 들었어요. 부상자 중에 여대생 의용군도 있다고……."

"음식을 만들어 나르면서도 무서워 죽겠어요. 플로리엔도 알죠? 우리 섭이요."

"그럼요, 지금도 폴을 보러 우리집에 자주 오는 걸요."

"이제 겨우 열네 살이에요. 지금 이 아이들이 시민들과 함께 동네마다 여자들이 만든 음식을 군인들한테 나르고 있어요. 말릴 수도 없어요. 너는 나가지 않으면 안 되냐고 하니까 어린 게 오히려 저한테 엄마는 무슨 말을 그렇게 하냐고 버럭 화를 내요. 그보다 더 큰 학생들은 전투에 자원하기도 하고요."

"그럼 지금……."

"전쟁터에서 조리한 음식은 먹기 힘들 테고, 물만 부어 먹을 수 있는 마른 음식을 만들었는데, 그걸 자기가 가져가야 한다고 들고 나갔어요."

나와 왕 선생 부인이 그런 얘기를 할 때 섭이 집으로 뛰어들어오며 숨이 하늘에 닿을 듯 엄마를 찾았다.

"엄마, 엄마. 내가 친구하고 음식 자루를 메고 가는데, 북사천로 오우덩극장〔奧登劇場〕 앞에서 일본 군인들이 길 가는 사람들을 붙잡아 막 끌고 갔어. 그걸 보니 기분이 이상해. 꼭 죽일 것 같아."

"너희들은 안 붙잡아?"

"우린 어리니까 눈여겨보지 않는 것 같은데, 어떤 잘 생긴 형은 그냥 길을 가다가 체포되어 손을 뒤로 묶여 끌려갔어. 그리고 우체국 앞 네거리에서 음식을 줄 때 총소리가 가까이에서 들렸어. 그런데 어디서 나는 소린지 모르겠어. 거기는 숨을 곳도 없는 데여서 음식 자루를 던져주고 죽어라 하고 달렸어. 정말 오줌 쌀 뻔했어."

"플로리엔. 내일부터는 사람을 사서 음식을 날라야지 안 되겠어요."

"나 안 시키고?"

"어떻게 시키겠니? 총알이 빗발치는 데를."

"그래도 나 할 거야. 그건 우리 같은 애들이 하는데, 그것도 안하면 어떻게 해?"

어머니는 걱정 속에 군인들에게 보낼 음식을 만들고, 어린 아들은 다시 어머니의 걱정을 들어가며 그 음식을 군인들에게 날랐다. 이 집엔 형이 없지만, 어쩌면 그 음식을 진지에서 형이 먹을 수도 있었다.

왕 선생과 왕 선생 부인의 말대로 정부와 정부군은 물러서 있고, 19로군과 상하이 시민만 나서서 싸우는 이 이상한 형태의 전쟁은 36일간이나 계속되었다.

정전협정이 맺어진 다음에도 일본 상품 불매 운동과 일본인 배척 운동이 상하이 곳곳에서 일어났다. 우리 동네에서도 일본인 가게의 물건을 꺼내와 길에 모아놓고 불을 지르는 모습을 볼 수 있었다. 남편 병원에서 자원 봉사를 해주던 이웃의 한 부인도 항일을 위한 모금 운동을 위하여 자신이 팔 수 있는 물건들은 다 팔아 돈을 모았다. 나도 그녀에게 중국으로 오기 전 쁘렝땅백화점에서 산 내 옷중에서 가장 아끼는 보라색 드레스와 레이스가 붙은 블라우스 두 개를 기증했다.

상하이는 다시 예전 시절로 돌아갔다. 언제 그런 전쟁이 있었느냐 싶을 만큼 다시 빠르게 발전하기 시작했다. 나는 이때쯤 절반은 중국 사람이 되어 왕 선생 부인과 함께 이따금 극장에 가서 중국 영화를 보곤 했다.

그 중에서도 '대로'가 특히 인상 깊었다. 1935년에 나온 이 영화는 중국의 전국민이 원하는 항일운동의 바람을 도로건설 노동자들의 장렬한 희생을 통해 보여준 영화로 중국 사람들은 이 영화를 본 사람이나 보지 않은 사람이나 유행처럼 이 영화의 주제가를 따라 부르곤 했다.

항일 영화들이 만들어져 상영되는 동안 일본의 침략에 전혀 맞서지 않고 있는 장제스를 보다 못한 군벌들이 함께 항일 전선을 펴자고 그를 납치해 가둔 일도 발생하고, 일본은 1937년 8월 다시 상하이를 전면 공격해 왔다. '2차상하이사변' 이었다.

이때 나는 왕 선생 집에서 놀라운 광경을 내 눈으로 직접 보았다. 일본이 밉기는 하지만, 그래도 배워야 일본을 이길 수 있다고 일본으로 유학을 떠났던 이 집의 아들 섭이 전쟁 소식과 함께 다시 집으로 돌아온 것이었다. 5년 전 1차상하이사변 때 19로군에게 음식을 나르던 그 아이였다.

"아니. 너 왜 왔어? 이 난리통에."

집으로 돌아온 아들에게 왕 선생 부인이 놀란 얼굴로 물었다.

"군대에 들어가기 위해 왔어요. 친구들과 함께요."

"뭐야? 너 지금 뭐라고 했어? 제정신이냐?"

"지금 나라가 침략을 받았는데, 제가 침략국에 가만히 앉아 공부만 하고 있을 수 없잖아요."

"아니, 이 녀석아. 네가 온다고 나라가 금방 구해지냐? 돌아가 당장! 여기 있으면 너는 죽어."

"그럴 수 없어요."

섭은 결연한 태도로 말했다.

"너 정말, 내가 죽는 꼴을 보려고 이러는 거냐?"

해외에 유학을 나갔다가 고국의 전쟁 소식을 듣고 돌아와 전선으로 떠나는 의용군들.

평소 내 눈에 너무도 애국적이고도 헌신적이었던 왕 선생 부인이 아들을 잡고 매달렸다. 나도 함께 아이를 키우는 엄마 입장에서 그런 부인의 모습을 내 일처럼 이해할 수 있었다. 이 상황에서 친구들과 함께 귀국한 섭의 모습도 목이 메이게 했다.

"집에 안 들르고 바로 전선으로 나가려다가 그래도 엄마 얼굴 한번 보고 가려고 들른 거에요. 저, 갈게요. 친구들과 다시 모이기로 약속했어요."

"이놈아. 너는 총알이 날아오면 첫 번째로 죽어. 두 번째도 세 번째도 모두 너를 향해 총알이 날아올 거야 이놈아. 내가 너를 어떻게 키웠는데……."

"엄마. 그래도 가야 해요. 우리 모두 죽는다 해도."

"가지 말라니까, 이놈아! 그러면 너보다 내가 먼저 죽어……."

엄마가 울부짖으며 매달리는 가운데 섭은 억지로 어머니를 떼어내고 집을 나섰다.

"제 어머니를 부탁합니다."

집을 나서며 섭은 나에게 말했다. 나는 조국의 위기 앞에 자신의 한 몸을 바치고자 학업을 중단하고 돌아온 그 아들의 비장한 얼굴을 바라보며 한편으로는 슬프고 안타까우면서도 또 한편으로는 내 가슴 안에 꽉 차오르는 무엇을 느꼈다. 그러나 그 앞에서 어떤 말도 할 수가 없었다. 태어나 전쟁 훈련이라고는 받아본 적이 없는 어린 학생들이 나라의 위기에 스스로 자신의 몸을 바치겠다고 돌아온 것이었다. 왕 선생 부인도 울고, 나도 부인의 손을 잡고 함께 울었다.

그러나 그렇게 비장하였음에도 그해 11월 끝끝내 상하이 전선이 무너지고 말았다. 뒤의 일들은 너무도 참혹하여 이방인인 나조차도 다 말하기 힘들다. 국민당 정부는 남경에서 중경으로 천도를 하고 상하이는 일본군 점령하의 세상이 되었다. 2차 상하이사변 때 남편은 몇 번이나 과로로 쓰러졌다. 그리고 깨어나면 다시 환자들을 돌보곤 했다. 불행하게도 우리 모두의 기도에도 불구하고 왕 선생의 아들은 다시 집으로 돌아오지 않았다.

2차 상하이사변 때 수많은 중국인들이 일본군의 폭격과 총알을 피해 가든브릿지를 건너 조계지로 피난했다. 10만 명의 시체가 길에서 발견되었다.

남편과 나는 1939년 이차대전이 발발함과 동시에 프랑스로 돌아왔다.

지금 내 가슴엔 불타는 상하이가 떠오른다. 나는 격변 속의 상하이를 보았고, 가슴으로 느꼈으며, 상하이의 아픔과 상하이 사람들의 숭고한 나라 사랑을 보았다. 몸은 이곳 파리에 있으나 나는 그곳을 영원히 잊지 못할 것이다.

돌아오지 않은 사람

그래요. 사람들은 나를 '돌아오지 않은 사람' 이라고 불렀지요. 그러나 아주 돌아오지 않은 것은 아니지요. 살아있을 땐 돌아오지 못하고, 죽은 다음 뒤늦게 뼈만 고국으로 돌아와 지금은 이렇게 보다시피 국립 현충원에 있는 옛 동지들 옆에 묻혀 있지요.

드문 경우였던 거지요. 독립운동을 하던 사람으로 조국이 꿈에도 그리던 광복을 했는데도 돌아오지 않은 경우로도 드물고, 또 독립운동을 한 사람들 가운데 상하이에서 사업가로 성공한 경우도 내가 유일하지 않은가 싶어요.

지금 내 무덤 앞에 술 한 잔을 따르고 있는 젊은이, 젊은이는 어디서 그런 얘기를 들었나요? 내 얘기는 내가 독립 유공자로 뒤늦게 추서된 다음에도 조국에는 거의 알려지지 않은 얘기인데 말이지요. 고마워요, 내 무덤 앞에 따라주는 술 한 잔. 그리고 함께 이 술을 나누며 내가 하는 몇 토막의 이야기를 들어주길 바래요.

'대한의 가을 단풍은 붉고 아름다우나, 조선 민족의 끓는 피는 더욱 붉고 하늘을 찌르는구나.'

달리는 기차 안이었지요. 의친왕 전하께서 자신의 심정을 담은 시 한 편을 급히 써서 옆에 앉은 내게 건네주셨지요. 그때 나는 여장을 하고 있었고, 전하께서는 허름한 평복을 하고 계셨어요. 기차 안엔 전하의 탈출을 돕는 세 명의 동지가 더 있었지요. 우리는 모두 그렇게 변장을 했답니다.

나는 두 손으로 얼른 전하의 시를 받아 첫머리만 살피고 바로 품속에 넣었어요. 차창 밖으로는 늦가을 풍경이 빠르게 지나갔어요. 3·1 만세운동이 일어났던 해 11월이었답니다. 서울은 아직 가을이었지만, 기차가 한 역 한 역 북쪽으로 올라갈수록 고국의 산천은 조금씩 을씨년스럽게 겨울 풍경을 띠어가고 있었지요.

전하께서는 돌아가신 황제의 다섯째 아드님이셨지요. 침략자들은 전하를 왕이라는 칭호 대신 '이강 공(李堈公)'이라고 불렀어요. 그들은 강제로 나라를 빼앗은 다음 전하의 작위까지 깎아서 불렀지만, 백성들은 여전히 그분을 의친왕이라고 불렀어요. 기구한 운명이셨지요. 나라를 잃기 전에는 스무 살 아래의 이복 동생인 영친왕 전하의 생모 엄비마마의 견제로 미국과 일본을 떠돌아다녔고, 나라를 빼앗긴 다음 고국으로 돌아왔지만 이번엔 일본 총독부가 이중 삼중으로 삼엄하게 전하를 감시했지요.

원래 곧고 호방한 성품이셨어요. 그렇지만 밤낮 없는 감시 속에 전하께서 할 수 있는 일은 아무것도 없었지요. 만세운동이 일어난 다음부터는 전하에 대한 감시가 더욱 심해졌어요. 그럴 수밖에 없는 게 선왕께서 일본인들 손에 독살을 당하셨다는 걸 외부에 처음 알린 사람이 바로 전하셨거든요.

이래저래 일본 사람들 눈엔 전하가 눈엣가시였던 거지요. 저들의 감시가 심하니 전하 스스로도 자신의 신세가 조롱 속에 갇힌 새와도 같은 느낌이 들었을 겁니다. 그 무렵 전하께선 일본 사람들 보란 듯이 일부러 더 기생집에 나가 주색을 가까이 하며 하루하루 시간을 보냈어요. 그러면서 저들의 감시를 따돌리고 임시정부가 있는 상하이로 비밀리 망명을 추진했던 거지요.

임시정부에서도 전하를 상하이로 모셔오면 그걸로 이제 막 출범한 임정의 법통을 보다 확실하게 세울 수 있고, 또 고국 동포들에게도 독립운동의 새로운 구심점으로 힘을 받을 수 있을 것이라고 여겼던 거지요. 의친왕 전하 역시 정작 나라 안에서는 나라를 위해 아무것도 할 수 없는 몸이라 임정 쪽에서 은밀히 전한 상하이로의 탈출을 그 자리에서 바로 수락하셨어요.

"전하, 이 다리만 건너면 되옵니다."

압록강 철교를 건너며 우리는 이제 일이 다 성사된 것으로 알았어요. 그러나 전하의 탈출을 눈치챈 총독부는 국내와 일본, 만주, 시베리아, 상하이에까지 이미 긴급 수배령을 내려놓은 상태였어요. 기차 안에 있는 우리만 그것을 모르고 있었던 거지요. 기차는 압록강을 건너 곧 단동에 도착했어요. 이제 막 국경을 넘어 종착지에 도착한 다음 다들 짧게나마 안도의 한숨을 내쉴 때 갑자기 일본 경찰들이 플랫폼으로 몰려들기 시작했어요.

"무슨 일인가?"

도망갈 틈도 없이 사방에서 몰려온 일본 경찰이 총을 겨누며 우리를 에워쌌어요. 이렇게 의친왕 전하를 상하이로 탈출시키려던 우리 독립대동단의 계획은 수포로 돌아가고 말았지요.

나는 감옥에서 우리가 처음 계획한 대로 제날짜에 일을 거행하지 못한 것을 뼈아프게 후회했지요. 전하께서는 서울에서 상하이 임시정부로 갈 때 선왕 폐하로부터 받은 몇 가지의 채권 증서와 비밀 문서를 가져가야 한다며 사흘간의 말미를 요청하셨어요. 이것을 빼내오는 데 시간이 걸렸던 거예요. 몸은 이미 저택에서 나와 다른 곳으로 피해 있었는데, 이때 전하께서 머무셨던 기생집 주인이 일본 경찰에게 이 사실을 알렸던 거지요. 바로 명월관의 주인이었답니다.

전하의 망명을 돕는 선발대로 네 명의 동지가 함께 이 일을 추진했는데, 그 중 한 동지는 일본놈들의 고문에 못 이겨 옥사하고 말았어요. 검거에서 재판까지 8개월 동안 고문도 참 잔혹하고 끔찍했지요. 그때 사람이 사람에게 가하는 모든 신체적 고통을 다 경험했어요. 그런 고문에 나도 온몸이 헐고, 죽음을 눈앞에 수없이 보았어요. 다행히 의친왕 전하께서 끝까지 본인 스스로 간 것이라고 증언하여 중형을 면하고, 병보석으로 2년

반 만에 출소할 수 있었어요.

이때 내 나이 스물아홉 살이었어요.

사실 나는 스무 살이 되기도 전 일찍 불교에 귀의했어요. 젊은 승려로 강원도 오대산 월정사에 몸을 담고 있다가 지금은 나라를 되찾는 일에 먼저 나서야 하는 게 아닌가 하는 생각에 절을 나와 상하이로 망명했던 거지요.

그러다 서울에서 만세운동이 일어난 다음 한 달 후 상하이에 대한민국 임시정부가 수립될 때 강원도 대표위원과 재무부 재무위원으로 선출되었어요. 재무위원은 임시정부에 필요한 재정을 담당하는 사람들인데, 그럴 만한 돈을 상하이로 가져온 사람은 아무도 없었지요. 더구나 나는 일찍 불교에 귀의해 승려 생활을 하던 사람이었어요. 재무위원으로 내가 하는 일은 일본 경찰의 검속을 피해 승복 차림으로 상하이와 서울을 오가며 자금을 조달하는 거였지요. 빈번하게 다녔어요. 그 과정에 의친왕 전하를 상하이로 모셔오는 일의 선발대로 나서게 된 것이지요.

어쨌거나 1920년 6월 경성지방법원에서 3년의 징역형을 선고 받고 옥고를 치르던 중 형기를 반년 남겨두고 병보석으로 가출옥했어요. 이때 다시 간 곳이 강원도 오대산의 월정사였어요. 그때쯤 3 · 1 만세운동에 앞장섰던 만해 한용운 스님도 형기를 마치고 출소해 있었어요. 나는 다시 승려로 돌아와 몸을 추스린 다음 한용운 스님과 뜻을 같이해 불교를 통해 민족정신을 고취시켜 나가는 운동을 벌였어요.

그런데 이 일도 오래 할 수가 없었어요. 먼저 독립대동단의 일로 옥고를 치른 다음이라 승려 신분인데도 늘 감시와 미행이 뒤따랐던 거지요. 한용운 스님은 그때 『님의 침묵』이란 시집으로 저항문학에 앞장서던 때였는데, 그 스님과 몇 번 접촉하고 불교운동에 대해 의논한 일로 1926년 6월에 다시 체포되었다가 풀려났어요.

정말 지겹게도 일본 경찰이 따라다녔어요. 절에 있을 때나, 산문을 벗어나 밖에 있을 때나 내 뒤엔 늘 두 명의 경찰이 있었어요. 이래서는 살 수가 없다, 저 감시에서만이라도 좀 벗어나자, 하고는 승복을 벗고 아예 일본으로 건너갔어요. 오히려 거기에 가면 감시가 덜하겠다 싶었던 거지요. 그렇지만 그곳에서도 감시는 여전했어요. 그때 의친왕 전하께서 강제로 일본에 끌려와 있었거든요. 그러니 저 자가 승복을 벗고 일본에서 무슨 일을 저지르지 않나, 감시의 눈초리를 늦추지 않았던 거지요.

그때 나는 내 인생에 대해 깊이 생각해 보았어요. 이제 다시 승복을 입든 벗든 무슨 일을 공개적으로 하기엔 이미 쉽지 않은 몸이 되어 있었던 거예요. 도대체 이 감시 속에서 무슨 일을 할 수 있을까. 조국에 돌아가 다시 불도를 닦는다고 한들 그걸 저들이 편하게 내버려두겠는가. 하루 종일 바닷가에 나가 바다만 바라보다가 여관으로 돌아오곤 했지요. 승려 일이든 독립운동 일이든 우선 감시를 받지 않아야 무슨 일이든 하겠는데, 이건 도무지 사람이 숨을 쉴 수가 없었어요. 아마 그때 내 연구는 어떻게 하면 감시를 받지 않고 살 수 있을까, 하는 것이었는지도 몰라요.

하루하루 날씨가 추워지고 있었어요. 어느날 바닷가에 나갔다가 여관으로 돌아오니 여관 주인과 나무 장수가 마당에서 실랑이를 벌이고 있는 겁니다.

"이거 너무 비싸다."

"아니 비싸지가 않습니다."

"당장 며칠 전보다 더 비싸게 값을 부르지 않느냐?"

"그건 날씨가 추워지는데 나무가 부족해서 그렇습니다."

그 실랑이 속에 내 눈이 저절로 그쪽으로 갔어요. 나뭇단을 사이에 놓고 값을 다투는 모습이 흥미롭기도 해서 가격을 물으니, 이게 그쪽에 대해 아무것도 모르는 내가 보기에도 여간 비싼 게 아니더군요. 더구나 나는 나무가 흔한 나라에서도 가장 나무가 흔한 강원도 오대산에서 온 사람이니 그게 더욱 비싸게 보였던 거지요.

그때 내 머릿속을 스쳐지나가는 생각이 하나 있었어요. 그래, 장사를 하면 어떨까. 그러니까 강원도에서 배에 나무를 실어 일본에 가져다 팔면 어떨까 하는 생각했던 거지요. 다른 일을 하는 것도 아니고 장사를 하면 일본놈들이 덜 따라다니지 않을까, 그래야 숨이라도 좀 쉬고 살 수 있지 않을까 생각했던 거지요.

이게 내가 승복을 벗고 장사를 하게 된 동기였어요. 그 후 나는 강릉과 나가사키를 오가며 나무 장사를 했어요. 5년 가까이 장사를 했으니 그러는 동안 돈도 꽤 많이 모았지요. 당시 나가사키와 상하이 간의 교역 규모가 컸어요. 상하이를 오고가는 배를 볼 때마다 자꾸 상하이 생각이 나더군요. 노 나가사키와 상하이를 오가는 배에 실려 있는 엄청난 물동량을 보며 나도 이왕 장사를 하겠다고 나선 김에 보다 넓은 세상에 가서 본격적으로 장사를 하고 싶어졌어요. 그때쯤 끈질지게 나를 따라다니던 일본 형사들의 미행도 멈췄어요. 나는 오랜만에 다시 상하이로 가기로 결심했답니다.

이번엔 임시정부의 일로 가는 것이 아니라 사업 때문에 가는 것이었지요. 1919년 가을에 상하이에서 서울로 와 의친왕 전하를 모시고 가려다 실패한 다음 꼭 12년만인 1931년에 다시 상하이로 간 것이었어요. 그 12년 사이 상하이는 정말 몰라볼 정도로 발전해 있었지요.

한국과 일본을 오가며 장사를 하는 동안 나는 일본 사람들의 생활 습성과 취향에 대해 나름대로 잘 파악하고 있었어요. 무슨 장사를 하는 게 좋을까 연구를 하다가 나는 이미 세계적인 도시로 변한 상하이에서도 일본인들이 가장 많이 사는 홍구 번화가에 식당을 내기로 했어요. 그러면서 마음속으로 이런 다짐을 했지요. 우선은 어떤 일에도 눈 돌리지 말고 사업만 하자. 또 어떤 일을 하더라도 사업에 도움이 되는 일만 하자. 당분간 임시정부의 옛동지들한테는 내 존재조차 알리지 말자, 생각했어요.

이곳에 와서 예전 임시정부 시절 동지든 아니면 새롭게 알게 된 사람이든 한국 사람들과 자주 만나고 하면, 이거야말로 그들과 무슨 일을 하든 하지 않든 내게는 아주 위험한 일이었던 거지요. 지금은 거의 미행을 하지 않지만 저들이 가지고 있는 기록 속의 나는 이곳 상하이에서 한때 임시정부 재무위원을 지낸 사람이잖아요. 한국과 일본을 오가며 나무 장사를 할 때보다 상하이에 온 다음 새롭게 주목받을 소지가 있는 거지요. 일부러 그들의 오해를 살 이유가 없다고 생각했어요.

대신 다른 쪽으로 나는 상하이에서 내 사업에 도움이 될 아주 많은 사람들을 사귀었지요. 상하이에 와서 큰 무역업을 하거나 금융업을 하는 외국인도 많이 사귀었어요. 꼭 어떤 필요에 의해 사람을 사귄 것은 아니지만, 나는 그런 친교가 언젠가는 내게 큰 도움을 주리라 생각했어요.

나는 돈 많은 중국인 부자들과 일본인들을 의도적으로 많이 사귀었어요. 그 중엔 일본인 은행가도 있었는데, 그들이야말로 국내외적으로 이런저런 일이 있을 때마다 내 신상의 안전과 사업의 방패가 되어 주었어요.

스페인 본당 성당의 프랑코 신부와도 아주 절친하게 지냈답니다. 그분은 나에게 상하이에 와서 큰 사업을 하고 있는 많은 외국인들을 소개시켜 주었어요. 나는 그들을 수시로 내가 운영하는 식당에 초대해 멋진 저녁을 대접했어요. 식사를 할 때면 필리핀 악대가 늘 곁에서 감미로운 음악을 연주하곤 했지요.

그냥 음식만 파는 식당은 아니었어요. 큰 건물을 구입해 1층은 식당으로 사용하고 2층은 나이트클럽으로 사용했지요. 여기 나이트클럽에서 일하는 댄싱걸만 50명이 넘었어요. 그리고 3층은 이들 댄서들의 숙소로 썼어요.

말하자면 식당과 유흥업을 동시에 했던 것인데, 여기에도 나름대로 꼭 지켜야 할 원칙을 정해 놓았답니다. 나이트클럽은 손님이 아무리 많이 들어와도, 또 어떤 특별한 손님이 오더라도 밤 1시가 되면 단 10분도 연장하지 않고 바로 그날 영업을 끝냈어요. 그리고 일이 끝나면 제일 먼저 한 것이 댄서들을 3층 숙소로 올라가게 하는 것이었어요. 댄서들에게 절대 몸을 팔지 못하게 했어요. 이 규칙은 사장인 내가 늘 강조했고, 또 매우 엄격하게 지켜졌답니다. 만약 이 규칙을 어긴 댄서가 있다면, 그녀는 그날로 내가 운영하는 나이트클럽을 그만두고 다른 무도장을 찾아가야 했지요.

이런 방식의 나이트클럽 운영이 다른 사람들에게 내 인상을 좋게 해주었어요. 식당 사업은 금방 궤도에 올랐고, 홍구에서 첫손가는 명소로 꼽혔답니다. 이곳에 오면 언제나 상하이에서 행세하고 있는 일본인들을 만날 수 있었지요. 그 사람들도 자신과 비슷한 무리들과 섞이기 위해 내가 운영하는 식당을 자주 찾아왔어요. 또 그런 분위기가 이 식당과 나의 훌륭한 방패가 되어 주었지요.

다시 상하이에 와서 겉으로는 절대 예전에 함께 일을 했던 임시정부 시절 사람들을 만나지 않았지만, 또 그 사람들도 이곳으로 찾아오지 않았지만, 사업이 어느 정도 궤도에 오르면서 나는 나이트크럽의 댄서들을 관리하는 매니저만은 꼭 한국 사람을 채용했어요. 또 나의 신분이 어디에 내놓아도 안전해진 다음 아무도 모르게 임정 쪽 사람들과 접촉하기 시작했답니다. 내가 그들과 함께 공개적으로 임정 일을 볼 수는 없지만, 아무도 모르게 도울 수는 있다고 생각했어요.

비밀리 자금도 지원하고, 내가 하고 있는 사업이 식당과 나이트클럽이니만큼 이런 방법도 있었어요. 매니저가 댄서를 관리해야 하는 것처럼, 댄서들도 저마다 단골 고객을 관리했어요. 매니저는 댄서들에게 그들이 관리하는 손님들의 동태를 지나가는 말처럼 묻는 겁니다.

"아까 너하고 춤추었던 요시무라 씨는 한동안 안 보이는 것 같더니 오늘 오랜 만에 나타났더라."

"일 때문에 일본에 들어갔다 왔는가 봐요."

"네 단골손님 오오다께 씨는 요즘 왜 뜸하신 거냐?"

"일본에서 높은 분이 오셔서 그 준비로 바쁘시대요. 어마어마하게 귀하신 분이라 준비가 많나 봐요. 모레쯤 이곳에 한번 들르겠다고 그랬어요."

"그래. 너희들 모두 손님들께 성심성의껏 대해라. 단골 손님이 늘어야 우리 클럽도 이름이 올라가고 너희들도 생활이 안정되고 그러지."

그러면 댄서들도 별 생각없이 손님과 나눈 대화를 매니저에게 전하는 거지요. 누구는 언제 일본에 갔다 왔다더라, 누가 누구를 만난다더라, 또 누가 언제 누구를 데리고 온다더라, 얼핏 들으면 평범한 대화 같지만, 그런 것이 바로 상하이에서 행세하는 일본인들의 귀중한 정보이기도 한 것이지요. 댄서는 지나가는 말처럼 매니저에게 자기 단골의 정보를 전하고, 그걸 다시 매니저가 나에게 전합니다.

2층 나이트클럽의 댄서들은 러시아, 일본, 한국, 중국, 유라시아 여자들이 섞여 있었어요. 그 가운데 러시아 여자 한 명과 평양에서 온 여자 한 명, 상하이 토박이 여자 한 명이 유독 반일사상이 강했어요. 나이트클럽을 드나드는 손님들 가운데도 스

특정한 나라의 색깔을 드러내지 않는 무색 클럽의 댄서들은 러시아인, 중국인, 일본인, 한국인, 유라시안들이 함께 섞여서 일을 했다. 이들 중엔 남다른 애국심을 가지고 첩보 활동하는 스파이들도 있었다.

파이들이 있겠지만, 무도장의 댄서들 가운데도 스파이들이 있었어요. 그건 아무도 모르는 일이지요. 이따금 어느 무도장의 무희 한 명이 일본도에 난자된 채 오송강변에 버려졌다더라, 그런데 알고 봤더니 그 무희가 중국의 어떤 항일 조직의 스파이라더라, 이런 얘기가 들려오기도 했지요.

나는 그런 소문이 들려올 때마다 우리 나이트클럽에서 일하는 모든 댄서들을 모아놓고 너희들은 절대 그런 일에 나서지 마라, 하고 공개적으로 주의를 줍니다. 그러면 나의 이런 말도 우리 나이트클럽에 드나드는 일본인 스파이들 귀에 들어가는 거지요. 댄서들은 무심하게 매니저에게 자기 손님들에 대한 얘기를 했고, 나는 그 정보를 아무도 몰래 임시정부 사람에게 주었던 거지요. 그러면 임정의 행동대가 숨어 있다가 일본의 중요 요인이나 스파이들의 뒤를 따라가 으슥한 곳에서 암살했어요. 그 무렵 일본 요인들과 자주 만나는 중국 친일파와 한국 친일파 등 중요 인물이 어느 날 갑자기 사라지는 일들이 종종 있었지요.

그러다 1932년 4월 홍구공원에서 열린 '상하이사변 전승 기념식' 에서 한국 청년 윤봉길이 폭탄을 던져 일본인 고관 10여 명을 사상케 한 사건이 있었지요. 겉으로 드러나지는 않았지만 이 사건이 있기 전부터 우리 식당은 평소에도 은연중 일본군의 의심을 받아왔는데, 사건 직후 헌병대가 식당을 급습했어요. 그리고 모든 장부와 사업일지를 다 뒤지고, 식당과 나이트클럽에서 일하고 있는 종업원들과 나를 심문했어요. 나는 그동안 친교를 쌓아둔 일본인 친구들의 증언으로 풀려날 수 있었는데, 이때 일본의 은행가인 요꼬이 씨가 정말 애를 많이 써주었어요.

요꼬이 씨는 헌병대에서 나에 대해 이렇게 말했어요.

"송세호, 이 사람이야말로 진짜 자본가요. 이 사람이 여기 상하이에 와서 벌려놓은 사업이 얼마나 큰데, 위험하게 독립운동 같은 것을 하겠소? 예전에 젊었을 때야 순진해서 독립운동을 했는지 모르지만, 지금은 상하이로 돈을 벌기 위해 온 자본가일 뿐이오. 지금 이 사람에게 독립운동은 당치가 않소."

일본 사람이긴 하지만, 나하고는 서로 깊은 우정을 나누는 사이였어요. 일본 헌병대도 일단 증거가 없으니 나를 풀어줄 수 밖에 없었지요. 그때 나는 불란서 조계지에서 살며 불란서 공안국과도 아주 친하게 지냈어요. 또 언제 어떤 일이 생길지 몰라 일본 헌병들에게도 수시로 공을 들이며 좋은 관계를 맺어놓았어요. 그러나 나는 이쯤에서 식당과 나이트클럽을 파는 것이 낫겠다고 생각했어요.

나는 식당과 나이트클럽을 판 다음 두 번째 사업을 물색했어요. 그때 상하이의 담배 사정이 안 좋았어요. 외국에서 들어오는 것은 몰라도 중국에서 만들어 파는 건 제품이 조악했어요. 담배를 만드는 기계에 문제가 있었던 거지요. 나는 이 방면으로 진출하면 틀림없겠다 싶었어요.

나는 요꼬이 씨를 찾아가 나의 새로운 사업계획을 말했어요. 그러자 요꼬이 씨가 앞장서서 자기 은행에서는 물론 미국 은행과 불란서 은행에서까지 대출을 받을 수 있게 해주었어요. 그 돈으로 그동안 외국 담배로 고급스러워진 상하이 사람들의 입맛에 맞게 연초공장을 차렸던 거지요. 담배 원료는 쿠바에서 수입하고, 기계는 그리스에서 새 것을 들여왔어요. 그러니 다른 회사의 담배와 비교했을 때 육안으로도 금방 차이가 나 보이더군요. 800명이 넘는 직공이 밤낮없이 3교대로 일했어요. 이 담배 공장이 엄청난 이윤을 남겨주어 나는 상하이에서도 내노라하는 거부가 되었지요.

나는 사업을 더욱 확장해 나갔어요. 그때 많은 사람들이 연초공장에 대한 나의 사업수완을 보고 나에게 투자하고 싶어 했어요. 나는 여러 나라 사람들의 투자금을 받아 연초공장과 함께 새로운 투자은행을 설립했어요. 연초공장도 현금 회전율이 높고, 투자은행도 결국은 현금을 바탕으로 거래가 이루어지는 장사니까 돈이 돈을 불려나가는 식이었지요.

이때 임시정부는 상하이에서 장사로 옮겨갔는데, 나중에 중경시절까지 포함해 나하고는 아주 비밀리 끈을 맺고 있었어요. 먼저 운영했던 식당과 마찬가지로 그쪽에서 이쪽으로 사람이 움직일 때 아무도 모르게 자금을 지원했지요. 그러나 그때쯤엔 일본 헌병도 나에게 함부로 하지 못했어요. 그건 내가 이미 그만큼 상하이 안에서 사업가로 이름을 떨치고 있었기 때문이지요. 임시정부와의 관계도 조국이 해방될 때까지 계속 이어져왔는데, 돌아보면 일찍 산문에 몸을 담았던 승려가 독립운동가로 변신했다가 다시 사업가로 변신한 사람도 내가 유일하지 않나 싶습니다.

사업을 하면서 돈 때문에 누구를 배신하지도 않았고, 겉으로는 독립운동 시절의 일들을 청산한 듯 행동했어도 끝까지 그 시절의 동지들과 나라를 배신하지 않았지만, 인간 관계에서 한 가지 깊이 회한이 남는 일이 있어요. 그건 일본인 은행가 요꼬이 씨와의 일이랍니다. 1945년 일본이 패망한 다음 그도 상하이에서 일본으로 돌아가야 했어요. 그런데 그가 어느날 밤 은밀히 나를 찾아왔어요. 자신의 재산을 금으로 바꾸었는데, 그것을 일본으로 가져가는 것이 불가능하니 나보고 임시로 맡아달라는 부탁이었어요.

그는 상하이에서 사업을 하는 동안 참으로 많은 도움을 나에게 주었어요. 그런데 나는 그의 마지막 부탁을 들어주지 못했어요. 그것은 두 가지 이유 때문이었어요. 그때 상하이도 무척 혼란스러웠답니다. 언제 어떻게 상황이 바뀔지는 아무도 모르는 일이었어요. 내가 금을 가지고 있다가 누군가에게 약탈당하듯 빼앗길 수도 있는 일이었지요. 그런 혼란한 시기에 내가 그의 금을 제대로 보관하고 있을 자신이 없었어요.

나중에라도 그런 일이 생겼을 때, 그리고 그가 다시 나를 찾아와 금을 돌려달라고 했을 때 내가 그 과정을 설명한다 해도 과연 그가 우리가 서로 좋은 관계였을 때처럼 나의 그런 말을 오해없이 들어줄 수 있을까 하는 것이었어요. 내가 금을 빼돌리고 그렇게 말한다 생각할 수도 있는 일인 거지요.

그래서 나는 그것을 맡을 수가 없다고 했어요. 그리고 나나 누구에게 맡기는 것보다 무슨 수를 내서라도 그것을 당신이 직접 가지고 갈 수 있도록 해보라고 했어요. 그 후 그의 소식을 듣지 못했어요. 금을 가지고 무사히 일본으로 갔는지, 아니면 배를 타기 전 중간에서 빼앗겼는지 그건 알 수가 없답니다. 그 한 가지가 죽는 날까지 어떤 회한처럼 내 가슴에 남아 있었어요.

돌아보면, 나는 1910년대 말에 산문에서 나와 독립운동을 위해 처음 상하이에 왔어요. 그리고 의친왕을 상하이 임시정부로 모셔오는 일로 감옥에 갔다 나온 다음 잠시 한국과 일본을 오가며 장사를 한 적은 있지만, 1945년 일본이 패망할 때까지 줄곧 상하이에 살았던 거지요. 열일곱 살에 나라를 잃고, 20대 중반에 독립운동에 뛰어들어 다시 뜻하지 않게 사업가로 변신하여 쉰두 살에야 조국의 해방을 맞이했던 거지요.

그때 중경에 있던 임시정부 사람들은 모두 해방된 조국으로 돌아갔지요. 그러나 나는 돌아갈 수 없었어요. 그러기엔 그간 내가 벌려놓은 것들이 너무 많이 상하이에 있었던 거지요. 승려에서 독립운동가로 다시 사업가로 어떻게 보면 참 남다른 인생을 살았다는 생각이 들어요.

눈을 감은 곳도 1970년 상하이에서였어요. 그리고 20년이 지난 다음 뼈만 돌아와 이곳 현충원에 묻힌 나에게 조국은 건국훈장 애국장을 추서해 주었답니다. 이제 나는 혼백으로나마 조국과 상하이를 오가며 나의 지난 시절 추억에 잠기며, 오늘 내 무덤을 찾아온 젊은이에게 이 이야기를 하게 되었답니다. 독립운동가들 사이에서 돌아오지 않은 사람으로 불렸던, 상하이의 한 사업가 이야기를…….

상하이의 눈물

상하이에서 옛날 거리 풍경이 남아 있는 곳을 찾다가 우연히 한 작은 전당포를 들른 적이 있다. 그 가게는 세 평 정도의 작은 가게로, 평생 그 가게를 지켜온 듯한 첫 인상부터 매우 깐깐해 보이는 할아버지와 손님인지 친구인지 모를 노인 두 사람이 함께 앉아 담배를 피우며 잡담을 나누고 있었다.

안으로 들어서자 좁은 공간 안에 갖가지 물건이 천정에서부터 제일 아래 바닥 부분까지 진열되어 있었다. 층층이 매달아 붙여놓은 선반마다 옛날 분위기를 물씬 풍기는 물건들이 새로운 주인을 기다리고 있었다. 첫눈에 아, 이곳은 아주 오래 전부터 있던 가게구나, 하는 것을 직감적으로 알 수 있었다.

가게 중앙의 유리장 안에는 각종 장신구와 옥 브로치, 시계, 아주 비싼 재질의 도장이 진열되어 있었고, 주인 할아버지의 등 뒤엔 문방 용품과 남녀 소모품이 서로 비좁게 자리를 차지하고 있었다.

그 중 내 시선을 끈 것은 아주 작은 여성용 시계들이었다. 이제는 아무도 그 시계를 차고 싶어 하지 않을 만큼 낡고 처량해 보였다. 그중 한 시계를 집어 자세히 들여다보자 작은 아라비아 숫자가 보일 듯 말 듯 쓰여 있고, 숫자판을 덮고 있는 유리가 약간 희끄무레하게 변한 것이 마치 눈물이 맺힌 여인의 눈동자 같았다. 이 시계의 주인이 이 시계를 저당 잡히며 얼마나 답답하고 힘들어했을지 시계의 유리판이 말해 주는 것 같았다.

그녀에게는 이 시계를 사 준 애인이 있었고, 그 애인과 함께 있는 동안 사랑과 희망에 부풀어 마치 세계를 자기 품에 안은 것처럼 행복했던 날들이 있었을 것이다. 그녀는 이 시계를 선물받고 얼마나 기뻤을까. 그걸 선물 받은 처녀는 자신의 미래가 활짝 핀 것처럼 느끼기도 했을 것이다. 시계를 선물 받던 날 그녀는 올드상하이의 최고급 식당에서 애인의 눈을 쳐다보며 식사를 하고, 팔짱을 끼고 이 거리 저 거리를 누볐을 것이다. 그녀가 그 시계를 선물 받던 때보다 훨씬 나중인 내 어린 시절에도 시계는 단순한 선물이 아니라 반지와 마찬가지로 사랑하는 사람에게 건네는 예물의 성격을 가지고 있었다.

옛 상하이의 정취가 그대로 남아 있는 남경로 거리 풍경

그녀가 살고 있는 상하이는 1920년대 급속한 발전 속에 세계 각국의 야망가들이 저마다의 꿈을 안고 모여들었다. 상하이로 올 때 대부분 독신이었던 그들은 이곳에서 자신의 야망을 펼치며 열심히 일을 하고, 또 새로운 사람에 빠졌다. 애초 빈털터리였던 그의 애인도 일확천금의 꿈을 안고 불란서 우편선을 타고 이곳으로 왔다. 남자는 자신의 청춘과 함께 이곳 상하이의 아름다운 날들을 사랑했고, 이곳에서 만난 중국인 애인을 끔찍이 여겼다.

그런 꿈같은 날들이 가고, 어느 날 애인은 그녀에게 이제 본국으로 돌아가야 한다고 통고했다. 머지 않은 시간 다시 데리러 오겠다는 언약만 남기고 그는 떠나고 말았다. 그녀는 임신 중이었으나 그를 붙잡을 수 없었다. 그러나 그는 다시 돌아오지 않았다.

갑자기 생활이 어려워진 그녀는 그에게서 선물받은 브로치를 들고와 이곳에 맡겼다. 그때는 저 노인의 할아버지가 이 가게를 보고 있었다. 몇 달 후 그녀는 다시 비싼 장식의 거울과 목걸이를 맡기고, 반년 후엔 아기를 낳았다.

출산 후 그녀의 피부는 거칠어졌으며, 돈은 더욱 궁해졌다. 그녀는 마지막까지 아끼며 간직하던 이 시계를 눈물을 흘리며 들고와 이곳에 맡겼다. 한 달 후엔, 한 달 후엔 꼭 찾으러 오겠다는 말을 했을 것이다.

그러나 그녀는 다시 이 가게에 나타나지 않았다. 그녀가 아이를 안고 어디로 갔는지는 아무도 모른다.

오랜 세월이 흐른 다음 이곳에 들른 나는 그때 그녀의 눈물을 그녀가 맡긴 시계의 흐린 유리를 통해 보고 있다. 오래된 상하이의 눈물을 보고 있다.

어느 영화기자의 단상

동방의 뉴욕이자 파리라 불리는 상하이.

오늘밤 새로 들어온 외국 영화가 난징극장에서 개봉된다. 나는 영화를 보고 다음날 신문에 평을 쓰는 것이 직업이라 새 영화가 걸리면 항상 제일 먼저 영화관으로 달려간다. 그러나 나만 이렇게 첫 영화를 보러 달려가는 것이 아니다.

미국 헐리우드의 새로운 영화가 일주일이나 열흘 차이로 들어오면 그것을 보러 중국 영화 관계자들과 상하이 사람들은 물론 일본의 부자들도 비행기를 타고 상하이로 온다. 그들은 하비로의 최고급 호텔에 머물며 하루 저녁 구경할 영화를 위하여 온갖 멋을 내고 극장 로비에 모여들곤 했다.

그런 날 밤이면 나는 영화 말고도 상하이란 도시의 이상한 매력에 대해 다시 생각해 본다. 물론 이곳 상하이가 수십 개 국 사람들이 모여 사는 국제도시이긴 하나 돈 많은 관객들이 타고 온 자동차의 헤드라이트 불빛이 마치 영화 촬영장의 조명처럼 휘황하게 극장 입구를 비추고, 그곳에 성장한 여인들을 대동하고 자신만만한 얼굴로 차에서 내리는 남자들의 모습을 볼 때 아, 여기가 바로 상하이구나, 하는 것을 느낀다.

어떤 영화가 상하이에서 성공하는 것은 세계에서 성공하는 것이고, 그것은 한 민족이나 한 나라에서만이 아닌, 세계 만민의 보편적인 정서에 합격하는 것이다. 이것은 영화뿐 아니라, 유행도 그렇고, 문화도 그렇고, 사업의 성공도 그러리라.

오늘의 영화는 클라크 케이블과 클라우드 콜베르가 주연한 '어느날 밤에 생긴 일' 이다. 원치 않는 결혼을 앞두고 재벌의 말괄량이 딸은 무작정 집을 나와 자유를 만끽하지만 그동안 귀족 생활을 누려온 습관 때문에 곳곳에서 실수를 저지른다. 그리고 나 같은 무명의 신문기자가 우연히 그녀의 신분을 알아챈다. 남자는 특종을 잡을 수 있는 절호의 기회를 놓치지 않으려 애쓰는 한편 그녀의 소재를 그녀의 아버지에게 알려 한몫 잡으려 노린다. 이곳저곳을 같이 다니면서 그녀의 행동을 유심히 관찰한다. 그러다가 세상 물정을 모르고 순진하기만 한 그녀에게 사랑을 느끼고 여자 또한 같은 연정을 품는 로맨틱 코메디 영화다.(이 영화는 훗날 그레고리 펙과 오드리 헵번이 주연한 '로마의 휴일' 과 내용이 너무도 흡사하다.)

남녀 모두 한번쯤 꿈꿔 볼 만한 얘기를 웃음과 함께 재치 있게 표현했다. 재벌 딸의 주인공에 걸맞는 아름다운 집과 의상 등이 볼만했는데, 내 눈에 그보다 더 인상 깊은 것은 그것을 보

1930년대의 南京大戏院(Nanjing Grand Theatre in 1930's)

러온 극장 관객들의 모습이었다. 여기 난징극장의 귀족 관객들이야말로 영화 속에서 펼쳐지는 이야기만큼이나 국제적이며, 세계 상류사회의 일면을 보여주는 인물들이었다.

영화 속의 주인공 앨리는 말괄량이면서도 순진한 모습을 가지고 있지만, 그러나 반대로 저마다 꿍꿍이속은 따로 있으면서 겉으로는 누구보다 순수한 사랑을 하는 듯이 행동하는 여자가 여기 관객 속에는 얼마나 많을 것인가. 그녀들이말로 겉모습은 아름다워도 마음은 오직 돈의 위력에만 복종하는 부류일 것이다. 그러나 남자라고 왜 안 그러겠는가. 겉으로는 흠 하나 잡을 수 없는 신사적 태도를 보이지만, 막상 위험과 위기가 닥칠 때는 영화 속의 어떤 인물처럼 그 즉시 본연의 모습으로 돌아간다. 다들 평온 속에 짐짓 거짓 위엄과 점잔을 떨며 자기 자신을 가장하고 있는 것인데, 그렇다면 그들이 모여드는 이곳 상하이의 본 모습은 과연 어떤 것일까.

세계 제일의 도시 뉴욕만큼이나 휘황찬란하게 빛나는 이 도시의 한 영화관에서 느끼는 이 감정은 나 혼자만의 것일까. 근대에 이르러 열강국에 의해 무수히 침략받아온 중국, 1843년 개항 이후 오늘의 모습으로 발전한 상하이가 과연 그 화려함만 가지고 진정 국제도시라고 말할 수 있을까.

와이탄에서 몇 골목 안으로만 들어가면 넝마주이가 버려진 아기를 광주리에 담아 팔러다니고, 추운 겨울날 아침 한 개의 호떡을 사먹기 위해 자신의 겉옷을 파는 노무자가 있는 곳도 상하이다. 그러나 이곳은 비자 없이도 들어올 수 있으며, 모든 세계인이 차별 없이 대등하게 경쟁하고, 어떤 나라의 간섭도 없이 개인의 능력으로 성공할 수 있는 곳이다. 그런 곳이 이 세계에 상하이 말고 또 어디가 있을까.

이런 도시는 내가 알기로는 예전에 없었다. 아니, 앞으로도 없을 것이다. 천사와 악마가 함께 숨쉬고, 마치 위험한 비밀을 간직한 늪지대처럼 지난 시간의 영욕을 함께 하며 가장 차별이 있으면서도 가장 차별 없이 살 수 있는 이상한 도시이며 나라이며 세계인 것이다. 올더스 헉슬리도 동서양을 불문하고 이보다 더 밀집돼 있고 속이 찬 생동감을 느끼지 못했다고 말하지 않았던가?

나는 영화를 보다가 스크린에서 시선을 돌려 관객 속의 한 여인을 물끄러미 쳐다본다. 왜였을까? 그녀가 아름다워서였을까?

그렇지는 않다. 아마도 나는 영화나 현실이나, 상하이나 내 마음 속이나, 모순은 모두 있으되 영원히 빛을 잃지 않고 돌아가는 이 세상 모든 것들이 너무도 이상하고 신기하여 영화 속과 바깥을 구분하지 못하고 주위를 둘러본 것이리라. 세계 영화의 중심지라는 헐리우드에서 영화가 완성된 지 일주일도 채 지나지 않아 이곳에 와서 걸리는 그야말로 국제도시, 상하이의 난징극장 객석에서…….

홍구(虹口)에 있는 대광명극장(大光明影戏院). 올드 상하이 시절 일본인들은 비행기를 타고 1주일 전에 미국에서 개봉한 영화를 보러 상하이까지 날아 왔다.

루이진 호텔

루이진 호텔

상하이는 세계에서 제일 흥미로운 도시이다. 아니, 나에게는 도시가 아니라 또 하나의 세계이다.

19세기 중반 상하이가 개항된 후 세계의 많은 사람들이 이 도시에 들어왔다. 1920년대와 1930년 대, 이른바 올드 상하이 시절, 많은 나라의 사람들이 달랑 가방 하나를 들고 상하이로 왔다. 그들은 상하이에서 수많은 기회와 변화를 겪으면서 어떤 이는 부자가 되고, 어떤 이는 가난을 면치 못했으며, 또 어떤 이는 이 도시에서 알 수 없는 죽음을 당하기도 했다.

안개와 바람, 피와 땀, 눈물과 사랑, 굴욕과 환희가 함께 하는 가운데, 귀부인이 졸지에 창녀가 되고, 거리의 부랑아가 중국 최고의 재력가이자 실력자가 되기도 했던 올드 상하이. 이곳은 평범한 주부인 나를 열정에 들뜨게 한다.

나는 그때를 살아보지 못한 것이 못내 아쉽다. 그래서 나는 옛 자취가 남아있는 상하이의 이 골목 저 골목을 돌아보는 것을 좋아한다. 나는 그 시대를 살았던 많은 이들을 친구로 갖고 싶다. 나는 그들의 삶이 너무도 흥미롭고 그리워 그들을 더 가깝게 느끼기 위해 올드빌라호텔에 묵는다.

복잡한 도심 한가운데 숲과 함께 나타난 벽돌집 호텔을 처음 보았을 때 나는 아무 위화감 없이 편안하게 입구에 들어섰다. 프런트 데스크에서 방에 대해 물어볼 때만 해도 나는 이 호텔의 참 매력을 몰랐다.

장제스와 송메이링이 좋아했다는 방에서 잤던 날, 나는 새벽에 새소리에 잠이 깨었다. 2월 말이었는데, 창을 여니 푸른 나뭇잎들이 창가 책상 위로 막 돌진해 들어오는 듯했다. 나는 놀라 밖으로 난 베란다로 나갔다. 푸른 마당 사이로 아침 안개를 뚫고 목련꽃 봉오리가 터지고, 저만치 이 화원 빌라를 지은 모리스 씨가 아침 산책을 하고 있다.

"모리스 씨, 안녕하세요? 요즘은 어떻게 지내셨어요?"

풍채가 좋은 모리스 씨는 사람 좋은 얼굴로 나를 보고 미소 짓는다. 나는 일층으로 내려온다. 본관 일층 식당에 가면 송메이링이 오늘 음식이 마음에 들지 않았다고 미간을 찌푸리며 주방장에게 말한다. 그 맞은쪽에는 장제스의 개인 도서실이 있다. 문을 열면 장제스가 '저 여자는 항상 투정이 심하군.' 하면

상하이의 역사만큼이나 많은 사건과 사람들을 겪어낸 루이진 호텔 모습

서 밖을 내다보다가 다시 책을 읽는다.

도서실 옆방은 장제스와 송메이링이 약혼했던 방이다. 그 방의 푸른색 벽과 하늘색 커튼은 약혼식 날의 화려했던 순간을 연상시키지만, 의외로 조그맣고 아늑한 방이다. 그 방을 나오면 복숭아나무로 된 까만 마루가 거의 100년이나 되었건만 윤이 반짝반짝 난다. 거실 네 귀퉁이에 있는 천연 대리석 기둥이 이 집의 규모를 실감케 하고, 화이어 플레이스에는 모리스 씨가 사랑하는 개를 쓰다듬으며 책을 읽고 있는 것 같다.

그는 이 집을 얼마나 사랑했을까. 모리스는 나이 많은 상하이인들 사이에서는 사슨이나 하든처럼 잘 알려진 인물이다. 그도 건축과 부동산업으로 돈을 벌었으며 중국 최대의 영자 신문 〈

자림서보(North China Daily News)〉를 운영했다.

1917년 모리스는 자신의 거처로 '모리스 화원'을 건설하기 시작했는데, 품격이 서로 다른 웅장한 본채와 별장 3채가 아름다운 영국식 정원에 자리잡고 있다. 본채는 빨간 벽돌과 붉은 기와지붕으로 지어졌고, 전형적인 영국 시골마을의 별장처럼 자연스럽고 소박한 모습이었다. 7헥타아르 쯤 되는 푸른 잔디밭과 다리 밑으로 흐르는 시냇물로 도심 한가운데서도 보석처럼 귀한 전원풍의 경치를 만들어냈다. 화원도 열 몇 채의 별장으로 늘어났다.

모리스는 화원 동북쪽에 있는 3개의 별장을 일본의 삼정재단(일본은행)에 팔았는데, 이때부터 이 별장은 삼정화원으로 불리게 되었다. 나는 다른 건물들보다 이 삼정화원에 끌린다. 아침이나 저녁이나 이 건물 주위를 산책하는 나를 발견한다. 지금 이 건물은 조명을 받은 꽃처럼 또 아편처럼 사람을 홀리는 매혹적인 기운이 있다. 이 기운은 건물 속에서 밖을 바라보아도 느끼고, 밖에서 이 건물을 바라보아도 느낄 수 있다.

밤에 조명이 비치면 그 매혹은 향기를 더해 이 건물을 마치 우아한 여인처럼 느끼게 한다. 그녀는 큰 팔을 뻗어 주위의 나무들과 잔디밭, 사람들까지 모두 품에 안아버린다.

이렇게 아름다운 삼정화원이 1941년 태평양전쟁이 발발하자 일본군이 조계에 들어온 다음 한때 나쁜 용도로 이용되어 아편을 판매하는 곳으로 변했다. 어느 일본인이 '홍제선당'이라는 엉터리 자선기구를 설립해 아편을 팔아 중국 재난민을 구제한다고 선전했던 것이다. 중국에 대해 용서할 수 없는 죄를 이 건물에서 지은 것이다. 또 이차대전 중 이탈리아 영사관이 모리스 화원의 한 별장을 차지하기도 했다.

1945년 항전 승리 후엔 국민당의 장제스 정부가 이곳 모리스 화원을 접수해 '국민당 역지사 상하이 분사' 와 삼청당 지부의 거점으로 사용했다. 또 장제스와 송메이링이 이곳에서 살았다.

또 공산당의 해방전쟁 승리 후엔 내부 초대소(국빈관)로 용도를 변경하여 국내의 주요 인사와 중요 영도자, 또 상하이를 방문하는 외국 원수와 주요 귀빈들을 접대하는 곳으로 사용하였다.

이때 모리스의 아들 한 명이 상하이에 남았다. 학사였던 그는 접대처에서 관원들을 접대했다. 그는 이곳에서 계속 거주하는 것을 허락받았는데, 화원 동쪽의 작은 아파트로 이사를 해 1952년까지 살다가 죽었다.

이곳 화원은 진이, 조우언라이 등 중국 현대사에서 저명한 인사들이 한때 살기도 했다. 그러다 중국이 세계에 대해 문호를 개방한 1980년대부터는 '루이진(瑞金)호텔' 로 이름을 바꾸어 보통 시민들도 이 오래된 별장 같은 호텔의 아름다움과 풍치를 느낄 수 있게 되었다.

이 건물은 모리스가 지은 후 일부가 일본 은행에 팔리고, 이차대전을 겪고, 국민당과 공산당이 번갈아 중요 거처로 사용하면서 오랜 세월 속에 여러 번 주인이 바뀌어도 그 아름다움을 잃지 않고 오히려 매력을 더해 갔다.

이 호텔은 지금 상하이의 근대 우수 보호 건축물로 지정되어 있다. 이 호텔 1호 건물 이층에 올라가면 왼쪽 첫 번째 방은 해방 후 마오쩌뚱이 묵었던 방, 그 다음은 조우언라이와 덩사오핑이 묵었던 방이 나란히 있고, 오른쪽 방은 장제스와 송메이링이 거처했던 방이라는 팻말이 붙어 있다.

루이진 호텔 내의 삼정화원

상하이에서 나를 상상하기

상하이 초현대 건축물 진 마오 타오 빌딩(88층)

나는 상하이에 갈 때마다 마음속으로 나 스스로에게 묻곤 한다.

나는 얼마나 용감할 수 있는가?

나는 얼마나 도전적일 수 있는가?

나는 얼마나 멋질 수 있는가?

그리고 나는 목적을 위해 얼마나 야비할 수 있으며 또 비겁할 수 있는가?

올드 상하이엔 중국 각처에서 수많은 혁명가, 문학가, 배우, 사업가, 중개인, 또 외국에서 온 모험자, 나라를 잃어버린 망명가, 먼 곳에서 흘러들어온 깡패, 어느 가난한 집에서 팔려온 창녀, 아편 중독자, 바람둥이들이 모여들었다. 어느 면으로든 과히 세계적인 도시였다. 이렇듯 일찍이 상하이는 세계의 모험가와 야심가, 혁명가와 바람둥이가 함께 모여들어 저마다 자신의 세력을 키우고, 또 이 도시에서 새로운 인생을 펼쳐나갔다.

19세기 중반에서 20세기 중반까지 상하이는 각기 다른 법이 존재하는 조계 때문에 하나의 도시 안에서도 저마다 다른 모습의 국제사회를 이룰 수 있었으며, 또 그런 조계들은 자기들만의 고유 영역을 확보해 중국이나 그 조계의 모계 국가로부터도 규제를 받지 않았기에 소수의 야망가들은 그 속에서 스스로도 알 수 없을 만큼 많은 돈을 벌었고, 또 그런 조계지 운명의 끝을 아무도 몰랐기에 평범한 이들도 인생의 모험가가 되었다. 인간 개개인이 낭만과 모험의 주인공이 될 수 있었고, 그때 그 시절 사람들이야말로 자신의 용기와 상상을 마음껏 시험볼 수 있었던 시절을 보냈던 게 아닐까 싶다.

자신의 모국에서와는 또 전혀 다른 인생의 새로운 기회와 그 지역만의 치외법권적인 특혜는 사람들을 들뜨게 하고, 또 용감하게 만들었다. 정말 이래도 되나 싶을 만큼 과도한 행운이 연이어 따르기도 하고 또 어느 아침 누구도 예측할 수 없었던 참담한 실패로 생을 마감하기도 했다. 아편전쟁으로 문을 연 도시답게 그 안에서 일어나는 일들이 모두 한 가닥의 꿈같으며 신비로웠다.

1차세계대전이나 중국 안의 내전에도 상하이의 조계는 더없이 안전했고, 아니 오히려 그런 전쟁들로 더욱 번성했으며, 일본의 침략 속에서도 오랫동안 무릉도원이었기에 세계 각처에서 몰려든 사람들로 동서양의 문화가, 또 고대와 근대의 문화가 그곳에서 합쳐져 상하이 조계만의 독특한 문화로 꽃을 피웠다.

그런 시절, 대중문화 가운데에서도 가장 인기가 있었던 영화 속에서 상하이의 영화 황제였던 나의 작은할아버지 김염을 만난 것은 또 얼마나 꿈 같은 일인가. 평범한 가정주부로 살던 어느 날 나는 내 작은할아버지 김염을 알게 되었다. 김염은 한국 최초의 서양 의사이자 독립운동을 하는 아버지를 따라 두 살 때 중국으로 망명한다. 그러나 그의 아버지 김필순은 북만주 치치하얼에서 한국인 이상촌을 개척하던 중 일본 밀정의 손에 목숨을 잃는다. 김염은 열세 살 때 상하이에 있는 고모네(김규식 박사) 집에 가서 공부를 하다가 열일곱 살 때 홀로 집을 나와 영화배우의 길로 들어선다. 몇 년 간의 험한 고생 끝에 그의 나이 스무 살 때 신예 감독 쑨유〔孙瑜〕의 눈에 띄어 '야초한화'로 일약 스타덤에 오른다. 그는 독립운동을 하던 집안 어른들과는 달리 영화로 자신의 이상 세계를 실현한 사람이었다.

김염의 친척들은 모두 항일 독립운동가로 반평생을 상하이에서 보냈다. 영화 황제 칭호를 들었던 김염만 해방 후에도 한국으로 나오지 않고 평생을 상하이에서 영화와 함께 살았다.

중국 영화 100년 역사상 유일하게 황제 칭호를 받았던 할아버지를 찾아 상하이를 처음 찾아갔던 때로부터 그의 일대기를 담은 『상하이 올드 데이스』를 써 나가는 동안 나는 조금씩 조금씩 그를 내 속에서 느끼게 되었다. 그는 그의 가슴 속에 담겨진 수많은 추억과 애정을 담아 나에게 상하이를 보여주었

상하이의 밤은 백계러시아 댄서들이 펼치는 쇼로 그 정점을 이루었다. 백계러시아인들이 들어오며 상하이는 더 많은 나이트클럽과 째즈음악, 클래식 음악, 그리고 밤을 빛내는 더 많은 화려함들로 채워졌다.

고, 나는 그 속에 감춰진 상하이의 보석 같은 매력을 저절로 알아갔다.

김염과의 만남이 나에게 새로운 충격이었듯 그가 살았던 상하이 역시 나에게는 새로운 세상이었다. 그의 발자취를 따라다니는 동안 나는 줄곧 상하이에 대해 이런 생각을 했다. 과연 그런 세상이 있었을까. 과연 그런 장소가 이 지구상에 존재했을까. 불과 칠팔십 년밖에 안되는 세월 저편에 그곳에서 일어난 모든 일들은 예전에도 그런 일들이 없었으며, 또 앞으로도 없을 것 같은 신기루 속의 일들 같았다. 아니, 당시 상하이 자체가 하나의 신기루였던 것이다.

나는 그곳에서 전세계에서 모여든 수많은 모험가들과 혁명가, 예술가, 사기꾼, 건달과 깡패, 기생들을 통해 우리 인간이 꿈꾸었던 모든 형태의 욕망과 좌절, 허위의식과 한계를 보았고, 또 그속에 살다간 수많은 사람들의 영혼을 느낄 수 있었다. 그리고 나 자신을 그 속에서 새로이 발견했다.

나는 할아버지의 발자취를 따라 다니는 동안 그 속에서 느꼈던 것들을 기록했다. 그러지 않고는 견딜 수가 없었다. 그러지 않으면 죽을 것만 같고, 못 살 것만 같았다. 그만큼 상하이는 오랜 역사를 안고 있으면서 또 그 자체로 신세계였다. 겉으로 드러나 보이는 화려함이나 역동적인 성장뿐만 아니라 그 이면의 굴곡진 역사와 수많은 영혼들이 빚어낸 기막힌 사연들이 내 가슴을 너무도 간절하게 울렸다.

여장을 푼 호텔에서 바라보는 상하이의 정경도 내게 수많은 상상을 불러일으킨다. 상하이는 나에게 외국도 아니며 단순한 여행지도 아니다. 나는 그곳의 지난 시절을 살고 싶은 영원한 모험자인 것이다. 갈 때마다 다른 사람이 되어 상하이에 살고 싶은 것이다. 자동차를 타고 창 밖을 바라보아도 어느새 할아버지들이 살았던 그 시절로 돌아가 인력거를 타고 안개 낀 상하이의 거리를 달리는 누군가가 되어 버리는 것이다.

들을 사람이 없다면 나에게라도 말하고 싶었다. 매혹적인 상하이의 그때 그 시절을. 모든 가능성이 올드 상하이에 있었다. 아니, 지금 바로 이 자리에서 바라볼 때, 현재에도 또 미래의 상하이에도 있을 것이다.

그 옛날 상하이에 와 살던 수많은 외국의 모험가들과 사업가들 모두 자신이 상하이인으로 불리길 원했고, 또 죽어서도 이곳 상하이에 묻히길 원했다지만, 그러나 그때 진짜 상하이를 움직였던 사람들은 돈 많은 그들이 아니라, 돈 많고 좋은 집에 살며 와이탄의 높은 빌딩을 제집처럼 드나드는 그들을 먼 발치에서 바라보던 중국 민중이었다는 것도 나는 잘 알고 있다. 그들은 가난했고, 많은 불편들을 숙명처럼 견디며 살았고, 또 속으로는 분노를 삼켰다. 그러면서 그들은 점점 세계적인 사고를 갖기 시작하고 그것을 자식들에게 가르쳤을 것이다.

지금도 상하이는 1920년대와 30년대의 올드 상하이처럼 세계에서 가장 빠른 시일 안에 세계에서 가장 빨리 변화하며 발전하는 도시로 하루하루 그 모습을 일신하고 있다. 예전에 이곳에서 스스로 상하이인이라고 불렀고 또 그렇게 불리길 원했던 그들 이방인처럼 나 역시 이곳을 방문할 때마다 잠시나마 상하이인을 꿈꾸어 보는 것이다.

■ 에필로그

그대는 누구인가요?

마치 구름이 내 눈꺼풀을 들어올린 듯, 사랑이 내 겨드랑이 사이를 감싸 안는 듯 따뜻함으로 가득 찬 도시 상하이.

잠에서 깨어나며 느끼는 어떤 신비한 가벼움.

그 도시를 새벽에 배회하는 것.

그것은 안개 속에서 불현듯 만나고 싶은 사람을 찾아 나도 모르게 거리로 달려 나가는 나의 오랜 습관이랍니다. 그 속에서 만나는 나의 기쁨과 슬픔의 기억, 하늘과 우주까지, 또 불가능의 세계에까지 날아가는 나의 소망과 만나는 것이에요.

불란서 조계지의 오동나무 가로수에 앉은 구름처럼 깔려 있는 흰 안개는 그곳의 나뭇잎조차 나의 친구로 느껴지게 합니다. 가만히 귀를 기울이고 들으니 그 친구가 이렇게 말하는군요.

나는 이곳에 오래 살았어요.

이 담 너머에는 심 선생이 살고 있어요. 그 집 딸이 오늘 생일이에요. 그 소녀의 생일을 축하하기 위해 삼촌이 예쁜 카드를 파리에서 보내주었어요. 카드를 보면 삼촌이 조카를 얼마나 사랑하며, 또 사주고 싶은 것들이 얼마나 많은지 느낄 수 있답니다. 소녀는 낮에 학교가 끝난 후 친구들과 이 거리를 지나가며 종알종알 자기들만의 수다를 떨 거예요.

그 옆집의 사장님은 어제 승진을 했대요. 굉장히 즐거워하는군요. 사람들은 승진을 좋아하나 봐요. 승진은 그렇게 좋은 건가요? 하지만 나도 좋아요. 그 집 식구들이 좋아하니까요. 웃음소리와 가슴이 뛰는 소리가 내게도 음악소리처럼 들려요.

또 길을 돌아 높은 다락방이 있는 불란서집의 주인은 오늘 수술을 한대요. 너무 과로가 겹쳐서 의사가 일을 좀 쉬라고 했는데도 말을 안 듣고 계속 일을 하다가 어젯밤에 통증이 너무 심해 병원에 실려 갔어요. 앞으로는 정말 좋은 일만 있었으면 좋겠어요.

나뭇잎이 전하는 소식을 들으며 나는 어느새 오홍로에 다다릅니다. 그곳 공원 속의 소홍루에는 내가 좋아하는 음악이 있어요. 조선의 음악을 들으며 잠들었던 들고양이가 지붕 위에서 기지개를 켜며 일어나는군요.

어제 오늘 내일 모든 날들이 흘러가고, 우리 모두가 늙어죽어서 다음 세대, 또 다음 세대가 이 길을 지나면 그들은 무엇을 느낄까요. 이 소홍루에서 옛날에 아름다운 노래들이 만들어지고, 불려지고, 동네에 퍼지고, 상하이에 퍼지고, 세계로 그 음악이 퍼졌다고 얘기하지 않을까요.

아, 나는 누구인가요. 누가 나를 기억할까요.

그건 중요하지 않아요. 스스로 날아가버린 안개처럼. 나는 다만 이 거리를 사랑해요. 나도 이 거리의 일부분이에요. 누가 나를 기억해주길 바라기보다 나는 이 거리 자체에요. 내 사랑이 이 거리에 숨어 있어요. 나는 이 거리 저 거리를 다니면서 수많은 사람들을 만나요.

그 사람들은 어떨 땐 우리 할아버지가 젊으셨을 때 이 길을 지났던 사람들이고, 또 어떨 땐 지금 나와 함께 이 길을 지나는 사람들이에요. 그들은 모두 다른 사람들이지만, 마음속의 꿈은 다르지 않아요. 모두 무언가 자기의 꿈을 찾아 열심히 살고 있어요. 기쁨을 찾아, 희망을 찾아, 슬픔을 잊으려고, 좌절을 딛고 일어선 사람들이에요.

나도 그들 중의 하나예요. 모두모두 길을 걸어가고, 인생은 흘러가요. 그리고 문득 사랑을 느끼고, 눈물을 흘리고, 환호성을 질러요.

살다가 너무 슬플 때, 하늘이 검고 노랗게 보일 때, 허리가 꺾어질 만큼 깊은 좌절 속에 황푸강을 바라보면 강이 미친 듯이 소용돌이치며 나를 삼키려는 듯 자기 품속으로 나를 불러요.

차라리 나는 그 속에서 눈을 감고 싶어요. 그러나 눈을 뜨면 강 위엔 아름다운 달이 떠 있고, 영롱한 별빛 속에 영웅들과 천사들이 날아다녀요. 나는 그들을 알까요? 아니 모르는 것 같아요. 그러나 그들의 모습이 너무 고귀하고 찬란하여 나는 차마 다른 생각을 못하겠어요. 그런 혼백들이 날아다니는 세상에서는 나는 부끄러워 고개를 들지 못할 것 같으니까요. 나는 다시 내 희망을, 내 사랑을 가슴에 껴안고 내 자리로 돌아왔어요.

그만큼 신비로운 상하이.

그만큼 아름다운 상하이.

내 어찌 그대를 잊을 수 있단 말인가요? 나는 그대 속에서 잠들고 깨어나요.

내가 자라고 어른이 되어가며 항상 내 곁에 있었던 친구보다 더 내 곁에 있는 상하이. 떠나도 곁에 있고, 멀리서도 늘 떠나본 적이 없는 상하이. 그 안에 있어도 항상 그리운 상하이.

그대는 누구인가요?

내게 말해 주어요.